DREI MÄNNER
IM SCHNEE

BY

ERICH KÄSTNER

AUTHORIZED SCHOOL EDITION

EDITED BY

CLAIR HAYDEN BELL

GEORGE G. HARRAP & CO. LTD

LONDON   TORONTO   WELLINGTON   SYDNEY

First published April 1937
by GEORGE G. HARRAP & CO. LTD
182 *High Holborn, London, W.C.*1

Re-issued 1957

Published by permission of
Rascher & Cie., A. G. Verlag, Zürich

SBN 245 55796 2

Made in Great Britain.   Printed by Morrison & Gibb, Ltd.,
London and Edinburgh

Preface

The many admirers of Erich Kästner's stories will greet with pleasure a text edition of his recent novel, *Drei Männer im Schnee*. It is of delightful humour, racy in style, lively in action, and full of "Situationskomik." The text is that of the original edition of 1934 as published by Rascher & Cie. A. G. Verlag, Zürich, and is used with their kind permission. Some abridgement has been necessary to bring the novel within practical compass, but save for deletions no liberties have been taken with the author's style. Primer words such as the reader should have learned in a two year course have been omitted from the Vocabulary. It is hoped, however, that the Notes and Vocabulary will fully meet the needs of the reader. An asterisk (*) appears in the Text when an explanation is given in the Notes applying to the particular word or passage.

C. H. B.

Introduction

It was as a writer of lyrics that Erich Kästner first emerged, some few years ago, into the field of German literature. His collection of verse, *Herz auf Taille* (1928) was his first published volume. This book of verse was soon followed by similar collections, *Lärm im Spiegel* (1929), *Ein Mann gibt Auskunft* (1930), and *Gesang zwischen den Stühlen* (1932). The poems of these collections are all of a kind: they represent a realistic cross-section view of the every-day life of the present time, as one sees it in the streets, the cafés, offices, dwellings, work-rooms, and even in the bed-rooms of Berlin, or, for that matter, of any other German city—realistic, unembroidered, without illusion. The verse is skilful in form, and characterized by a wit and a cynicism that have suggested a comparison with Heinrich Heine. And like Heine, young Kästner has been sufficiently outspoken to arouse hostility at home. His attitude towards war and militarism is like that of Brecht and Remarque. This is sufficiently illustrated on pages 83—84 in *Fabian*, and in such poems as: "Kennst du das Land, wo die Kanonen blühen," and "Stimmen aus dem Massengrab" in the volume *Herz auf Taille*, or by his "Die andere Möglichkeit" and his "Das letzte Kapitel" in *Ein Mann gibt Auskunft*. In the last-

mentioned poem, Kästner sees the world government in the year
2003 ordering the entire earth to be gassed from bombing planes, in
order that man finally may be made quiet and content. No human
life escapes:

> Jetzt hatte die Menschheit endlich erreicht, was sie wollte.
> Zwar war die Methode nicht ausgesprochen human.
> Die Erde war aber endlich still und zufrieden, und rollte,
> Völlig beruhigt, ihre bekannte elliptische Bahn.

There are some critics who take Kästner's verse to be hopelessly
cynical. Kästner gives an answer to those who hold this view in
the volume *Ein Mann gibt Antwort*, in the poem entitled "Und wo
bleibt das Positive, Herr Kästner?"; he stoutly declares:

> Ich will nicht schwindeln, ich werde nicht schwindeln,
> Die Zeit ist schwarz, ich mach euch nichts weis!

But if we look beneath his frequently spicy, sometimes sordid
exposure of the daily round of life, we may see in him an ethical
teacher, admonishing us to be decent, to do better, to change and
improve.

It is in the oncoming youth of the country that Kästner places
his hopes for betterment. He expresses it well in the poem "Elegie
mit Ei" (*Ein Mann gibt Antwort*, p. 107) in which the older gener-
ation is charged with responsibility for its tragic mistakes, and
the future is placed in the hands of courageous youth:

> Sie wollten Streit. Und uns gab man die Prügel.
> Sie spielten gern mit Flinte, Stolz und Messer.
> Wir säen Gras auf eure Feldherrnhügel.
> Wir werden langsam. Doch wir werden besser.

Wir wollen wieder mal die Tradition begraben.
Sie saß am Fenster. Sie ward uns zu dick.
Wir wollen endlich unsre eigne Aussicht haben
Und Platz für unsern Blick.

Wir wollen endlich unsre eignen Fehler machen.
Wir sind die Jugend, die an nichts mehr glaubt
Und trotzdem Mut zur Arbeit hat. Und Mut zum Lachen.
Kennt Ihr das überhaupt?

Beginnt ein Anfang? Stehen wir am Ende?
Wir lachen hunderttausend Rätseln ins Gesicht.
Wir spucken — pfui, Herr Kästner — in die Hände
Und gehn an unsre Pflicht.

However we may interpret it, the fact remains that the sale of Kästner's volumes of verse has mounted within a few years to the phenomenal figure of over 50,000 copies. This is impressive proof of the popularity of his lyrics. He has induced the man of the street to read verse; for it is not the élite to whom Kästner addresses himself, so much as the average middle-class citizen of simple, everyday ambitions. And he captivates him because he speaks to him about the little things that concern him, and he speaks to him in his own tongue.

Kästner's talent is not limited to poetry. He writes a brilliant, effective prose. He has not forgotten his boyhood. He is most winning when he addresses himself to children, for whom he has written a number of juvenile novels: *Emil und die Detektive* (1929), *Pünktchen und Anton* (1931), *Der 35. Mai* (1932) and *Das fliegende*

Klassenzimmer (1933).

The recent novel, *Drei Männer im Schnee* (1934) is a merry tale for youthful spirits ranging from sixteen to ninety-six years of age. It is a burlesque, written frankly to amuse and entertain— and it is sheer entertainment from cover to cover, written in a racy style and with a quality of humour such as is none too often found in contemporary literature. True, it is only a light story, light-heartedly told, but underneath the fun there is hidden no small amount of keen social satire and revelation of human nature. Here, once more, "many a true word is spoken in jest." The action begins and ends in Berlin, but plays for the most part in the Grand Hotel, in the fictitious village of Bruckbeuren in the Bavarian Alps. As the reader observes at once, Kästner is thoroughly familiar with the life he pictures; he himself is an ardent alpinist.

Beneath the surface froth of Kästner's writings there is deep seriousness, and the thoughtful reader finds promise of development towards literary products of increasing worth and ethical value. And for this development there is time; Kästner is still a young man in the early thirties. He was born in Dresden on February 23, 1899, where he received his schooling. It was first his intention to become an elementary school teacher. After attending the training college, he turned for a short time to banking. This did not prove to be his true field either. He left it to enter upon philological studies at the universities of Leipzig, Rostock, and Berlin, and took the Ph.D. degree, completing his dissertation under Professor Georg Witkowski at Leipzig, on the topic: *Die Erwiderungen auf Friedrichs des Grossen Schrift: 'De la Littérature Allemande'* (1925). For several years he worked as an editor for newspapers and periodicals and as theatre-critic in Leipzig. Since 1927 he has resided in Berlin as an independent author.

The list of Kästner's publications to date is as follows :

Volumes of poems:

Herz auf Taille 1928

Lärm im Spiegel 1929

Ein Mann gibt Auskunft 1930

Gesang zwischen den Stühlen 1932

Novels:

Fabian, die Geschichte eines Moralisten 1931

Drei Männer im Schnee 1934

Lyric suite:

Leben in dieser Zeit 1929

Juvenile novels:

Emil und die Detektive 1929

Pünktchen und Anton 1931

Der 35. Mai 1932

Das fliegende Klassenzimmer 1933

Film plays:

Emil und die Detektive 1930

Pünktchen und Anton 1931

Juvenile poetry:

Arthur mit dem langen Arm 1930

Das verhexte Telefon 1930

In preparation:

Emil und die Detektive, Band II 1935

Das erste Kapitel

Dienstboten unter sich und untereinander*

„Machen Sie nicht so viel Krach!" sagte Frau Kunkel, die Hausdame. „Sie sollen kein Konzert geben, sondern den Tisch decken."

5 Isolde, das neue Dienstmädchen, lächelte fein.

Frau Kunkels Taftkleid knisterte. Sie schritt* die Front ab. Sie schob einen Teller zurecht und zupfte an einem Löffel.

„Gestern gab es Nudeln mit Rindfleisch", bemerkte Isolde melancholisch. „Heute weiße Bohnen mit Würstchen. Ein Millionär sollte eigent-
10 lich einen eleganteren Appetit haben."

„Der Herr Geheimrat ißt, was ihm schmeckt", sagte Frau Kunkel nach reiflicher Überlegung.

Das neue Dienstmädchen verteilte die Mundtücher, kniff ein Auge zu, das getroffene Arrangement zu überprüfen*, und wollte sich entfernen.

15 „Einen Augenblick noch!" meinte Frau Kunkel. „Mein Vater, Gott hab ihn selig, pflegte zu sagen: ,Auch wer morgens dreißig Schweine kauft, kann mittags nur ein Kotelett essen.' Merken Sie sich das für Ihren ferneren Lebensweg! Ich glaube kaum, daß Sie sehr lange bei uns bleiben werden."

20 „Wenn zwei Personen dasselbe denken, darf man sich etwas wünschen*", sagte Isolde verträumt.

„Ich bin keine Person!" rief die Hausdame. Das Taftkleid zitterte.

1

Dann knallte die Tür.

Frau Kunkel zuckte zuſammen und war allein. — Was mochte ſich Iſolde gewünſcht haben? Es war nicht auszudenken!

Das Gebäude, von deſſen Speiſezimmer ſoeben die Rede war, liegt an jener alten, ehrwürdigen Allee*, die von Halenſee* nach Hunde= 5 kehle führt. Jedem, der die Straße auch nur einigermaßen kennt, wird die Villa aufgefallen ſein*. Nicht, weil ſie noch größer wäre, noch ſchwungvoller als die anderen. Sie fällt dadurch auf, daß man ſie überhaupt nicht ſieht.

Man blickt durch das zweihundert Meter lange Schmiedegitter in 10 einen verſchneiten Wald, der jegliche Ausſage verweigert. Wenn man vor dem von ergrauten Steinſäulen flankierten Tore ſteht, ſieht man den breiten Fahrweg und dort, wo er nach rechts abbiegt, ein ſchmuck= loſes freundliches Gebäude: das Geſindehaus. Hier wohnen die Dienſt= mädchen, die Köchin, der Chauffeur und die Gärtnersleute. Die Villa 15 ſelber, die toten Tennisplätze, der erfrorene Teich, die wohltemperier= ten Treibhäuſer, die unterm Schnee ſchlafenden Gärten und Wieſen bleiben unſichtbar.

An der einen grauen Säule, rechts vom Torgitter, entdeckt man ein kleines Namensſchild. Man tritt näher und lieſt: Tobler.   20

Tobler? Das iſt beſtimmt der Millionär Tobler. Der Geheimrat Tobler. Der Mann, dem Banken, Warenhäuſer und Fabriken gehören. Und Bergwerke in Schleſien, Hochöfen an der Ruhr und Schiffahrts= linien zwiſchen den Kontinenten.

Tobler beſitzt viele Millionen. Aber er iſt kein Millionär*.   25

Frau Kunkel ſtudierte die Morgenzeitung.

Johann, der Diener, trat ins Speiſezimmer. „Tun Sie nicht ſo als ob Sie lesen könnten!" sagte er unwillig. „Es glaubt Ihnen ja doch kein Mensch."

Sie schoß einen vergifteten Blick ab. Dann wies sie auf die Zeitung. „Heute stehen die Preisträger drin! Den ersten Preis hat ein Doktor
5 aus Charlottenburg gekriegt, und den zweiten ein gewisser Herr Schulze. Für so'n paar kurze Sätze werden nun die beiden Männer auf vierzehn Tage in die Alpen geschickt!"

„Eine viel zu geringe Strafe", erwiderte Johann. „Sie gehörten nach Sibirien. Um was handelt sich's übrigens?"

10 „Um das Preisausschreiben der Putzblank-Werke*."

„Ach so", sagte Johann, nahm die Zeitung und las das halbseitige Inserat. „Dieser Schulze! Er hat keine Adresse. Er wohnt postlagernd!"

„Man kann postlagernd wohnen?" fragte Frau Kunkel. „Ja, geht denn das?"

15 „Nein", erwiderte der Diener. „Warum haben Sie sich eigentlich nicht an dem Preisausschreiben beteiligt? Sie hätten bestimmt einen Preis gekriegt."

„Ist das Ihr Ernst?"

„Man hätte Sie auf zwei Wochen in die Alpen geschickt. Vielleicht
20 hätten Sie sich einen Fuß verstaucht und wären noch länger weggeblieben." Er schloß genießerisch die Augen.

„Sie sind ein widerlicher Mensch", meinte sie.

Das zweite Kapitel

Herr Schulze und Herr Tobler

25 Es schneite. Vor dem Postamt in der Lietzenburger Straße hielt eine große, imposante Limousine. Ein Herr im Gehpelz stieg heraus.

„Einen Moment, Brandes", sagte er zu dem Chauffeur.

Dann trat er in das Gebäude und suchte den Schalter für post-
lagernde Sendungen.

„Ist ein Brief für Eduard Schulze da?" fragte er.

Der Beamte suchte. Dann reichte er einen dicken Brief heraus. Der Herr 5
steckte den Brief in die Manteltasche, bedankte sich, nickte heiter und ging.

Das Essen hatte geschmeckt. Isolde, das neue Dienstmädchen, hatte
abgeräumt, ohne Frau Kunkel eines Blicks zu würdigen. Johann, der
Diener, brachte Zigarren und gab dem Herrn des Hauses Feuer.
Fräulein Hilde, Toblers Tochter, stellte Mokkatassen auf den Tisch.   10

Die Hausdame und der Diener wollten gehen. An der Tür fragte
Johann: „Irgendwelche Aufträge, Herr Geheimrat?"

„Trinken Sie eine Tasse Kaffee mit uns! Die Kunkel auch. Und
stecken Sie sich eine Zigarre ins Gesicht!"

„Sie wissen doch, daß ich nicht rauche", sagte Frau Kunkel.   15

Hilde lachte. Johann nahm eine Zigarre. Der Geheimrat setzte sich.
„Nehmt Platz, Kinder! Ich habe euch etwas mitzuteilen."

Hilde meinte: „Sicher wieder etwas Originelles."

„Entsetzlich", stöhnte die Hausdame. (Sie litt an Ahnungen.)

„Ruhe!" befahl Tobler. „Entsinnt ihr euch, daß ich vor Monaten den 20
Putzblank-Werken schrieb, man solle ein Preisausschreiben machen?"

Die anderen nickten.

„Ihr wißt aber nicht, daß ich mich an eben diesem Preisausschreiben,
nachdem es veröffentlicht worden war, aktiv beteiligte! Und was ich
bis heute früh selber noch nicht wußte, ist die erstaunliche Tatsache, daß 25
ich in dem Preisausschreiben meiner eigenen Fabrik den zweiten Preis
gewonnen habe!"

„Ausgeschlossen", sagte die Kunkel. „Den zweiten Preis hat ein gewisser Herr Schulze gewonnen. Noch dazu postlagernd. Ich hab's in der Zeitung gelesen."

„Aha", murmelte Fräulein Hilde Tobler.

„Kapieren Sie das nicht?" fragte Johann.

5 „Doch", sagte die Kunkel. „Der Herr Geheimrat verkohlt uns."

Jetzt griff Hilde ein. „Nun hören Sie einmal gut zu! Mein Vater erzählt uns, er habe den Preis gewonnen. Und in der Zeitung steht, der Gewinner heiße Schulze. Was läßt sich daraus schließen?"

„Dann lügt eben die Zeitung", meinte Frau Kunkel. „Das soll es 10 geben."

Die anderen bekamen bereits Temperatur.

„Es gibt noch eine dritte Möglichkeit", sagte Tobler. „Ich könnte mich nämlich unter dem Namen Schulze beteiligt haben."

„Worin besteht denn dieser zweite Preis?" fragte Hilde.

15 Johann gab hustend Auskunft. „Zehn Tage Aufenthalt im Grand-hotel Bruckbeuren. Hin- und Rückfahrt 2. Klasse*."

„Ich ahne Fürchterliches", sagte Hilde. „Du willst als Schulze auf-treten."

Der Geheimrat rieb sich die Hände. „Erraten! Ich reise diesmal nicht 20 als der Millionär Tobler, sondern als ein armer Teufel namens Schulze. Endlich einmal etwas anderes. Endlich einmal ohne den üb-lichen Zinnober*." Er war begeistert. „Ich habe ja fast vergessen, wie die Menschen in Wirklichkeit sind. Ich will das Glashaus demolieren, in dem ich sitze."

25 „Das kann ins Auge gehen*", meinte Johann.

„Wann fährst du?" fragte Hilde.

„In fünf Tagen. Morgen beginne ich mit den Einkäufen. Ein paar billige Hemden. Ein paar gelötete Schlipse. Einen Anzug von der Stange. Fertig ist der Lack!"

2

„Falls sie dich als Landstreicher ins Spritzenhaus sperren, vergiß nicht zu depeschieren", bat die Tochter.

Der Geheimrat schüttelte den Kopf. „Keine Bange, mein Kind. Johann fährt ja mit. Er wird die zehn Tage im gleichen Hotel verleben. Wir werden einander allerdings nicht kennen und kein einziges Wort wechseln. Aber er wird jederzeit in meiner Nähe sein."

Johann saß niedergeschlagen auf seinem Stuhl.

„Morgen lassen wir Ihnen bei meinem Schneider mehrere Anzüge anmessen. Sie werden wie ein pensionierter Großherzog aussehen."

„Wozu?" fragte Johann. „Ich habe noch nie etwas anderes sein wollen als Ihr Diener."

Der Geheimrat erhob sich. „Wollen Sie lieber hierbleiben?"

„Aber nein", erwiderte Johann. „Wenn Sie es wünschen, reise ich als Großherzog."

„Sie reisen als wohlhabender Privatmann", entschied Tobler. „Warum soll es immer nur mir gut gehen! Sie werden zehn Tage lang reich sein."

„Ich wüßte nicht, was ich lieber täte*", sagte Johann tieftraurig. „Und ich darf Sie während der ganzen Zeit nicht ansprechen?"

„Unter gar keinen Umständen. Mit einem so armen Mann wie mir haben Herrschaften aus Ihren Kreisen nichts zu schaffen. Statt dessen dürfen Sie sich aber mit Baronen und internationalen Sportgrößen unterhalten. Richtig, eine Schiausrüstung werden Sie übrigens auch brauchen!"

„Ich kann nicht Schi fahren", entgegnete der Diener.

„Dann werden Sie es lernen."

Johann sank in sich zusammen. „Darf ich wenigstens manchmal in Ihr Zimmer kommen und aufräumen?"

„Nein."

„Ich werde bestimmt nur kommen, wenn niemand auf dem Korridor ist."

„Vielleicht", sagte der Geheimrat.

Johann blühte wieder auf.

„Ich bin sprachlos", sagte die Kunkel.

„Wirklich?" fragte Hilde. „Im Ernst?"

5 Tobler winkte ab. „Leere Versprechungen!"

„Über fünfzehn Jahre bin ich in diesem Hause", sagte die Kunkel. „Und es war dauernd etwas los. Der Herr Geheimrat hat immer schon zuviel Phantasie und zuviel Zeit gehabt. Aber so etwas ist mir denn doch noch nicht passiert! Herr Geheimrat, Sie sind das älteste Kind, 10 das ich kenne. Es geht mich nichts an. Aber es regt mich auf. Dabei hat mir der Doktor jede Aufregung verboten. Was hat es für Sinn, wenn Sie mich ein Jahr ums andere ins Herzbad schicken, und kaum bin ich zurück, fängt das Theater von vorne an? Ich habe jetzt minde= stens hundertzwanzig Pulsschläge in der Sekunde. Und der Blutdruck 15 steigt mir bis in den Kopf. Das hält kein Pferd aus. Wenn ich wenig= stens die Tabellen einnehmen könnte. Nein, die Tabletten. Aber ich kriege sie nicht hinunter. Sie sind zu groß. Und im Wasser auflösen darf man sie nicht. Denke ich mir wenigstens. Weil sie dann nicht wir= ken." Sie hielt erschöpft inne.

20 „Ich fürchte, Sie sind vom Thema abgekommen", meinte Hilde.

Der Geheimrat lächelte gutmütig. „Hausdamen, die bellen, beißen nicht", sagte er.

Das dritte Kapitel

Mutter Hagedorn und Sohn

25 Am selben Tage, ungefähr zur gleichen Stunde, klopfte Frau Hage= dorn in der Mommsenstraße an die Tür ihres Untermieters Franke. Es ist nicht sehr angenehm, in der eigenen Wohnung an fremde Türen

klopfen zu müssen. Aber es läßt sich nicht immer vermeiden. Am wenig-
sten, wenn man eine Witwe mit einem großen Sohn und einer kleinen
Rente ist und wenn der große Sohn keine Anstellung findet.

„Herein!" rief Herr Franke. Er saß am Tisch und korrigierte Diktathefte. „Saubande!" murmelte er. Er meinte seine Schüler. „Die 5
Lausejungen scheinen manchmal auf den Ohren zu sitzen, statt auf . . ."

„Vorsicht, Vorsicht", äußerte Frau Hagedorn. „Ich will das nicht
gehört haben, was Sie beinahe gesagt hätten*. Wollen Sie eine Tasse
Kaffee trinken?"

„Zwei Tassen", sagte Herr Franke. 10

„Haben Sie schon die Zeitung gelesen?" Die Apfelbäckchen der alten
Dame glühten.

Franke schüttelte den Kopf.

Sie legte eine Zeitung auf den Tisch. „Das Rotangestrichene", meinte
sie stolz. 15

Als sie mit dem Kaffee zurückkam, sagte der Untermieter: „Ihr Sohn
ist ein Mordskerl. Schon wieder einen ersten Preis! In Bruckbeuren
ist es sehr schön. Ich bin auf einer Alpenwanderung durchgekommen.
Wann geht die Reise los?"

„Schon in fünf Tagen. Ich muß rasch ein paar Hemden für ihn wa- 20
schen. Das ist bestimmt wieder so ein pompöses Hotel, wo jeder einen
Smoking hat. Nur mein Junge muß im blauen Anzug herumlaufen.
Vier Jahre trägt er ihn nun. Er glänzt wie Speckschwarte."

Der Lehrer schlürfte seinen Kaffee. „Das wievielte Preisausschreiben ist es eigentlich, das der Herr Doktor gewonnen hat?" 25

Frau Hagedorn ließ sich langsam in einem ihrer abvermieteten roten
Plüschsessel nieder. „Das siebente! Da war erstens vor drei Jahren
die große Mittelmeerreise. Die bekam er für zwei Zeilen, die sich reim-
ten. Na, und dann die zwei Wochen im Palace Hotel von Château

Neuf. Das war kurz bevor Sie zu uns zogen. Dann die Norddeutsche
Seebäderreise*. Beim Preisausschreiben der Verkehrsvereine. Dann
die Gratiskur in Piştyan. Dabei war der Junge gar nicht krank. Aber
so etwas kann ja nie schaden. Dann der Flug nach Stockholm. Hin und
5 zurück. Und drei Tage Aufenthalt an den Schären. Im letzten Frühjahr
vierzehn Tage Riviera. Wo er Ihnen die Karte aus Monte Carlo
schickte. Und jetzt die Reise nach Bruckbeuren. Die Alpen im Winter,
das ist sicher großartig. Ich freue mich so. Seinetwegen. Für tagsüber
hat er ja den Sportanzug. Er muß wieder einmal auf andere Ge-
10 danken kommen. Könnten Sie ihm vielleicht Ihren dicken Pullover
leihen? Sein Mantel ist ein bißchen dünn fürs Hochgebirge."

Franke nickte. Die alte Frau legte ihre abgearbeiteten Hände, an
denen sie die sieben Erfolge ihres Sohnes hergezählt hatte, in den
Schoß und lächelte. „Den Brief mit den Freifahrscheinen brachte der
15 Postbote heute früh."

„Es ist eine bodenlose Schweinerei!" knurrte Herr Franke. „Ein so ta-
lentierter Mensch findet keine Anstellung! Man sollte doch tatsächlich ..."

„Vorsicht, Vorsicht!" warnte Frau Hagedorn. „Er ist heute zeitig fort.
Ob er's schon weiß? Er wollte sich wieder einmal irgendwo vorstellen."

20 „Warum ist er denn nicht Lehrer geworden?" fragte Franke. „Dann
wäre er jetzt an irgendeinem Gymnasium, würde Diktathefte korrigieren und hätte sein festes Einkommen."

„Reklame war schon immer seine Leidenschaft", sagte sie. „Seine
Doktorarbeit handelte auch davon. Von den psychologischen Gesetzen
25 der Werbewirkung. Nach dem Studium hatte er mehrere Stellungen.
Zuletzt mit achthundert Mark im Monat. Weil er so tüchtig war. Aber
die Firma ging bankrott." Frau Hagedorn stand auf. „Nun will ich
aber endlich die Hemden einweichen."

„Und ich werde die Diktate zu Ende korrigieren", erklärte Herr

Franke. „Hoffentlich reicht die rote Tinte. Mitunter habe ich das dumpfe Gefühl, die Bengels machen nur so viele Fehler, um mich vor der Zeit ins kühle Grab zu bringen. Morgen halte ich ihnen eine Strafrede, daß sie denken sollen . . .“

„Vorsicht, Vorsicht!“ sagte die alte Dame, steckte die Zeitung wieder 5 ein und segelte in die Küche.

Als Doktor Hagedorn heimkam, dämmerte es bereits. Er war müde und durchfroren. „Guten Abend“, sagte er und gab ihr einen Kuß.

Sie stand am Waschfaß, trocknete rasch die Hände und reichte ihm den Brief der Putzblank-Werke. 10

„Bin im Bilde“, sagte er. „Ich las es in der Zeitung. Wie findest du das? Ist das nicht, um aus der nackten Haut zu fahren? Mit der An= stellung war es übrigens wieder Essig*. Der Mann geht erst in einem halben Jahr nach Brasilien. Und den Nachfolger haben sie auch schon. Einen Neffen vom Personalchef.“ Der junge Mann stellte sich an den 15 Ofen und wärmte die steifen Finger.

„Kopf hoch, mein Junge!“ sagte die Mutter. „Jetzt fährst du erst einmal zum Wintersport. Das ist besser als gar nichts.“

Er zuckte die Achseln. „Ich war am Nachmittag in den Putzblank= Werken draußen. Mit der Stadtbahn. Der Herr Direktor freute sich 20 außerordentlich, den ersten Preisträger persönlich kennenzulernen, und beglückwünschte mich zu den markanten Sätzen, die ich für ihr Wasch= pulver und ihre Seifenflocken gefunden hätte. Man verspreche sich einen beachtlichen Werbeerfolg davon. Ein Posten sei leider nicht frei.“

„Und warum warst du überhaupt dort?“ fragte die Mutter. 25

Er schwieg eine Weile. Dann sagte er: „Ich machte dem Direktor einen Vorschlag. Seine Firma solle mir statt der Gratisreise eine kleine Barvergütung gewähren.“

Die alte Frau hielt mit Waschen inne.

„Es war das übliche Theater", fuhr er fort. „Es sei unmöglich. Die Abmachungen seien bindend. Überdies sei Bruckbeuren ein entzückendes Fleckchen Erde. Besonders im Winter. Er wünsche mir viel Vergnügen. Ich träfe dort die beste internationale Gesellschaft und solle ihm eine Ansichtskarte schicken. Er habe keine Zeit, im Winter zu reisen. Er hänge an der Kette. Und ich sei zu beneiden."

„Es war das übliche Theater?" fragte die Mutter. „Du hast das schon öfter gemacht?"

„Ich habe dir nichts davon erzählt", sagte er. „Du zerbrichst dir wegen deiner paar Groschen den Kopf*! Und ich gondle in einem fort quer über die Landkarte. Jedesmal, bevor ich losfahre, wandert die Witwe Hagedorn stehenden Fußes zur Städtischen Sparkasse und hebt fünfzig Mark ab. Weil sonst der Herr Sohn kein Geld hat, unterwegs eine Tasse Kaffee oder ein kleines Helles zu bezahlen."

„Man muß die Feste feiern, wie sie fallen, mein Junge."

„Nicht arbeiten und nicht verzweifeln*", sagte er. „Eine Variation über ein altes Thema." Er machte Licht. „Diese Putzblank-Werke gehören dem Tobler, einem der reichsten Männer, die der Mond bescheint. Wenn man diesen alten Onkel einmal zu fassen kriegte!"

„Nun weine mal nicht", meinte die Mutter.

„Oder wenn wenigstens du auf meine Fahrkarte verreisen könntest! Du bist dein Leben lang nicht über Schildhorn und Werder hinausgekommen."

„Du lügst wie gedruckt", sagte die Mutter. „Mit deinem Vater war ich vor dreißig Jahren in Swinemünde. Und mit dir 1910 im Harz. Als du Keuchhusten hattest. Wegen der Luftveränderung. Ferner möchte ich dir mitteilen, daß wir noch heute abend ins Kino gehen. Es läuft ein Hochgebirgsfilm. Wir nehmen zweites Parkett und werden uns einbilden, wir säßen auf dem Matterhorn."

„Ich nehme die Einladung dankend an", entgegnete er. „Und wenn ich jemals König von England werden sollte, verleihe ich dir den Hosen= bandorden. Das soll meine erste Regierungstat sein. Eventuell erhebe ich dich in den erblichen Adelsstand. Das hängt allerdings davon ab, was es heute abend zu essen gibt."

„Sülze mit Bratkartoffeln", sagte die Mutter.

„Oha!" rief Herr Doktor Hagedorn. „Dann wirst du sogar Herzogin von Cumberland. Das ist eine alte, gute Familie. Einer ihrer Vor= fahren hat die englische Soße entdeckt."

„Vielen Dank", sagte Frau Hagedorn. „Werden Majestät den blauen Anzug mitnehmen?"

„Natürlich", meinte er. „Es ist einer der glänzendsten Anzüge, die es je gegeben hat."

Das vierte Kapitel

Gelegenheitskäufe

An den folgenden Tagen ließ sich Geheimrat Tobler wiederholt im Auto nach dem Norden und Osten* Berlins fahren. Er besorgte seine Expeditionsausrüstung. Die Schlipse, es waren Stücke von prähistori= schem Aussehen, erstand er in Tempelhof. Die Hemden kaufte er in der Landsberger Allee*. Drei impertinent gestreifte Flanellhemden waren es. Dazu zwei vergilbte Makohemden, etliche steife Vorhemdchen, zwei Paar Röllchen und ein Paar vernickelter Manschettenknöpfe, deren jeder ein vierblättriges Kleeblatt vorstellte.

In der Neuen Königstraße kaufte er — besonders billig, wegen Auf= gabe des Geschäfts — eine Partie Wollsocken. Und in der Münzstraße

derbe rindslederne Stiefel. Am Tag der Abreise erwarb er endlich den
Anzug! In der Fruchtstraße. Der Laden lag im Keller. Man mußte
sechs Stufen hinunterklettern.

Der Tröbler, ein bärtiger Greis, breitete einige seiner Schätze auf
5 dem Ladentisch aus. „So gut wie nicht getragen", sagte er unsicher.

Tobler erblickte zunächst einen verwitterten Cutaway aus Marengo
und hatte nicht übel Lust, ihn zu nehmen. Andrerseits war ein Cutaway
doch wohl nicht das geeignetste Kostüm für dreißig Zentimeter Neuschnee.

10 Daneben lag ein hellbrauner Jackettanzug. Mit kleinen Karos und
großen Fettflecken. Und neben diesem der Anzug, den Tobler schließlich
wählte. Die Farbe war vor Jahren violett gewesen. Mit hellen Längsstreifen. Die Zeit vergeht*.

„Scheußlich schön", sagte Tobler. „Was kostet das Gewand?"

15 „Achtzehn Mark", entgegnete der Alte. „Es ist der äußerste Preis."

Der Geheimrat nahm das Jackett vom Bügel und zog es an. Der
Rücken spannte. Die Ärmel waren viel zu kurz.

„Nehmen Sie den Cutaway!" rief der alte Mann. „Er kostet zwei-
undzwanzig Mark, aber die vier Mark Unterschied lohnen sich. Der
20 Stoff ist besser. Sie werden es nicht bereuen."

„Haben Sie keinen Spiegel?" fragte Tobler.

„Im Hinterzimmer", sagte der Greis. Sie gingen in das Hinterzimmer. Es roch nach Kohl. Der Geheimrat starrte in den Spiegel, erkannte sich dann doch und mußte lachen. „Gefalle ich Ihnen?" fragte er.

25 Der Ladenbesitzer griff, einen Halt suchend, in seinen Bart. „Nehmen Sie den Cutaway!"

Tobler blieb standhaft. „Ich nehme das violette Modell", antwortete
er. „Es soll eine Überraschung sein."

„Insofern haben Sie recht", meinte der Alte.

Tobler zog sich wieder an und zahlte. Der Trödler wickelte den Anzug in braunes Packpapier und brachte den Kunden zur Tür. Bevor er öffnete, befühlte er Toblers Gehpelz, pustete sachmännisch in den Otterkragen und sagte: „Wollen Sie den Mantel verkaufen? Ich würde ihn vielleicht nehmen. Für hundertzwanzig Mark." 5

Der Geheimrat schüttelte den Kopf.

„Der Cutaway war Ihnen zu teuer", fuhr der alte Mann fort. „Sie haben kein Geld. Das kommt bei reichen Leuten öfter vor, als arme Leute denken. Na schön. Hundertfünfzig Mark. Bar in die Hand! Überlegen Sie sich's!" 10

„Es ist ein Andenken", sagte Tobler freundlich und ging.

Der Trödler blickte ihm nach und sah den schweren Wagen und den Chauffeur, der beflissen den Schlag öffnete.

Das Auto fuhr ab. Der alte Mann legte ein Brikett nach und trat vor ein Vogelbauer, das hinterm Ladentisch an der Wand hing. „Verstehst 15 du das?" fragte er den kleinen gelben Kanarienvogel. „Ich auch nicht."

In Toblers Arbeitszimmer sah es beängstigend aus. Neben den Neuanschaffungen lagen Gegenstände, die der Geheimrat auf dem Oberboden in staubigen Truhen und knarrenden Schränken entdeckt hatte. Ein warmer Sweater, der aussah, als habe er die Staupe. Eine hand- 20 gestrickte knallrote Pudelmütze. Ein altmodischer Flauschmantel, graukariert und mindestens aus der Zeit der Kreuzzüge. Eine braune Reisemütze. Ein Paar schwarzsamtene Ohrenklappen mit einem verschiebbaren Metallbügel. Ein Spankorb, der längst ausgedient hatte. Und ein Paar wollene Pulswärmer, die man seinerzeit dem Leutnant der 25 Reserve in den Schützengraben geschickt hatte.

Tobler konnte sich kaum von dem Anblick losreißen. Schließlich ging er ins grüne Eckzimmer hinüber, in dem Johann verdrossen die Anzüge probierte, die ihm vor vier Tagen der beste Zuschneider Berlins angemessen hatte. Johann stand wie ein unschuldig Angeklagter vor dem Pfeilerspiegel. Er ließ sich nacheinander die Jacketts, den Smoking, die Schijoppe und den Frack anziehen, als seien es lauter Zwangsjacken.

5 Als der biedere grauhaarige Diener zum Schluß im Frack dastand, breitschultrig und schmalhüftig, riß es den Millionär hin. „Johann", rief er, „Sie gleichen einem Botschafter! Ich glaube nicht, daß ich mich je wieder trauen werde, mir von Ihnen die Schuhe putzen zu lassen."

Der Diener wandte sich um. „Es ist eine Sünde, Herr Geheimrat. 10 Sie werfen das Geld zum Fenster hinaus. Ich bin verzweifelt."

Als der Schneider draußen war, fragte Johann den Geheimrat: „Gibt es in Bruckbeuren eigentlich Kostümfeste?"

„Selbstverständlich. In solchen Wintersporthotels ist dauernd etwas los."

15 Johann zog den Frack aus.

„Wollen Sie sich denn kostümieren?" fragte Tobler erstaunt. „Als was denn?"

Johann zog die Livreejacke an und sagte sehnsüchtig: „Als Diener!"

Nach dem Abendessen bat der Geheimrat die anderen, ihm zu folgen. 20 Seine Tochter, Frau Kunkel und Johann begleiteten ihn zögernd. Er öffnete die Tür des Arbeitszimmers und schaltete das Licht ein. Darauf herrschte minutenlanges Schweigen. Die Schreibtischuhr tickte.

Die Kunkel wagte sich als erste ins Zimmer. Langsam näherte sie sich dem violett gewesenen Anzug* aus der Fruchtstraße. Sie befühlte ihn 25 so vorsichtig, als fürchte sie, er könne beißen. Sie schauderte und wandte sich den gestreiften Flanellhemden zu. Von einem der Stühle hob sie die steifen Manschetten und blickte entgeistert auf die vierblättrigen Manschettenknöpfe.

Die gestärkten Vorhemden gaben ihr den Rest. Sie fiel ächzend in einen Klubsessel, blickte verwirrt um sich und sagte: „Das überlebe ich nicht!"

„Halten Sie das, wie Sie wollen!" meinte Tobler. „Aber vorher packen Sie, bitte, sämtliche Sachen in den Spankorb!"

Sie warf die Arme empor. „Niemals, niemals!"

Er ging zur Tür. „Dann werde ich eines der Dienstmädchen rufen."

Frau Kunkel gab sich geschlagen. Sie zerrte den Korb auf den Tisch und packte. „Die Pudelmütze auch?"

Der Geheimrat nickte roh.

Mehrmals schloß sie sekundenlang die Augen, um nicht zusehen zu müssen, was sie tat.

Hilde sagte: „Übermorgen bist du wieder daheim, lieber Vater."

„Wieso?"

„Sie werden dich hochkantig hinauswerfen."

„Ich bin froh, daß ich mitfahre", sagte Johann. „Vielleicht sollten wir uns Revolver besorgen. Wir könnten uns dann besser verteidigen."

„Macht euch nicht lächerlich", meinte Tobler. „Den Preis, den ich gewann, konnte ebensogut einer gewinnen, der zeitlebens so angezogen ist, wie ich mich zehn Tage lang anziehen werde! Was wäre dann?"

„Den würfen sie auch hinaus", sagte der Diener. „Aber der würde sich nicht darüber wundern."

„Nun habt ihr mich erst richtig neugierig gemacht", erklärte der Geheimrat abschließend. „Wir werden ja sehen, wer recht behält."

Es klopfte.

Isolde, das neue Dienstmädchen, trat ein. „Herr Generaldirektor Tiedemann wartet unten im Salon."

„Ich komme gleich", sagte Tobler. „Er will Vortrag halten. Als ob ich eine Weltreise machte."

Isolde ging.

„Wo du doch übermorgen wieder zu Hause bist!" meinte Hilde.

Der Vater blieb an der Tür stehen. „Wißt ihr, was ich tue, wenn man mich hinauswirft?"

5 Sie blickten ihn gespannt an.

„Dann kaufe ich das Hotel und schmeiße die andern hinaus!"

Als auch Johann gegangen war, meldete Hilde hastig ein dringendes Gespräch mit Bruckbeuren an. „Es bleibt kein andrer Ausweg", sagte sie zur Kunkel. „Sonst geht morgen abend die Welt unter."

10 „Ihr Herr Vater ist leider übergeschnappt", meinte die Hausdame. „Womöglich schon seit langem, und es ist uns nur nicht aufgefallen. Diese Schlipse! Hoffentlich geht es wieder vorüber."

Hilde zuckte die Achseln. „Sobald das Gespräch da ist, lassen Sie keinen Menschen ins Zimmer! Außer über Ihre Leiche."

15 „Auch dann nicht!" versicherte Frau Kunkel tapfer und stopfte den alten, widerwärtigen Flauschmantel in den Korb.

Hilde blickte ungeduldig aufs Telephon. „Hoffentlich hält ihn der Generaldirektor lange genug fest."

„Telephonieren Sie doch erst, wenn der Herr Geheimrat abge-
20 reist ist!"

„Jetzt oder nie", sagte Hilde. „Im Grunde geht es mich überhaupt nichts an. Mein Vater ist alt genug. Ich mache mir Vorwürfe."

Die Kunkel schnallte die Korbriemen fest. „Ein kleines Kind ist er! Ich weiß nicht, woran es liegt. Im Grunde ist er doch ein gescheiter
25 Mensch. Nicht? Und so nett und nobel. Aber plötzlich kriegt er den Rappel. Vielleicht liest er zu viel. Das soll sehr schädlich sein. Nun haben wir die Bescherung. Nun fährt er als armer Mann in die Alpen."

Das Telephon klingelte.

Hilde eilte an den Schreibtisch. Es war Bruckbeuren. Die Hotel=
zentrale meldete sich. Hilde verlangte den Direktor. Es dauerte einige
Zeit. Dann sagte Hilde: „Sie sind der Direktor des Grandhotels?
Sehr angenehm. Hören Sie, bitte, zu! Morgen abend trifft ein Preis=
träger des Putzblank=Ausschreibens bei Ihnen ein." 5

Der Direktor erklärte, er sei orientiert, und es werde ihm ein Ver=
gnügen sein.

„Die Vorfreude ist die schönste Freude", sagte sie. „Dieser Gast wird
Ihnen leider Kopfschmerzen verursachen. Er tritt als armer Mann auf,
obwohl er Millionär ist. Ein Multimillionär sogar." 10

Der Hoteldirektor dankte tausendmal für den Hinweis. Dann erkun=
digte er sich, weswegen ein Multimillionär als armer Mann auftrete.

„Es ist eine Marotte von ihm", sagte Hilde. „Er will die Menschen
studieren. Er will ihre Moral auf Herz und Nieren prüfen. Ich stehe
ihm sehr nahe, und mir liegt daran, daß man ihm nicht weh tut. Er ist 15
ein Kind, verstehen Sie? Er darf auf keinen Fall erfahren, daß Sie
Bescheid wissen. Er muß sich davon überzeugen, daß man ihn für einen
armen Teufel hält und trotzdem behandelt, wie er's gewöhnt ist."

Der Direktor sagte, das werde sich schon machen lassen. Er fragte
dann noch, ob der geheimnisvolle Gast Gepflogenheiten habe, die man 20
auf dezente Weise berücksichtigen könne.

„Eine gute Idee", meinte sie. „Also passen Sie auf! Er läßt sich
jeden zweiten Tag massieren. Er sammelt Briefmarken. Abends muß
ein warmer Ziegelstein in seinem Bett liegen. Am liebsten ißt er Nudeln
mit Rindfleisch oder andere Hausmannskost. Mit Getränken ist er wäh= 25
lerischer. Französischen Kognak liebt er besonders. Was noch?"

„Katzen!" sagte Frau Kunkel, welche die Tür fanatisch bewachte.

„Haben Sie siamesische Katzen?" fragte Hilde. „Nein? Besorgen Sie ihm
einige! Für sein Zimmer. Ich überweise Ihnen morgen tausend Mark."

Der Hoteldirektor meinte, er habe alles notiert. Bezahlung komme
natürlich nicht in Frage. Sie seien ein großzügiges Hotel. Bis auf die
siamesischen Katzen sei außerdem das Programm kinderleicht zu ver-
wirklichen. Doch auch die siamesischen Katzen . . ."

5   „Der Herr Geheimrat kommt", flüsterte Frau Kunkel aufgeregt.
„Guten Tag", sagte Hilde und legte den Hörer auf.

Brandes fuhr sie zum Anhalter Bahnhof. Hilde und die Kunkel
kamen mit. Tobler liebte es, wenn seinetwegen Taschentücher ge-
10 schwenkt wurden.

„Lieber Johann", meinte er im Auto, „vergessen Sie nicht, was ich
angeordnet habe. Wir wohnen in München ein paar Stunden im ,Re-
gina'. Morgen mittag verwandle ich mich in Herrn Schulze. Sie besorgen einen Karton und bringen den Anzug, den ich jetzt anhabe, die
15 Wäsche, Strümpfe und Schuhe zur Post. Ich verlasse das Münchner
Hotel im Gehpelz. Wir nehmen ein Taxi. Im Taxi ziehe ich Schulzes
Flauschmantel an. Und Sie übernehmen Toblers Pelz. Als den Ihri-
gen. Vom Starnberger Bahnhof ab kennen wir uns nicht mehr."

„Darf ich wenigstens Ihren Spankorb zum Zug tragen?" fragte Johann.

20   „Das kann ich selber", sagte Tobler. „Im übrigen werden wir ab
München in getrennten Kupees reisen."

„Die reinste Kriminalgeschichte", erklärte Hilde.

Nach einer Weile fragte Frau Kunkel: „Wie werden Sie das nur
aushalten, Herr Geheimrat? Ohne Massage. Ohne Kognak. Ohne den
25 warmen Ziegelstein. Ohne bürgerliche Küche. Und ohne Ihre Katzen
im Schlafzimmer!" Sie zwickte Hilde schelmisch in den Arm.

Tobler erklärte: „Hören Sie bloß damit auf ! Mir hängen die alten
lieben Gewohnheiten längst zum Hals heraus. Ich bin heilfroh, daß ich
denen endlich einmal entwischen kann."

„So, so", sagte Frau Kunkel und machte eines ihrer dümmsten Gesichter.

Sie kamen ziemlich spät auf den Bahnsteig. Es war gerade noch Zeit,
einige überflüssige Ermahnungen anzubringen. Und Johann mußte,
bevor er einstieg, Hilde hoch und heilig versprechen, mindestens jeden 5
zweiten Tag einen ausführlichen Bericht zu schicken. Er versprach's und
kletterte in den Wagen.

Dann fuhr der Zug an. Hilde und Frau Kunkel zückten ihre Taschentücher und winkten. Der Geheimrat nickte vergnügt. Schon glitten die
nächsten Waggons an den Zurückbleibenden vorüber. Und eine kleine, 10
alte Frau, die neben dem Zug hertrippelte, stieß mit Hilde zusammen.

„Willst du dich wohl vorsehen!" rief ein junger Mann, der sich aus
einem der Fenster beugte.

„Komm du nur wieder nach Hause, mein Junge!" antwortete die
alte Frau und drohte ihm mit dem Schirm. 15

„Auf Wiedersehen!" rief er noch. Hilde und er sahen einander flüchtig ins Gesicht.

Dann rollte der letzte Wagen vorbei. Der D-Zug Berlin—München
begab sich, stampfend und schimpfend, auf die nächtliche Reise. Es
schneite wieder. Man konnte es vom Bahnsteig aus ganz deutlich sehen. 20

Das fünfte Kapitel

Grandhotel Bruckbeuren

Das Grandhotel in Bruckbeuren ist ein Hotel für Stammgäste. Man
ist schon Stammgast, oder man wird es. Andre Möglichkeiten gibt es
kaum. 25

Daß jemand überhaupt nicht ins Grandhotel gerät, ist natürlich denk=
bar. Daß aber jemand ein einziges Mal hier wohnt und dann nie wie=
der, ist so gut wie ausgeschlossen.

So verschieden nun diese Stammgäste sein mögen, Geld haben sie
alle. Jeder von ihnen kann sich's leisten, die Alpen und ein weiß ge=
kacheltes Badezimmer — das gewagte Bild sei gestattet — unter einen
Hut zu bringen. Schon im Spätsommer beginnt der Briefwechsel zwi=
schen Berlin und London, zwischen Paris und Amsterdam, zwischen
Rom und Warschau, zwischen Hamburg und Prag. Man fragt bei den
vorjährigen Bridgepartnern an. Man verabredet sich mit den altge=
wohnten Freunden vom Schikurs. Und im Winter findet dann das
Wiedersehen statt.

Den Stammgästen entspricht ein außerordentlich dauerhaftes Stamm=
personal. Die Schilehrer bleiben selbstverständlich die gleichen. Sie leben
ja immerzu in Bruckbeuren. Sie sind im Hauptberuf Bauernsöhne oder
Drechsler oder Besitzer von schummrigen Läden, in denen Postkarten,
Zigaretten und seltsame Reiseandenken verkauft werden.

Doch auch die Kellner und Köche, Kellermeister und Barkeeper,
Chauffeure und Buchhalter, Tanzlehrer und Musiker, Stubenmädchen
und Hausburschen kehren zu Beginn der Wintersaison, so gewiß wie
der Schnee, aus den umliegenden Städten ins Grandhotel zurück. Nur
der eigne Todesfall gilt als einigermaßen ausreichende Entschuldigung.

Der Geschäftsführer, Herr Direktor Kühne, hat seinen Posten seit
zehn Jahren inne. Er zieht zwar den Aufenthalt in Gottes freier Natur
dem Hotelberuf bei weitem vor. Aber hat er damit unrecht? Er ist ein
vorzüglicher Schitourist. Er verschwindet nach dem Frühstück in den
Bergen und kommt mit der Dämmerung zurück. Abends tanzt er mit
den Damen aus Berlin, London und Paris. Er ist Junggeselle. Die
Stammgäste würden ihn sehr vermissen. Er wird wohl Direktor bleiben.

Mindestens solange er tanzen kann. Und vorausgesetzt, daß er nicht heiratet.

Der Hotelbetrieb funktioniert trotzdem tadellos. Das liegt an Polter, dem ersten Portier. Er liebt das Grandhotel wie sein eignes Kind. Und was das Alter anlangt, könnte er tatsächlich der Vater sein.

Er hat, außer dem treffenreichen Gehrock, einen weißen Schnurrbart, ausgebreitete Sprachkenntnisse und beachtliche Plattfüße. Sein hochentwickeltes Gerechtigkeitsgefühl hindert ihn daran, zwischen den Gästen und den Angestellten nennenswerte Unterschiede zu machen. Er ist zu beiden gleichermaßen streng.

So liegen die Dinge. — Nur die Liftboys werden des öfteren gewechselt. Das hat nichts mit ihrem Charakter zu tun, sondern lediglich damit, daß sie, beruflich gesehen, zu rasch altern. Vierzigjährige Liftboys machen einen ungehörigen Eindruck.

Zwei Dinge sind für ein Wintersporthotel geradezu unentbehrlich: der Schnee und die Berge. Ohne beides, ja sogar schon ohne eines von beiden, ist der Gedanke, ein Wintersporthotel sein zu wollen, absurd.

Außer dem Schnee und den Bergen gehören, wenn auch weniger zwangsläufig, natürlich noch andere Gegenstände hierher. Beispielsweise ein oder mehrere Gletscher. Ein zugefrorener und möglichst einsam gelegener Gebirgssee. Mehrere stille Waldkapellen. Hochgelegene, schwer zu erreichende Almhöfe mit Stallgeruch, Liegestühlen, Schankkonzession und lohnendem Rundblick. Schweigsame, verschneite Tannenwälder, in denen dem Spaziergänger Gelegenheit geboten wird, anläßlich herunterstürzender Äste zu erschrecken. Ein zu Eis erstarrter, an einen riesigen Kristallüster erinnernder Wasserfall. Ein anheimelndes, gut geheiztes Postamt unten im Ort. Und, wenn es sich irgend machen läßt, eine Drahtseilbahn, die den Naturfreund bis über die Wolken hinaus auf einen strahlenden Gipfel befördert.

Dort oben verliert dann der Mensch, vor lauter Glück und Panorama, den letzten Rest von Verstand, bindet sich Bretter an die Schuhe und
5 saust durch Harsch und Pulverschnee, über Eisbuckel und verwehte Weidezäune hinweg, mit Sprüngen, Bögen, Kehren, Stürzen und Schußfahrten zu Tale.

Unten angekommen, gehen die einen ins Wintersporthotel zum Fünfuhrtee. Die anderen bringt man zum Arzt, der die gebrochenen
10 Gliedmaßen eingipst und die Koffer der Patienten aus dem Hotel in seine sonnig gelegene Privatklinik bringen läßt.

Erstens verdienen hierdurch die Ärzte ihren Unterhalt. Und zweitens werden Hotelzimmer für neueingetroffene Gäste frei. Natura non facit saltus*.

15 Jene Touristen, die wohlbehalten ins Hotel zurückgekommen sind, bestellen Kaffee und Kuchen, lesen Zeitungen, schreiben Briefe, spielen Bridge und tanzen. All dies verrichten sie, ohne sich vorher umgekleidet zu haben. Sie tragen noch immer ihre blauen Norwegeranzüge, ihre Pullover, ihre Schals und die schweren, beschlagenen
20 Stiefel. Wer gut angezogen ist, ist ein Kellner.

Tritt man abends, zur Essenszeit oder noch später, in das Hotel, so wird man sich zunächst überhaupt nicht auskennen. Die Gäste sind nicht mehr dieselben. Sie heißen nur noch genau so wie vorher.

Die Herren paradieren in Fracks und Smokings. Die Damen schrei
25 ten und schweben in Abendkleidern aus Berlin, London und Paris, zeigen den offiziell zugelassenen Teil ihrer Reize und lächeln bestrickend. So mancher blonde Jüngling, den man droben am Martinskogel die Schneeschuhe wachsen sah, stellt sich, bei elektrischem Licht besehen, als aufregend schönes, bewundernswert gekleidetes Fräulein heraus.

Dieser märchenhafte Wechsel zwischen Tag und Abend, zwischen Sport und Bal paré, zwischen schneidender Schneeluft und sanftem Parfüm ist das seltsamste Erlebnis, das die Wintersporthotels dem Gast gewähren. Die lange entbehrte Natur und die nicht lange zu entbehrende Zivilisation sind in Einklang gebracht. 5

Es gibt Menschen, die das nicht mögen. Insofern handelt es sich um eine Frage des Geschmacks. Und es gibt Menschen, die es nicht können. Das ist eine Geldfrage.

Im Grandhotel Bruckbeuren erwartete man den telephonisch angekündigten, geheimnisvollen Multimillionär. In wenigen Stunden 10 würde er dasein. Herr Kühne, der Direktor, hatte eine Schipartie nach dem Stiefel-Joch abgesagt. Außerordentliche Umstände verlangen ungewöhnliche Opfer. Und die Mareks, Sohn und Tochter eines böhmischen Kohlenmagnaten, waren mit Sullivan — einem englischen Kolonialoffizier, der jeden Europaurlaub in Bruckbeuren verbrachte — 15 allein losgezogen. Ohne ihn! Ohne Karl den Kühnen, wie ihn die Stammgäste nannten! Es war schauderhaft.

Er rannte seit dem Lunch, vom Portier Polter mißbilligend betrachtet, aus einer Ecke des Hotels in die andere. Er schien allen Eifer, den er dem Unternehmen schuldig geblieben war, in einem Tage abdienen zu wollen. 20

Schon am frühen Morgen hatte er das gesamte Personal informiert. (Im Verandasaal, wo die Angestellten, bevor die ersten Gäste aus den Zimmern kommen, ihr Frühstück einnehmen.)

„Mal herhören!" hatte er geäußert. „Heute abend trifft ein ziemlich schwerer Fall ein. Ein armer Mann, der ein Preisausschreiben gewon- 25 nen hat. Dafür kriegt er von uns Kost und Logis. Andrerseits ist er aber gar kein armer Mann. Sondern ein hochgradiger Millionär. Und außerdem ein großes Kind. Nicht außerdem. Er selber ist das Kind. Aus diesem Grunde will er die Menschen kennenlernen. Einfach tierisch! Aber wir werden ihm seine Kindereien versalzen. Ist das klar?"

„Nein", hatte der Kellermeister kategorisch erklärt. Und die anderen hatten gelacht.

5 Karl der Kühne war versuchsweise deutlicher geworden. „Unser armer Millionär wird im Appartement 7 untergebracht. Bitte, sich das einzuprägen! Er wird fürstlich behandelt, und Nudeln und Rindfleisch mag er am liebsten. Trotzdem darf er nicht merken, daß wir wissen, wer er ist. Wissen wir ja auch gar nicht. Verstanden?"

10 „Nein", hatte Jonny, der Barmixer, geantwortet.

Der Direktor war rot angelaufen. „Damit wir uns endlich besser verstehen, schlage ich folgendes vor: Wer Quatsch macht, fliegt raus!" Damit war er gegangen.

Die siamesischen Katzen trafen am Nachmittag ein. Aus einer Münch-
15 ner Tierhandlung. Expreß und mit einer ausführlichen Gebrauchsanweisung. Drei kleine Katzen! Sie hüpften fröhlich im Appartement 7 hin und wieder, balgten sich zärtlich, tätowierten die Stubenmädchen und hatten, bereits nach einer Stunde, zwei Gardinen und einen Gobelinsessel erlegt.

20 Onkel Polter, der Portier, sammelte Briefmarken. Der ausgebreitete Briefwechsel der Stammgäste erleichterte dieses Amt. Schon hatte er Marken aus Java, Guinea, Kapstadt, Grönland, Barbados und Mandschuko in der Schublade aufgestapelt.

Der Masseur war für den nächsten Vormittag bestellt. Eine Flasche
25 Kognak, echt französisches Erzeugnis, schmückte die marmorne Nachttischplatte. Der Ziegelstein, der abends warm und, in wollene Tücher gehüllt, am Fußende des Betts liegen würde, war auch gefunden. Die Vorstellung konnte beginnen!

Während des Fünfuhrtees in der Hotelhalle erfuhr Karl der Kühne eine ergreifende Neuigkeit: die Stammgäste wußten schon alles! Erst hielt Frau Stilgebauer, die wuchtige Gattin eines Staatssekretärs, den Direktor fest und wollte den Namen des armen Reichen wissen. Dann wurde Kühne, beim Durchqueren des Bridgesalons, von sämtlichen Spielern überfallen und nach ungeahnten Einzelheiten ausgefragt. 5 Und schließlich verstellte ihm, auf der Treppe zum ersten Stock, Frau von Mallebré, eine eroberungslustige, verheiratete Wienerin, den Weg und interessierte sich für das Alter des Millionärs.

Kühne machte unhöflich kehrt und rannte zum Portier Polter, der, hinter seinem Ladentisch am Hoteleingang, gerade einen größeren Po= 10 sten Ansichtskarten verkaufte. Der Direktor mußte warten. Endlich kam er an die Reihe. „Einfach tierisch!" stieß er hervor. „Die Gäste wissen es schon! Das Personal muß getratscht haben."

„Nein, das Personal nicht", sagte Onkel Polter. „Sondern Baron Keller."   15

„Und woher weiß es der Baron?"

„Von mir natürlich", sagte Onkel Polter. „Ich habe ihn aber aus= drücklich gebeten, es nicht weiter zu erzählen."

„Sie wissen ganz genau, daß er tratscht", meinte Kühne wütend.

„Deswegen habe ich's ihm ja mitgeteilt", erwiderte der Portier. 20

Der Direktor wollte antworten. Aber Mister Bryan kam gerade, vollkommen verschneit und mit Eiszapfen im Bart, von draußen und verlangte Schlüssel, Post und Zeitungen. Onkel Polter war noch lang= samer als sonst.

Als Bryan weg war, knurrte Kühne: „Sind Sie wahnsinnig?" 25

„Nein", bemerkte der Portier und machte sorgfältig eine Eintragung in seinem Notizbuch.

Karl der Kühne schnappte nach Luft. „Wollen Sie die Güte haben und antworten?"

Onkel Polter reckte sich. Er war größer als der Direktor. Das heißt: in Wirklichkeit war er kleiner. Aber hinter seinem Portiertisch befand sich ein Podest. Und vielleicht war Polter nur deswegen so streng. Vielleicht wäre er ohne Podest ein andrer Mensch geworden. (Das ist freilich nur eine Vermutung.) „Die Stammgäste mußten informiert werden", sagte er. „Da gibt's gar keinen Streit. Erstens sinkt das Barometer, und wenn die Leute ein paar Tage nicht Schi fahren können, werden sie rammdösig. Der Millionär ist eine großartige Abwechslung. Zweitens sind nun Beschwerden unmöglich gemacht worden. Stellen Sie sich gefälligst vor, die Gäste würden den Mann hinausekeln, weil sie ihn für einen armen Teufel hielten! Er könnte unser Hotel glatt zugrunde richten. Geld genug hat er ja."

Karl der Kühne drehte sich um und ging ins Büro.

Das sechste Kapitel

Zwei Mißverständnisse

Der Münchner Abendschnellzug hielt in Bruckbeuren. Zirka dreißig Personen stiegen aus und versanken, völlig überrascht, bis an die Knie in Neuschnee. Sie lachten. Aus dem Gepäckwagen wurden Schrankkoffer gekippt. Der Zug fuhr weiter. Dienstleute, Hotelchauffeure und Hausburschen übernahmen das Gepäck und schleppten es auf den Bahnhofsplatz hinaus. Die Ankömmlinge stapften hinterher und kletterten vergnügt in die wartenden Autobusse und Pferdeschlitten.

Herr Johann Kesselhuth aus Berlin blickte besorgt zu einem ärmlich gekleideten älteren Mann hinüber, der einsam im tiefen Schnee stand und einen lädierten Spankorb trug.

„Wollen Sie ins Grandhotel?" fragte ein Chauffeur.

Zögernd stieg Herr Kesselhuth in den Autobus. Hupen und Peitschen erklang. Dann lag der Bahnhofsplatz wieder leer.

Nur der arme Mann stand auf dem alten Fleck. Er blickte zum Himmel hinauf, lächelte kindlich den glitzernden Sternen zu, holte tief Atem, hob den Spankorb auf die linke Schulter und stiefelte nun, zum Äußersten entschlossen, vorwärts. Hierbei pfiff er. 5

Die Straßenlaternen trugen hohe weiße Schneemützen. Die Gartenzäune waren zugeweht. Auf den verschneiten Dächern der niedrigen Gebirgshäuser lagen große Steine. Herr Schulze glaubte die Berge zu spüren, die ringsum unsichtbar in der Dunkelheit lagen. 10

Er pfiff übrigens „Der Mai ist gekommen"*.

Der Autobus bremste und stand still. Etliche Hausdiener bugsierten die Koffer vom Verdeck. Ein Liftboy öffnete einen Türflügel und salutierte. Die späten Gäste betraten das Hotel. Onkel Polter und der Direktor verbeugten sich und sagten: „Herzlich willkommen!" Die Halle 15 war von Neugierigen erfüllt. Sie warteten auf das Abendessen und auf den Sonderling und boten einen festlichen Anblick.

Ein sächsisches Ehepaar, Chemnitzer Wirkwaren, und eine rassige Dame aus Polen wurden, da sie ihre Zimmer vorausbestellt hatten, sofort vom Empfangschef zum Fahrstuhl geleitet. Herr Johann Kessel- 20 huth und ein junger Mann mit einem schäbigen Koffer und einem traurigen Herbstmäntelchen blieben übrig. Kesselhuth wollte dem jungen Mann den Vortritt lassen.

„Unter gar keinen Umständen", sagte der junge Mann. „Ich habe Zeit."

Herr Kesselhuth dankte und wandte sich dann an den Portier. „Ich 25 möchte ein schönes sonniges Zimmer haben. Mit Bad und Balkon."

Der Direktor meinte, die Auswahl sei nicht mehr allzu groß. Onkel Polter studierte den Hotelplan.

„Der Preis spielt keine Rolle", erklärte Herr Kesselhuth. Dann wurde er rot.

Der Portier überhörte die Bemerkung. „Zimmer 31 ist noch frei. Es wird Ihnen bestimmt gefallen. Wollen Sie, bitte, das Anmeldeformu=
5 lar* ausfüllen?"

Herr Kesselhuth nahm den dargebotenen Tintenstift, stützte sich auf den Ladentisch und notierte voller Sorgfalt seine Personalien.

Nun hefteten sich die Blicke aller übrigen endgültig auf den jungen Mann und prüften seinen trübseligen Mantel. Karl der Kühne hüstelte
10 vor Aufregung.

„Womit können wir Ihnen dienen?" fragte der Direktor.

Der junge Mann zuckte die Achseln, lächelte unentschlossen und sagte: „Tja, mit mir ist das so eine Sache*. Ich heiße Hagedorn und habe den ersten Preis der Putzblank-Werke gewonnen. Hoffentlich wissen Sie
15 Bescheid."

Der Direktor verbeugte sich erneut. „Wir wissen Bescheid", sagte er beziehungsvoll. „Herzlich willkommen unter unserm Dach! Es wird uns eine Ehre sein, Ihnen den Aufenthalt so angenehm wie möglich zu machen."

20 Hagedorn stutzte. Er sah sich um und merkte, daß ihn die abendlich ge= kleideten Gäste neugierig anstarrten. Auch Herr Kesselhuth hatte den Kopf gehoben.

„Welches Zimmer war doch gleich für Herrn Hagedorn vorgesehen?" fragte Kühne.

25 „Ich denke, wir geben ihm das Appartement 7", sagte der Portier.

Der Direktor nickte. Der Hausdiener ergriff Hagedorns Koffer und fragte: „Wo ist das große Gepäck des Herrn?"

„Nirgends", erwiderte der junge Mann. „Was es so alles gibt*!"

Der Portier und der Direktor lächelten lieblich. „Sie werden sich jetzt

gewiß vom Reisestaub reinigen wollen", sagte Karl der Kühne. „Dür=
fen wir Sie nachher zum Abendessen erwarten? Es gibt Nudeln mit
Rindfleisch."

„Das allein wäre kein Hinderungsgrund", sagte der junge Mann.
„Aber ich bin satt." .   5

Herr Kesselhuth sah wieder vom Anmeldeformular hoch und machte
große Augen. Der Hausdiener nahm den Schlüssel und ging mit dem
Koffer zum Lift.

„Aber wir sehen Sie doch nachher noch?" fragte der Direktor wer=
bend.   10

„Natürlich", sagte Hagedorn. Dann suchte er eine Ansichtskarte aus,
ließ sich eine Briefmarke geben, bezahlte beides, obwohl der Portier
anzuschreiben versprach, und wollte gehen.

„Ehe ich's vergesse", sagte Onkel Polter hastig. „Interessieren Sie
sich für Briefmarken?" Er holte das Kuvert heraus, in dem er die aus=   15
ländischen Marken aufbewahrt hatte, und breitete die bunte Pracht
vor dem jungen Mann aus.

Hagedorn betrachtete das Gesicht des alten Portiers. Dann unterzog
er höflich die Briefmarken einer flüchtigen Musterung. Er verstand
nicht das geringste davon. „Ich habe keine Kinder", sagte er. „Aber   20
vielleicht kriegt man welche*."

„Darf ich also weitersammeln?" fragte Onkel Polter.

Hagedorn steckte die Marken ein. „Tun Sie das", meinte er. „Es ist
ja wohl ungefährlich." Dann ging er, vom strahlenden Direktor geführt,
zum Fahrstuhl. Die Stammgäste, an deren Tischen er vorbeimußte,   25
glotzten ihn an. Er steckte die Hände in die Manteltaschen und zog ein
trotziges Gesicht.

Herr Johann Kesselhuth legte, völlig geistesabwesend, sein ausge=
fülltes Anmeldeformular beiseite. „Wieso sammeln Sie für diesen

Herrn Briefmarken?" fragte er. „Und warum gibt es seinetwegen Nudeln mit Rindfleisch?"

Onkel Polter gab ihm den Schlüssel und meinte: „Es gibt komische Menschen. Dieser junge Mann zum Beispiel ist ein Millionär. Würden Sie das für möglich halten? Es stimmt trotzdem. Er darf nur nicht wissen, daß wir es wissen. Denn er will als armer Mann auftreten. Er hofft, schlechte Erfahrungen zu machen. Das wird ihm aber bei uns nicht gelingen. Haha! Wir wurden telephonisch auf ihn vorbereitet."

„Ein reizender Mensch", sagte der Direktor, der vom Lift zurückgekehrt war. „Außerordentlich sympathisch. Und er spielt seine Rolle gar nicht ungeschickt. Ich bin gespannt, was er zu den siamesischen Katzen sagen wird!"

Herr Kesselhuth klammerte sich an dem Portiertisch fest. „Siamesische Katzen?" murmelte er.

Der Portier nickte stolz. „Drei Stück. Auch das wurde uns gestern per Telephon angeraten. Genau wie das Briefmarkensammeln."

Herr Kesselhuth starrte blaß zur Hoteltür hinüber. Sollte er ins Freie stürzen und den zweiten armen Mann, der im Anmarsch war, zur Umkehr bewegen?

Ein Schwarm Gäste kam angerückt. „Ein bezaubernder Bengel", rief Frau Casparius, eine muntere Bremerin. Frau von Mallebré warf ihr einen bösen Blick zu. Die Dame aus Bremen erwiderte ihn.

„Wie heißt er denn nun eigentlich?" fragte Herr Lenz, ein dicker Kölner Kunsthändler.

„Doktor Fritz Hagedorn", sagte Johann Kesselhuth automatisch. Daraufhin schwiegen sie alle.

„Sie kennen ihn?" rief Direktor Kühne begeistert. „Das ist ja großartig! Erzählen Sie mehr von ihm!"

„Nein. Ich kenne ihn nicht", sagte Herr Johann Kesselhuth.

Die anderen lachten. Frau Casparius drohte schelmisch mit dem Finger.

Johann Kesselhuth wußte nicht aus noch ein. Er ergriff seinen Zimmerschlüssel und wollte fliehen. Man versperrte ihm den Weg. Hundert Fragen schwirrten durch die Luft. Man stellte sich vor und schüttelte ihm die Hand. Er nannte in einem fort seinen Namen.

„Lieber Herr Kesselhuth", sagte schließlich der dicke Herr Lenz. „Es ist gar nicht nett von Ihnen, daß Sie uns so zappeln lassen."

Dann erklang der Gong. Die Gruppe zerstreute sich. Denn man hatte Hunger.

Kesselhuth setzte sich gebrochen an einen Tisch in der Halle, hatte Falten der Qual auf der Stirn und wußte keinen Ausweg. Eins stand fest. Fräulein Hilde und die dämliche Kunkel hatten gestern abend telephoniert. Siamesische Katzen in Hagedorns Zimmer! Das konnte reizend werden.

Der arme Mann, der, Volkslieder pfeifend, seinen Spankorb durch den Schnee schleppte, hatte kalte, nasse Füße. Er blieb stehen und setzte sich ächzend auf den Korb. Drüben auf einem Hügel lag ein großes schwarzes Gebäude mit zahllosen erleuchteten Fenstern. ‚Das wird das Grandhotel sein*‘, dachte er. ‚Ich sollte lieber in einen kleinen verräucherten Gasthof ziehen, statt in diesen idiotischen Steinbaukasten dort oben.‘ Dann aber fiel ihm ein, daß er ja die Menschen kennenlernen wollte. „So ein Blödsinn!" sagte er ganz laut. „Ich kenne die Brüder doch längst."

Verspätete Skifahrer kamen vorüber. Sie strebten hügelwärts. Zum Grandhotel. Er hörte sie lachen und stand auf. Die rindsledernen Stiefel drückten. Der Spankorb war schwer. Der violette Anzug aus der Fruchtstraße kniff unter den Armen. „Ich könnte mir selber eine runterhauen", sagte er gereizt und marschierte weiter.

Als er in das Hotel trat, standen die Schifahrer bei dem Portier, kauften Zeitungen und betrachteten ihn befremdet. Aus einem Stuhl erhob sich ein elegant gekleideter Herr. Ach nein. Das war ja Johann!

Kesselhuth näherte sich bedrückt. Flehend sah er zu dem armen Mann
5 hin. Aber die Blicke prallten ab. Herr Schulze setzte den Spankorb nieder, drehte dem Hotel den Rücken und studierte ein Plakat, auf dem zu lesen war, daß am übernächsten Abend in sämtlichen Räumen des Grandhotels ein „Lumpenball" stattfinden werde. ‚Da brauch ich mich wenigstens nicht erst umzuziehen', dachte er voller Genugtuung.

10 Die Schifahrer verschwanden polternd und stolpernd im Fahrstuhl. Der Portier musterte die ihm dargebotene Kehrseite des armen Mannes und sagte: „Hausieren verboten!" Dann wandte er sich an Kesselhuth und fragte nach dessen Wünschen.

Kesselhuth sagte: „Ich muß ab morgen Schi fahren. Ich weiß nicht,
15 wie man das macht. Glauben Sie, daß ich's noch lernen werde?"

„Aber natürlich!" meinte Onkel Polter. „Das haben hier noch ganz andere gelernt. Sie nehmen am besten beim Graswander Toni* Privatstunden. Da kann er sich Ihnen mehr widmen. Außerdem ist es angenehmer, als wenn Ihnen, im großen Kursus, bei dem ewigen Hin-
20 schlagen dauernd dreißig Leute zuschauen."

Johann Kesselhuth wurde nachdenklich. „Wer schlägt hin?" fragte er zögernd.

„Sie!" stellte der Portier fest. „Der Länge nach."

Der Gast kniff die Augen klein. „Ist das sehr gefährlich?"

25 „Kaum", meinte der Portier. „Außerdem haben wir ganz hervorragende Ärzte in Bruckbeuren! Der Sanitätsrat Doktor Zwiesel zum Beispiel ist wegen seiner Heilungen komplizierter Knochenbrüche geradezu weltberühmt. Die Beine, die in seiner Klinik waren, schauen hinterher viel schöner aus als vorher!"

„Ich bin nicht eitel", sagte der Gast.

Hierüber mußte der arme Mann, der inzwischen sämtliche Anschläge
studiert hatte, laut lachen.

Dem Portier, der den Kerl vergessen hatte, trat nunmehr, Schritt
für Schritt, die Galle ins Blut. „Wir kaufen nichts!"   5

„Sie sollen gar nichts kaufen", bemerkte der arme Mann.

„Was wollen Sie denn dann hier?"

Der aufdringliche Mensch trat näher und sagte sonnig: „Wohnen!"

Der Portier lächelte mitleidig: „Das dürfte Ihnen um ein paar
Mark zu teuer sein. Gehen Sie ins Dorf zurück, guter Mann! Dort 10
gibt es einfache Gasthäuser mit billigen Touristenlagern."

„Vielen Dank", entgegnete der andere. „Ich bin kein Tourist. Sehe
ich so aus? Übrigens ist das Zimmer, das ich bei Ihnen bewohnen
werde, noch viel billiger."

Der Portier blickte Herrn Kesselhuth an, schüttelte, dessen Einver= 15
ständnis voraussetzend, den Kopf und sagte, gewissermaßen abschlie=
ßend: „Guten Abend!"

„Na endlich!" meinte der arme Mann. „Es wurde langsam Zeit,
mich zu begrüßen. Ich hätte in diesem Hotel bessere Manieren er=
wartet."   20

Onkel Polter wurde dunkelrot und zischte: „Hinaus! Aber sofort!
Sonst lasse ich Sie expedieren!"

„Jetzt wird mir's zu bunt!" erklärte der arme Mann entschieden.
„Ich heiße Schulze und bin der zweite Gewinner des Preisausschrei=
bens. Ich soll zehn Tage im Grandhotel Bruckbeuren kostenlos ver= 25
pflegt und beherbergt werden. Hier sind die Ausweispapiere!"

Onkel Polter murmelte: „Einen Augenblick, bitte!" und trabte zum
Büro, um den Direktor zu holen.

Schulze und Kesselhuth waren, vorübergehend, allein. „Herr Ge=

heimrat", meinte Johann verzweifelt, „wollen wir nicht lieber wieder abreisen?"

Schulze war offenbar taub.

„Es ist etwas Schreckliches geschehen", flüsterte Johann. „Stellen
5 Sie sich vor: als ich vorhin ankam . . ."

„Noch ein Wort", sagte der Geheimrat, „und ich erschlage Sie mit der bloßen Hand!" Es klang absolut überzeugend.

„Auf die Gefahr hin . . ." begann Johann.

Doch da öffnete sich die Fahrstuhltür, und Herr Hagedorn trat heraus.
10 Er steuerte auf die Portierloge zu und hielt eine Postkarte in der Hand.

„Fort mit Ihnen!" flüsterte Schulze. Herr Kesselhuth gehorchte und setzte sich, um in der Nähe zu bleiben, an einen der Tische, die in der Halle standen. Er sah schwarz. Gleich würden der Millionär, den man hier für einen armen Mann hielt, und der arme Mann, den man hier
15 für einen Millionär hielt, aufeinandertreffen! Die Mißverständnisse zogen sich über dem Hotel wie ein Gewitter zusammen!

Der junge Mann bemerkte Herrn Schulze und machte eine zuvorkommende Verbeugung. Der andere erwiderte den stummen Gruß. Hagedorn sah sich suchend um. „Entschuldigen Sie", sagte er dann.
20 „Ich bin eben erst angekommen. Wissen Sie vielleicht, wo der Hotelbriefkasten ist?"

„Auch ich bin eben angekommen", erwiderte der arme Mann. „Und der Briefkasten befindet sich hinter der zweiten Glastür links."

„Tatsächlich!" rief Hagedorn, ging hinaus, warf die Karte an seine
25 Mutter ein, kam zufrieden zurück und blieb neben dem andern stehen. „Sie haben noch kein Zimmer?"

„Nein", entgegnete der andere. „Man scheint im unklaren, ob man es überhaupt wagen kann, mir unter diesem bescheidenen Dach eine Unterkunft anzubieten."

Hagedorn lächelte. „Hier ist alles möglich. Wir sind, glaube ich, in
ein ausgesprochen komisches Hotel geraten."

„Falls Sie den Begriff Komik sehr weit fassen, haben Sie recht."

Der junge Mann betrachtete sein Gegenüber lange. Dann sagte er:
„Seien Sie mir nicht allzu böse, mein Herr! Aber ich möchte für mein   5
Leben gern raten, wie Sie heißen."

Der andere trat einen großen Schritt zurück.

„Wenn ich beim erstenmal daneben rate, geb ich's auf", erklärte der
junge Mann. „Ich habe aber eine so ulkige Vermutung." Und weil der
Ältere nicht antwortete, redete er weiter. „Sie heißen Schulze!   10
Stimmt's?"

Der andere war ehrlich betroffen. „Es stimmt", sagte er. „Ich heiße
Schulze. Aber woher wissen Sie das? Wie?"

„Ich weiß noch mehr", behauptete der junge Mann. „Sie haben den
zweiten Preis der Putzblank=Werke gewonnen. Sehen Sie! Ich gehöre   15
nämlich zu den Kleinen Propheten! Und jetzt müssen Sie raten, wie
ich heiße."

Schulze dachte nach. Dann erhellte sich sein Gesicht. Er strahlte förm=
lich und rief: „Ich hab's! Sie heißen Hagedorn!"

„Jawoll* ja", sagte der Jüngere. „Von uns kann man lernen."   20
Sie lachten und schüttelten einander die Hand.

Schulze setzte sich auf seinen Spankorb und bot auch Hagedorn ein
Plätzchen an. So saßen sie, im trauten Verein, und gerieten umgehend
in ein profundes Gespräch über Reklame. Und zwar über die Wir=
kungsgrenze origineller Formulierungen. Es war, als kennten sie ein=   25
ander bereits seit Jahren.

Herr Johann Kesselhuth, der sich eine Zeitung vors Gesicht hielt, um
an dem Blatt vorbeischauen zu können, staunte. Dann fing er an, einen
Plan zu schmieden. Und schließlich begab er sich mit dem Lift ins zweite

Stockwerk, um zunächst sein Zimmer, mit Bad und Balkon, kennenzulernen und die Koffer auszupacken.

Damit die neuen Anzüge nicht knitterten.

Als Kühne und Polter, nach eingehender Beratung, die Halle durch-
5 querten, saßen die beiden Preisträger noch immer auf dem durchnäßten,
altersschwachen Spankorb und unterhielten sich voller Feuer. Der Portier erstarrte zur Salzsäule und hielt den Direktor am Smoking fest.
„Da!" stieß er hervor. „Sehen Sie sich das an! Unser verkappter Millionär mit Herrn Schulze als Denkmal! Als Goethe und Schiller*!"
10   „Einfach tierisch!" behauptete Karl der Kühne. „Das hat uns noch
gefehlt! Ich transportiere den Schulze in die leerstehende Mädchenkammer. Und Sie deuten dem kleinen Millionär an, wie peinlich es uns
ist, daß er, gerade in unserem Hotel, einen richtiggehend armen Mann
kennenlernen mußte. Daß wir den Schulze nicht einfach hinausschmei-
15 ßen können, wird er einsehen. Immerhin, vielleicht geht der Bursche
morgen oder übermorgen freiwillig. Hoffentlich! Er vergrault uns sonst
die andern Stammgäste!"

„Der Herr Doktor Hagedorn ist noch ein Kind", sagte der Portier
nicht ohne Strenge. „Das Fräulein, das aus Berlin anrief, hat recht
20 gehabt. Bringen Sie schnell den Schulze außer Sehweite! Bevor die
Gäste aus den Speisesälen kommen." Sie gingen weiter.

„Willkommen!" sagte Direktor Kühne zu Herrn Schulze. „Darf ich
Ihnen Ihr Zimmer zeigen?"

Die beiden Preisträger erhoben sich. Schulze ergriff den Spankorb.
25 Hagedorn sah Schulze freundlich an. „Lieber Herr Schulze, ich sehe
Sie doch noch?"

Der Direktor griff ein. „Herr Schulze wird von der langen Reise
müde sein", behauptete er.

„Da irren Sie sich aber ganz gewaltig", meinte Schulze. Und zu Hagedorn sagte er: „Lieber Hagedorn, wir sehen uns noch." Dann folgte er dem Direktor zum Lift.

Der Portier legte sehr viel väterliche Güte in seinen Blick und sagte zu dem jungen Mann: „Entschuldigen Sie, Herr Doktor! Es tut uns 5 leid, daß gerade dieser Gast der erste war, den Sie kennenlernten."

Hagedorn verstand nicht ganz. „Mir tut es gar nicht leid!"

„Herr Schulze paßt, wenn ich so sagen darf, nicht in diese Umgebung."

„Ich auch nicht", erklärte der junge Mann.

Onkel Polter schmunzelte: „Ich weiß, ich weiß."   10

„Noch etwas", sagte Hagedorn. „Gibt es hier in allen Zimmern Tiere*?" Er legte seine Hände auf den Ladentisch. Sie waren zerkratzt und rotfleckig.

„Tiere?" Der Portier starrte versteinert auf die beiden Handrücken. „In unserem Hotel gibt es Tiere?"

„Sie haben mich offenbar mißverstanden", erwiderte Hagedorn. „Ich 15 rede von den Katzen."

Onkel Polter atmete auf. „Haben wir Ihren Geschmack getroffen?"

„Doch, doch. Die kleinen Biester sind sehr niedlich. Sie kratzen zwar. Aber es scheint ihnen Spaß zu machen. Und das ist die Hauptsache. Ich meine nur: Haben auch die anderen Gäste je drei Katzen im Zimmer?" 20

„Das ist ganz verschieden", meinte der Portier und suchte nach einem anderen Thema. Er fand eines. „Morgen früh kommt der Masseur auf Ihr Zimmer."

„Was will er denn dort?" fragte der junge Mann.

„Massieren."   25

„Wen?"

„Sie, Herr Doktor."

„Sehr aufmerksam von dem Mann", sagte Hagedorn. „Aber ich habe kein Geld. Grüßen Sie ihn schön."

Der Portier schien gekränkt. „Herr Doktor!"

„Massiert werde ich auch gratis?" fragte Hagedorn. „Also gut. Wenn es durchaus sein muß! Was verspricht man sich davon?"

Der kleine Millionär verstellte sich vorbildlich. „Massage hält die Muskulatur frisch", erläuterte Polter. „Außerdem wird die Durchblutung der Haut enorm gefördert."

„Bitte", sagte der junge Mann. „Wenn es keine schlimmeren Folgen hat, soll es mir recht sein. Haben Sie wieder Briefmarken?"

„Noch nicht", sagte der Portier bedauernd. „Aber morgen bestimmt."

„Ich verlasse mich darauf", entgegnete Hagedorn ernst und ging in die Halle, um in Ruhe lächeln zu können.

Im vierten Stock stiegen Schulze und Karl der Kühne aus. Denn die Liftanlage reichte nur bis hierher.

Sie kletterten zu Fuß ins fünfte Stockwerk und wanderten dann einen langen, schmalen Korridor entlang. An dessen äußerstem Ende sperrte der Direktor eine Tür auf, drehte das Licht an und sagte: „Das Hotel ist nämlich vollständig besetzt."

„Drum", meinte Schulze und blickte, fürs erste fassungslos, in das aus Bett, Tisch, Stuhl, Waschtisch und schiefen Wänden bestehende Kämmerchen. „Kleinere Zimmer haben Sie nicht?"

„Leider nein", sagte der Direktor.

Schulze setzte den Spankorb nieder. „Schön kalt ist es hier!"

„Die Zentralheizung geht nur bis zum vierten Stock. Und für einen Ofen ist kein Platz."

„Das glaube ich gern", sagte der arme Mann. „Glücklicherweise hat mir der Arzt streng verboten, in geheizten Räumen zu schlafen. Ich danke Ihnen für Ihre ahnungsvolle Rücksichtnahme."

„Oh, bitte sehr", erwiderte Kühne und biß sich auf die Unterlippe. „Man tut, was man kann."

„Die übrige Zeit werde ich mich nun freilich völlig in den Gesellschaftsräumen aufhalten müssen", meinte Herr Schulze. „Denn zum Erfrieren bin ich natürlich nicht hergekommen." 5

Karl der Kühne sagte: „Sobald ein heizbares Zimmer frei wird, quartieren wir Sie um!"

„Es hat keine Eile", meinte der arme Mann versöhnlich. „Ich liebe schiefe Wände über alles. Die Macht der Gewohnheit, verstehen Sie?"

„Ich verstehe vollkommen", antwortete der Direktor. „Ich bin glück- 10 lich, Ihren Geschmack getroffen zu haben."

„Wahrhaftig", sagte Schulze. „Das ist Ihnen gelungen. Auf Wiedersehen!" Er öffnete die Tür. Während der Direktor über die Schwelle schritt, überlegte sich Schulze, ob er ihm mit einem wohlgezielten Tritt nachhelfen sollte. 15

Er beherrschte sich aber, schloß die Tür, öffnete das Dachfenster und sah zum Himmel hinauf. Große Schneeflocken sanken in die kleine Kammer und setzten sich behutsam auf die Bettdecke.

„Der Tritt wäre verfrüht", sagte Geheimrat Tobler. „Der Tritt kommt in die Sparbüchse*." 20

Das siebente Kapitel

Siamesische Katzen

Dieser Abend hatte es in sich*. Das erste Mißverständnis sollte nicht das letzte bleiben. (Echte Mißverständnisse vervielfältigen sich durch Zellteilung. Der Kern des Irrtums spaltet sich, und neue Mißverständnisse 25 entstehen.)

Während Kesselhuth den Smoking anzog und Schulze, dicht unterm
Dach, den Spankorb auskramte, saß Hagedorn, im Glanze seines blauen
Anzugs, in der Halle, rauchte eine der Zigaretten, die ihm Franke, der
Untermieter, auf die Reise mitgegeben hatte, und zog die Stirn kraus.
5 Ihm war unbehaglich zumute. Hätte man ihn schief angesehen, wäre
ihm wohler gewesen. Schlechte Behandlung war er gewöhnt. Dagegen
wußte er sich zu wehren. Aber so?

Er glich einem Igel, den niemand reizen will. Er war nervös. Wes=
wegen benahmen sich die Menschen mit einem Male derartig natur=
10 widrig? Wenn plötzlich die Tische und Stühle in die Luft empor=
geschwebt wären, mitsamt dem alten Portier, Hagedorn hätt' nicht
überraschter sein können. Er dachte: „Hoffentlich kommt dieser olle
Schulze bald wieder. Bei dem weiß man doch, woran man ist!' Zu=
nächst kamen aber andere Gäste. Denn das Abendessen näherte sich
15 seinem Ende.

Frau Casparius ließ die Nachspeise unberührt und segelte hastig durch
den großen Speisesaal.

„Eine widerliche Person", sagte die Mallebré.

Baron Keller blickte vom Kompotteller hoch, verschluckte einen Kirsch=
20 kern und machte Augen, als versuche er in sein Inneres zu blicken*.

„Inwiefern?" fragte er dann.

„Wissen Sie, warum die Casparius so rasch gegessen hat?"

„Vielleicht hat sie Hunger gehabt", meinte er nachsichtig.

Frau von Mallebré lachte böse. „Besonders scharfsinnig sind Sie
25 nicht."

„Das weiß ich", antwortete der Baron.

„Sie will sich den kleinen Millionär kapern", sagte die Mallebré.

„Wahrhaftig?" fragte Keller. „Bloß weil er schlecht angezogen ist?"

„Sie wird es romantisch finden."

„Romantisch nennt man das?" fragte er. „Dann muß ich Ihnen allerdings beipflichten: Frau Casparius ist wirklich eine widerliche Person." Kurz darauf lachte er.

„Was gibt's?" fragte die Mallebré.

„Mir fällt trotz meines notorischen Mangels an Scharfsinn auf, daß auch Sie besonders rasch essen."

„Ich habe Hunger", erklärte sie ungehalten.

„Ich weiß sogar, worauf", sagte er.

Frau Casparius, die fesche Blondine aus Bremen, hatte ihr Ziel erreicht. Sie saß neben Hagedorn am Tisch. Onkel Polter sah manchmal hinüber und glich einem Vater, der seinen Segen kaum noch zurückhalten kann.

Hagedorn schwieg. Frau Casparius beschrieb unterdessen die Zigarrenfabrik ihres Mannes. Sie erwähnte, der Vollständigkeit halber, daß Herr Casparius in Bremen geblieben sei, um sich dem Tabak und der Beaufsichtigung der beiden Kinder zu widmen.

„Darf ich auch einmal etwas sagen, gnädige Frau?" fragte der junge Mann bescheiden.

„Bitte sehr?"

„Haben Sie siamesische Katzen im Zimmer?"

Sie sah ihn besorgt an.

„Oder andere Tiere?" fragte er weiter.

Sie lachte. „Das wollen wir nicht hoffen!"

„Ich meine Hunde oder Seelöwen. Oder Meerschweinchen. Oder Schmetterlinge."

„Nein", erwiderte sie. „Bedaure, Herr Doktor. In meinem Zimmer bin ich das einzige lebende Wesen. Wohnen Sie auch in der dritten* Etage?"

„Nein", sagte er. „Ich möchte nur wissen, weswegen sich in meinem Zimmer drei siamesische Katzen aufhalten."

„Kann man die Tierchen einmal sehen?" fragte sie. „Ich liebe Katzen über alles. Sie sind so zärtlich und bleiben einem doch fremd. Es ist ein
5 aufregend unverbindliches Verhältnis. Finden Sie nicht auch?"

Glücklicherweise setzten sich Frau von Mallebré und Baron Keller an den Nebentisch. Und wenige Minuten später war der Tisch, an dem Hagedorn saß, rings von neugierigen Gästen und lauten Stimmen umgeben.

10 Frau Casparius beugte sich vor. „Schrecklich, dieser Lärm! Kommen Sie! Zeigen Sie mir Ihre drei kleinen Katzen!"

Ihm war das Tempo neu. „Ich glaube, sie schlafen schon", sagte er.

„Wir werden sie nicht aufwecken", sagte sie. „Wir werden ganz, ganz leise sein. Ich verspreche es Ihnen."

15 Da kam der Kellner und überreichte ihm eine Karte. Auf dieser Karte stand: „Der Unterzeichnete, der zum Toblerkonzern Beziehungen hat, würde Herrn Doktor Hagedorn gern auf einige Minuten in der Bar sprechen. Kesselhuth."

Der junge Mann stand auf. „Seien Sie mir nicht böse, gnädige
20 Frau", sagte er. „Mich will jemand sprechen, der mir von größtem Nutzen sein kann. Das ist ein seltsames Hotel!" Nach diesen Worten und einer Verbeugung ging er.

Frau Casparius versah ihr schönes Gesicht mit einem diffusen Dauerlächeln.

25 Frau von Mallebré ließ sich nichts vormachen. Sie kniff vor Genugtuung in die Sessellehne. Da sie sich aber vergriff und den Ärmel des Barons erwischte, stöhnte Keller auf und sagte: „Muß das sein, gnädige Frau?"

Herr Kesselhuth erinnerte zunächst daran, daß Hagedorn und er ge=
meinsam im Grand Hotel eingetroffen wären, und gratulierte zu dem
ersten Preis der Putzblank=Werke. Dann lud er den jungen Mann zu
einem Genever ein. Sie setzten sich in eine Ecke.

Auf einem Sofa von äußerst geringem Fassungsvermögen kuschelte 5
sich das Chemnitzer Ehepaar. Die übrigen Barbesucher hatten das Ver=
gnügen, dem zärtlichen Zwiegespräch zuhören zu dürfen. Sogar Jonny,
der Barmixer, verlor die Selbstbeherrschung. Er grinste übers ganze Ge=
sicht. Schließlich bückte er sich und hackte, ohne Sinn und Verstand, im
Eiskasten herum. Denn es geht nicht an, daß Hotelangestellte die Gäste 10
auslachen.

Bald sagte Kesselhuth: „Ich will mich deutlich ausdrücken, Herr
Doktor. Ich will Sie fragen, ob ich Ihnen behilflich sein kann. Entschul=
digen Sie, bitte."

„Ich bin nicht zimperlich", antwortete der junge Mann. „Es wäre 15
großartig, wenn Sie mir helfen würden. Ich kann's gebrauchen." Er
trank einen Schluck. „Das Zeug schmeckt gut. Ja, ich bin also seit Jahren
stellungslos. Der Direktor der Putzblank=Werke hat mir, als ich mich
nach einem Posten erkundigte, gute Erholung in Bruckbeuren gewünscht.
Wenn ich bloß wüßte, von welcher Anstrengung ich mich erholen soll! 20
Arbeiten will ich, daß die Schwarte knackt! Und ein bißchen Geld ver=
dienen! Statt dessen helfe ich meiner Mutter ihre kleine Rente auf=
fressen. Es ist scheußlich."

Kesselhuth blickte ihn freundlich an. „Der Toblerkonzern hat ja noch
einige andere Fabriken außer den Putzblank=Werken", meinte er. „Und 25
nicht nur Fabriken. Sie sind Reklamefachmann?"

„Jawoll", sagte Hagedorn. „Und keiner von den schlechtesten, wenn
ich diese kühne Behauptung aufstellen darf."

Herr Kesselhuth nickte. „Sie dürfen!"

„Was halten Sie von folgendem?" fragte der junge Mann eifrig. „Ich könnte meiner Mutter noch heute abend eine zweite Karte schreiben. Daß ich unverletzt angekommen bin, habe ich ihr nämlich schon mitgeteilt. Sie könnte meine Arbeiten in einen kleinen Karton 5 packen; und in spätestens drei Tagen sind Hagedorns Gesammelte Werke in Bruckbeuren. Verstehen Sie etwas von Reklame, Herr Kesselhuth?"

Johann schüttelte wahrheitsgemäß den Kopf. „Ich möchte mir die Arbeiten trotzdem ansehen, und dann gebe ich", er verbesserte sich hastig, 10 „dann schicke ich sie mit ein paar Zeilen an Geheimrat Tobler. Das wird das beste sein."

Hagedorn setzte sich kerzengerade und wurde blaß. „An wen wollen Sie den Kram schicken?" fragte er.

„An Geheimrat Tobler", erklärte Kesselhuth. „Ich kenne ihn seit 15 zwanzig Jahren!"

„Gut?"

„Ich bin täglich mit ihm zusammen."

Der junge Mann vergaß vorübergehend, Atem zu holen. „Das ist ein Tag", sagte er dann, „um den Verstand zu verlieren. Sehr geehrter 20 Herr, machen Sie, bitte, keine Witze mit mir. Jetzt wird's ernst. Geheimrat Tobler liest Ihre Briefe?"

„Er hält große Stücke auf mich", erklärte Herr Kesselhuth stolz.

„Wenn er sich die Sachen ansieht, gefallen sie ihm bestimmt", sagte der junge Mann. „In dieser Beziehung bin ich größenwahnsinnig. Das 25 kostet nichts und erhält bei Laune." Er stand auf. „Darf ich meiner Mutter rasch eine Eilkarte schicken? Sehe ich Sie dann noch?"

„Ich würde mich sehr freuen", entgegnete Kesselhuth. „Grüßen Sie Ihre Frau Mutter unbekannterweise von mir."

„Das ist eine patente Frau", sagte Hagedorn und ging. An der Tür kehrte er noch einmal um. „Eine bescheidene Frage, Herr Kesselhuth. Haben Sie Katzen im Zimmer?"

„Ich habe nicht darauf geachtet", meinte der andere. „Aber ich glaube kaum." .

Als Hagedorn die Halle durchquerte, lief er Frau Casparius in die Arme. Sie war in Nerz gehüllt und trug hohe pelzbesetzte Überschuhe. Neben ihr schritt, im Gehpelz, der Kunsthändler Lenz. „Kommen Sie mit?" fragte die Bremerin. „Wir gehen ins Esplanade. Zwecks Reunion. Darf ich bekannt machen? Herr Doktor Hagedorn — Herr Lenz."

Die Herren begrüßten sich.

„Kommen Sie mit, Herr Doktor!" sagte der dicke Lenz. „Unsere schöne Frau tanzt leidenschaftlich gern. Übrigens auch gern leidenschaftlich. Und ich eigne mich figürlich nicht besonders zum Anschmiegen. Ich bin zu konvex."

„Entschuldigen Sie mich", sagte der junge Mann. „Ich muß einen Brief schreiben."

„Post kann man während des ganzen Tages erledigen", meinte Frau Casparius. „Tanzen kann man nur abends."

„Der Brief muß noch heute fort", sagte Hagedorn bedauernd. „Leidige Geschäfte!" Dann entfernte er sich eiligst.

Frau von Mallebré, die ihn kommen sah, gab dem Baron einen Wink. Keller erhob sich, vertrat dem jungen Mann lächelnd den Weg, stellte sich vor und fragte: „Darf ich Sie mit einer scharmanten Frau bekannt machen?"

Hagedorn erwiderte ärgerlich: „Ich bitte darum", und ließ die üblichen Zeremonien über sich ergehen. Keller setzte sich. Der junge Mann blieb ungeduldig stehen.

„Ich fürchte, wir halten Sie auf", sagte Frau von Mallebré. Sie

sprach, auf Wirkung bedacht, eine Terz tiefer als sonst. Keller lächelte.
Er kannte Frau von Mallebrés akustische Taktik.

„Es tut mir leid, Ihnen recht geben zu müssen", meinte Hagedorn.
„Post! Leidige Geschäfte!"

5 Die Mallebré schüttelte mißbilligend die schwarzen Wasserwellen.
„Sie sind doch hier, um sich zu erholen."

„Das ist ein Irrtum", antwortete er. „Ich bin gekommen, weil ich,
infolge eines gewonnenen Preisausschreibens, hergeschickt wurde."

„Nehmen Sie Platz!" sagte die Mallebré. Die Gäste an den Neben-
10 tischen blickten gespannt herüber.

„Sehr freundlich", meinte Hagedorn. „Aber ich muß auf mein Zimmer. Guten Abend." Er ging.

Baron Keller lachte. „Sie hätten nicht so rasch zu essen brauchen,
gnä' Frau."

15 Frau von Mallebré betrachtete ihr Gesicht im Spiegel der Puderdose, tupfte Puder auf ihre adlige Nase und sagte: „Wir wollen's ab-
warten."

Auf der Treppe traf Hagedorn Herrn Schulze. „Ich friere wie ein
Schneider", sagte Schulze. „Ist Ihr Zimmer auch ungeheizt?"

20 „Aber nein", meinte Hagedorn. „Wollen Sie sich bei mir einmal um-
schauen? Ich muß eine Karte nach Hause schreiben. Ich habe eben ein
unglaubliches Erlebnis gehabt. Raten Sie! Nein, darauf kommt keiner.
Also denken Sie an: ich habe eben mit einem Herrn gesprochen, der den
ollen Tobler persönlich kennt! Der jeden Tag mit ihm zusammen ist!
25 Was sagen Sie dazu?"

„Man sollte es nicht für möglich halten", behauptete Schulze und
folgte dem jungen Mann ins erste Stockwerk.

Hagedorn schaltete das elektrische Licht ein. Schulze glaubte zu träu-
men. Er erblickte einen Salon, ein Schlafzimmer und ein gekacheltes

Bad. ‚Was soll das denn heißen?‘ dachte er. ‚So viel besser ist ja nun seine Lösung des Preisausschreibens nicht, daß man mir die Bruchbude unterm Dach angedreht hat und ihm so 'ne Zimmerflucht.‘

„Trinken Sie einen Schnaps?" fragte der junge Mann. Er schenkte französischen Kognak ein. Sie stießen an und sagten „Prost!" 5

Da klopfte es.

Hagedorn rief: „Herein!"

Es erschien das Zimmermädchen. „Ich wollte nur fragen, ob der Herr Doktor schon schlafen gehen*. Es ist wegen des Ziegelsteins."

Hagedorn runzelte die Stirn. „Weswegen?" 10

„Wegen des Ziegelsteins", wiederholte das Mädchen. „Ich möchte ihn nicht zu früh ins Bett tun, damit er nicht auskühlt."

„Verstehen Sie das?" fragte Hagedorn.

„Noch nicht ganz", erwiderte Schulze. Und zu dem Mädchen sagte er: „Der Herr Doktor geht noch nicht schlafen. Bringen Sie Ihren Zie= 15 gelstein später!"

Das Mädchen ging.

Hagedorn sank verstört in einen Klubsessel. „Haben Sie auch ein Zimmermädchen mit geheizten Ziegelsteinen?"

„Keineswegs", meinte Schulze. „Französischen Kognak übrigens auch 20 nicht." Er grübelte.

„Auch keine siamesischen Katzen?" fragte der andere und zeigte auf ein Körbchen.

Schulze griff sich an die Stirn. Dann ging er in Kniebeuge und be= trachtete die drei kleinen schlafenden Tiere. Dabei kippte er um und 25 setzte sich auf den Perserteppich. Ein Kätzchen erwachte, reckte sich, stieg aus dem Korb und nahm auf Schulzes violetter Hose Platz.

Hagedorn schrieb die Karte an seine Mutter.

Schulze legte sich auf den Bauch und spielte mit der kleinen Katze.

Dann wurde die zweite wach, schaute anfangs faul über den Rand des
Korbes, kam dann aber nach längerer Überlegung ebenfalls auf den
Teppich spaziert. Schulze hatte alle Hände voll zu tun.

Hagedorn sah flüchtig von seiner Karte hoch, lächelte und sagte: „Vor-
5 sicht! Lassen Sie sich nicht kratzen!"

„Keine Sorge", erklärte der Mann auf dem Teppich. „Ich verstehe
mit so etwas umzugehen."

Die zwei Katzen spielten auf dem älteren Herrn Haschen. Wenn er
sie festhielt, schnurrten sie vor Wonne. ‚Ich fühle mich wie zu Hause‘,
10 dachte er. Und nachdem er das gedacht hatte, ging ihm ein großes
Licht auf.▪

Als Hagedorn mit der Eilkarte zu Rande war, legte Schulze die zwei
Katzen zu der dritten in den Korb zurück. Sie sahen ihn aus ihren
schwarzmaskierten Augen fragend an und bewegten die Schwänze ver-
15 gnügt hin und her. „Ich besuche euch bald wieder", sagte er. „Nun
schlaft aber, wie sich das für so kleine artige Katzen gehört!" Dann über-
redete er den jungen Mann, die Karte dem Stubenmädchen zur Be-
sorgung anzuvertrauen. „Ich bin Ihnen Revanche schuldig. Sie müssen
sich mein Zimmer ansehen. Kommen Sie!"

20 Sie gaben dem Mädchen die Karte und stiegen in den Fahrstuhl.
„Der nette Herr, der den alten Tobler so gut kennt, heißt Kesselhuth",
erzählte Hagedorn. „Er kam gleichzeitig mit mir im Hotel an. Und vor
einer Viertelstunde hat er mich gefragt, ob er mir beim Toblerkonzern
behilflich sein soll. Halten Sie für möglich, daß er das überhaupt kann?"

25 „Warum schließlich nicht?" meinte Schulze. „Wenn er den ollen
Tobler gut kennt, wird er's schon zuwege bringen."

„Aber wie kommt ein fremder Mensch eigentlich dazu, mir helfen
zu wollen?"

„Sie werden ihm sympathisch sein*", sagte Schulze.

Dem anderen schien diese Erklärung nicht zu genügen. „Wirke ich denn sympathisch?" fragte er erstaunt.

Schulze lächelte. „Außerordentlich sympathisch sogar!"

„Entschuldigen Sie", meinte der junge Mann. „Ist das Ihre persönliche Ansicht?" Er war richtig rot geworden. 5

Schulze erwiderte: „Es ist meine feste Überzeugung." Nun war auch er verlegen.

„Fein", sagte Hagedorn. „Mir geht's mit Ihnen ganz genau so."

Sie schwiegen, bis sie im vierten Stock ausstiegen. „Sie wohnen wohl auf dem Blitzableiter?" fragte der junge Mann, als der andere die Stu- 10 fen betrat, die zur fünften Etage führten.

„Noch höher", erklärte Schulze.

„Herr Kesselhuth will dem Tobler meine Arbeiten schicken", berichtete Hagedorn. „Hoffentlich versteht der olle Millionär etwas von Reklame. Schrecklich, daß ich schon wieder davon anfange, was? Aber es geht mir 15 nicht aus dem Kopf. Da rennt man sich in Berlin seit Jahren die Hacken schief. Fast jeden Tag wird man irgendwoanders abgewiesen. Dann kutschiert man in die Alpen. Und kaum ist man dort, fragt einen ein wildfremder Herr, ob man im Toblerkonzern angestellt zu werden wünscht." 20

„Ich werde die Daumen halten*", sagte der andere.·

Sie schritten den schmalen Korridor entlang.

Und während der junge Mann von den sieben gewonnenen Preisausschreiben und den damit verbundenen geographischen Erfahrungen erzählte, schloß der andere die Tür zu dem Dachstübchen auf. Er öffnete 25 und machte Licht.

Hagedorn* blieben Stockholm und die Schären im Halse stecken. Er starrte verständnislos in die elende Kammer. Nach längerer Zeit sagte er: „Machen Sie keine Witze!"

„Treten Sie näher!" bat Schulze. „Setzen Sie sich, bitte, aufs Bett oder in die Waschschüssel! Was Ihnen lieber ist!"

Der andere klappte den Jackettkragen hoch und steckte die Hände in die Taschen.

5 „Kälte ist gesund", meinte Schulze. „Schlimmstenfalls werde ich die Pantoffeln anbehalten, wenn ich schlafen gehe."

Hagedorn blickte sich suchend um. „Nicht einmal ein Schrank ist da", sagte er. „Können Sie sich das Ganze erklären? Mir gibt man ein feudales Appartement. Und Sie sperrt man in eine hundekalte Boden=
10 kammer!"

„Es gibt eine einzige Erklärung", behauptete Schulze. „Man hält Sie für einen andern! Irgendwer muß sich einen Scherz erlaubt haben. Vielleicht hat er verbreitet, Sie seien der Thronfolger von Albanien. Oder der Sohn eines Multimillionärs."

15 Hagedorn zeigte den Glanz auf den Ellenbogen seines Anzuges und hielt einen Fuß hoch, um das biblische* Alter seiner Schuhe darzulegen. „Sehe ich so aus?"

„Gerade darum! Es gibt genug extravagante Personen unter denen, die sich Extravaganzen pekuniär leisten können."

20 „Ich habe keinen Spleen", sagte der junge Mann. „Ich bin kein Thronfolger und kein Millionär. Ich bin ein armes Luder. Meine Mut= ter war auf der Sparkasse, damit ich mir hier ein paar Glas Bier leisten kann." Er schlug wütend auf den Tisch. „So! Und jetzt gehe ich zu dem Hoteldirektor und erzähle ihm, daß man ihn veralbert hat und daß ich
25 sofort hier oben, neben Ihnen, eine ungeheizte Hundehütte zu beziehen wünsche!" Er war schon an der Tür.

Tobler sah sein eignes Abenteuer in Gefahr. Er hielt den andern am Jackett fest und zwang ihn auf den einzigen Stuhl. „Lieber Hagedorn, machen Sie keine Dummheiten! Davon, daß Sie neben mir eine Eis=

bube beziehen, haben wir alle beide nichts. Seien Sie gescheit! Bleiben
Sie der geheimnisvolle Unbekannte! Behalten Sie Ihre Zimmer, damit ich weiß, wohin ich gehen soll, wenn mir's hier oben zu kalt wird!
Lassen Sie sich in drei Teufels* Namen ein Flasche Kognak nach der
andern bringen und eine ganze Ziegelei ins Bett legen! Was schadet es 5
denn?"

„Schrecklich!" sagte der junge Mann. „Morgen früh kommt der
Masseur."

Schulze mußte lachen. „Massage ist gesund!"

„Ich weiß", erwiderte Hagedorn. „Sie fördert die Durchblutung der 10
Haut." Er schlug sich vor die Stirn. „Und der Portier sammelt Briefmarken! Diese Mystifikation ist gewissenhaft durchdacht! Und ich Rindvieh bildete mir ein, die Leute hier seien von Natur aus nett." Er warf
das Kuvert mit den Briefmarken beleidigt auf den Tisch.

Schulze prüfte den Inhalt fachmännisch und steckte das Kuvert ein. 15

„Ich habe eine großartige Idee", sagte Hagedorn. „Sie beziehen meine
Zimmer, und ich werde hier wohnen. Wir erzählen dem Direktor, er
habe sich geirrt. Der Thronfolger von Albanien seien Sie! Ist das
gut?"

„Nein", erwiderte Schulze. „Für einen Thronfolger bin ich zu alt." 20

„Es gibt auch alte Thronfolger", wandte der junge Mann ein.

„Und den Millionär glaubt man mir erst recht nicht*!" sagte Schulze.
„Stellen Sie sich das doch vor! Ich als Millionär! Lächerlich!"

„Sehr überzeugend würden Sie allerdings nicht wirken", gab Hagedorn offen zu. „Aber ich will niemand anders sein!" 25

„Tun Sie's mir zuliebe", bat Schulze. „Mir haben die drei kleinen
Katzen so gut gefallen."

Der junge Mann kratzte sich am Kopf. „Also schön", erklärte er. „Aber
bevor wir abreisen, geben wir durch Anschlag am Schwarzen Brett be-

kannt, daß das Hotel von irgendeinem Spaßmacher hineingelegt wor=
den ist. Ja?"

„Das eilt nicht", sagte Schulze. „Bis auf weiteres bleiben Sie, bitte,
ein Rätsel!"

Das achte Kapitel

Der Schneemann Kasimir

Als die beiden miteinander durch die Halle gingen, war die Empörung
groß. Das Publikum fand sich brüskiert*. Wie konnte der geheimnis=
volle Millionär mit dem einzigen armen Teufel, den das Hotel zu bie=
ten hatte, gemeinsame Sache machen! So realistisch brauchte er seine
Rolle wirklich nicht zu spielen!

„Einfach tierisch!" sagte Karl der Kühne, der beim Portier stand.
„Dieser Schulze! Das ist das Letzte!"

„Die Casparius und die Mallebré machen schon Jagd auf den Klei=
nen", erzählte Onkel Polter. „Er könnte es haben wie in Abrahams
Schoß!"

„Der Vergleich stimmt nur teilweise", meinte der Direktor. (Er neigte
gelegentlich zur Pedanterie.)

„Ich sehe schon", sagte der Portier, „ich werde für Herrn Schulze eine
kleine Nebenbeschäftigung erfinden müssen. Sonst geht er dem Millionär
nicht von der Seite."

„Vielleicht reist er bald wieder ab", bemerkte Herr Kühne. „Die Dach=
kammer, die wir ihm ausgesucht haben, wird ihm auf die Dauer kaum
zusagen. Dort oben hat es noch kein Stubenmädchen und kein Haus=
diener ausgehalten."

Onkel Polter kannte die Menschen besser. Er schüttelte das Haupt.
„Sie irren sich. Schulze bleibt. Schulze ist ein Dickkopf."

Der Hoteldirektor folgte den beiden seltsamen Gästen in die Bar.

Die Kapelle spielte. Etliche elegante Paare tanzten. Sullivan, der Kolonialoffizier, trank den Whisky aus alter Gewohnheit pur und war bereits hinüber. Er hing auf seinem Barhocker*, stierte vor sich hin und schien Bruckbeuren mit einer nordindischen Militärstation zu ver= 5 wechseln.

„Darf ich vorstellen?" fragte Hagedorn. Und dann machte er Ge= heimrat Tobler und Johann, dessen Diener, miteinander bekannt. Man nahm Platz. Herr Kesselhuth bestellte eine Runde Kognak.

Schulze lehnte sich bequem zurück, betrachtete, gerührt und spöttisch 10 zugleich, das altvertraute Gesicht und sagte: „Doktor Hagedorn erzählte mir eben, daß Sie den Geheimrat Tobler kennen."

Herr Kesselhuth war nicht mehr ganz nüchtern. Er hatte nicht des Alkohols wegen getrunken. Aber er war ein gewissenhafter Mensch und hatte nicht vergessen, daß er täglich mindestens hundert Mark ausgeben 15 mußte. „Ich kenne den Geheimrat sogar ausgezeichnet", erklärte er und blinzelte vergnügt zu Schulze hinüber. „Wir sind fast dauernd zu= sammen!"

„Sie sind vermutlich Geschäftsfreunde?" fragte Schulze.

„Vermutlich?" sagte Kesselhuth großartig „Erlauben Sie mal! Mir 20 gehört eine gutgehende Schiffahrtslinie! Wir sitzen zusammen im Auf= sichtsrat. Direkt nebeneinander!"

„Donnerwetter!" rief Schulze. „Welche Linie ist das denn?"

„Darüber möchte ich nicht sprechen", sagte Kesselhuth vornehm. „Aber es ist nicht die kleinste, mein Herr!" 25

Sie tranken. Hagedorn setzte sein Glas nieder, zog die Oberlippe hoch und meinte: „Ich verstehe nichts von Schnaps. Aber der Kognak schmeckt, wenn ich nicht irre, nach Seife."

„Das muß er tun", erklärte Schulze. „Sonst taugt er nichts."

„Wir können ja auch etwas andres trinken", sagte Kesselhuth. „Herr
Ober*, was schmeckt bei Ihnen nicht nach Seife?"

Es war aber gar nicht der Kellner, der an den Tisch getreten war,
sondern der Hoteldirektor. Er fragte den jungen Mann, ob ihm die Zim-
5 mer gefielen.

„Doch, doch", sagte Hagedorn, „ich bin soweit ganz zufrieden.".

Herr Kühne behauptete, daß er sich glücklich schätze. Dann winkte er;
und Jonny und ein Kellner brachten einen Eiskübel mit einer Flasche
Champagner und zwei Gläser. „Ein kleiner Begrüßungsschluck", sagte
10 der Hoteldirektor lächelnd.

„Und ich kriege kein Glas?" fragte Hagedorn unschuldsvoll.

Kühne lief rot an. Der Kellner brachte ein drittes Glas und goß ein.
Der Versuch, Schulze zu ignorieren, war mißlungen.

„Auf Ihr Wohl!" rief dieser fidel.

15 Der Direktor verschwand, um dem Portier sein jüngstes Leid zu
klagen.

Schulze stand auf, schlug ans Glas und hob es hoch. Die andern Gäste
blickten unfreundlich zu ihm hin. „Trinken wir darauf", sagte er, „daß
Herr Kesselhuth für meinen jungen Freund beim ollen Tobler etwas
20 erreichen möge!"

Johann kicherte vor sich hin. „Mach' ich, mach' ich!" murmelte er und
trank sein Glas leer.

Hagedorn sagte: „Lieber Schulze, wir kennen uns noch nicht lange.
Aber vielleicht sollten wir in diesem Augenblick fragen, ob Herr Kessel-
25 huth auch für Sie etwas unternehmen kann?"

„Keine schlechte Idee", meinte Schulze.

Johann Kesselhuth sagte amüsiert: „Ich werde Geheimrat Tobler
nahelegen, auch Herrn Schulze anzustellen. Was sind Sie denn von
Beruf?"

„Auch Werbefachmann", antwortete Schulze.

„Schön wär's, wenn wir in derselben Abteilung arbeiten könnten", meinte Hagedorn. „Wir verstehen 'ns nämlich sehr gut, Schulze und ich. Wir würden den Toblerkonzern propagandistisch gründlich auf= möbeln. Er kann's gebrauchen*. Was ich da in der letzten Zeit an Re= 5 klame gesehen habe, war zum Heulen."

„So?" fragte Schulze.

„Grauenhaft dilettantisch", erklärte der junge Mann. „Bei dem Re= klameetat, den so ein Konzern hat, kann man ganz anders loslegen. Wir werden dem Tobler zeigen, was für knusprige Kerle wir sind! Ist 10 er übrigens ein netter Mensch?"

„Ach ja", sagte Johann Kesselhuth. „Mir gefällt er. Aber das ist na= türlich Geschmackssache."

„Wir werden ja sehen", meinte Hagedorn. „Trinken wir auf ihn! Der olle Tobler soll leben!" 15

Sie stießen an.

„Das soll er", sagte Kesselhuth und blickte Herrn Schulze liebevoll in die Augen.

Nachdem die von Karl dem Kühnen gestiftete Flasche leergetrunken war, bestellte der Schiffahrtsbesitzer Kesselhuth eine weitere Flasche. 20 Sie wunderten sich, daß sie, trotz der langen Reise, noch immer nicht müde waren. Sie schoben es auf die Höhenluft. Dann kletterten sie ins Bräustübl hinunter, aßen Weißwürste* und tranken Münchner Bier.

Aber sie blieben nur kurze Zeit. Denn die rassige Dame aus Polen, die abends eingetroffen war, saß mit Mister Bryan in einer schumm= 25 rigen Ecke, und Hagedorn sagte: „Ich fürchte, wir sind der inter= nationalen Verständigung im Wege."

Die Bar war, als sie zurückkamen, noch voller als vorher. Frau von

Mallebré und Baron Keller saßen an dem Schenktisch, tranken Cocktails
und knabberten Kaffeebohnen. Frau Casparius und der dicke Herr Lenz
waren aus dem Esplanade zurück und knobelten. Und eine stattliche
Schar rotwangiger Holländer lärmte an einem großen runden Tisch.
Später verdrängte einer der Holländer den Klavierspieler. Sofort erhoben sich seine temperamentvollen Landsleute und veranstalteten, un-
geachtet ihrer Smokings und Abendkleider, echt holländische Volkstänze.

Sullivan rutschte von seinem Barhocker und nahm, da sich Fräulein
Marek sträubte, als Solist und gefährlich taumelnd, an dem ländlichen
Treiben teil. .

Das währte rund zwanzig Minuten. Dann eroberte der Klavierspieler
seinen angestammten Drehsessel zurück. „Nun tanzen Sie schon endlich
mit einer ihrer Verehrerinnen!" sagte Schulze zu Hagedorn. „Es ist ja
kaum noch zum Aushalten, wie sich die Weiber die Augen verrenken!"
Der junge Mann schüttelte den Kopf. „Man meint ja gar nicht mich,
sondern den Thronfolger von Albanien."

„Wenn's weiter nichts ist!" erwiderte Schulze. „Das würde mich
wenig stören. Der Effekt ist die Hauptsache."

Hagedorn wandte sich an Kesselhuth. „Man hält mich hier im Hotel
unbegreiflicherweise für den Enkel von Rockefeller oder für einen verkleideten Königssohn. Dabei bin ich keines von beiden."

„Unglaublich!" sagte Herr Kesselhuth. Er bemühte sich, ein über-
raschtes Gesicht zu ziehen. „Was es so alles gibt*!"

„Das bleibt aber, bitte, unter uns!" bat Hagedorn. „Ich hätte das
Mißverständnis gerne richtiggestellt. Aber Schulze hat mir abgeraten."

„Herr Schulze hat recht", sagte Kesselhuth. „Ohne Spaß gibt's nichts
zu lachen!"

Plötzlich spielte die Kapelle einen Tusch. Herr Heltai, Professor der
Tanzkunst und Arrangeur von Kostümfesten, trat aufs Parkett, klatschte

in die Hände und rief: „Damenwahl, meine Herrschaften!" Er wiederholte die Ankündigung noch in englischer und französischer Sprache. Die
Gäste lachten. Mehrere Damen erhoben sich. Auch Frau Casparius. Sie
steuerte auf Hagedorn los. Frau von Mallebré wurde blaß und enga-
gierte, verzerrt lächelnd, den Baron.   5

Frau Casparius machte einen übertriebenen Knicks und sagte: „Sie
sehen, Herr Doktor, mir entgeht man nicht." Der Tanz begann.

Schulze beugte sich vor. „Ich gehe in die Halle", flüsterte er. „Folgen
Sie mir unauffällig! Bringen Sie aber 'ne anständige Zigarre mit!"
Dann verließ er die Bar.   10

Geheimrat Tobler saß nun also mit seinem Diener Johann in der
Halle. Die meisten Tische waren leer. Kesselhuth klappte sein Zigarren-
etui auf und fragte: „Darf ich Sie zu einem Kognak einladen?"

„Fragen Sie nicht so blöd!" meinte Tobler.

Der andere bestellte. Die Herren rauchten und blickten einander be-   15
lustigt an. Der Kellner brachte die Kognaks.

„Nun haben wir uns also doch kennengelernt", sagte Johann be-
friedigt. „Noch dazu am ersten Abend! Wie habe ich das gemacht?"

Tobler runzelte die Stirn. „Sie sind ein Intrigant, mein Lieber.
Eigentlich sollte ich Sie entlassen."   20

Johann lächelte geschmeichelt. Dann sagte er: „Ich kriegte ja, als ich
ankam, einen solchen Schreck! Der Hoteldirektor und der Portier krochen doch dem Doktor Hagedorn in sämtliche Poren*! Am liebsten wäre
ich Ihnen entgegengelaufen, um Sie zu warnen."

„Ich werde meiner Tochter die Ohren abschneiden", erklärte Tobler.   25
„Sie hat natürlich angerufen."

„Fräulein Hildegards Ohren sind so niedlich", meinte Johann. „Ich
wette, die Kunkel hat telephoniert."

„Wenn ich nicht so guter Laune wäre, würde ich mich ärgern", gestand Tobler. „So eine Frechheit! Ein wahres Glück, daß dieses verrückte Mißverständnis dazwischenkam!"

„Hat man Ihnen ein nettes Zimmer gegeben?" fragte der Diener.

5 „Ein entzückendes Zimmer", behauptete Tobler. „Sonnig, luftig. Sehr luftig sogar."

Johann nahm dem Geheimrat ein paar Fusseln vom Anzug und bürstete mit der flachen Hand besorgt auf den violetten Jackettschultern herum.

10 „Lassen Sie das!" knurrte Tobler. „Sind Sie verrückt?"

„Nein", meinte Johann. „Aber froh, daß ich neben Ihnen sitze. Na ja, und ein klein bißchen besoffen bin ich natürlich auch. Ihr Anzug sieht zum Fürchten aus. Ich werde morgen auf Ihr Zimmer kommen und Ordnung machen. Welche Zimmernummer haben Sie, Herr Ge-
15 heimrat?"

„Unterstehen Sie sich!" sagte Tobler streng. „Das fehlte gerade noch, daß man den Besitzer einer gutgehenden Schiffahrtslinie dabei erwischt, wie er bei mir Staub wischt. Haben Sie Bleistift und Papier bei sich? Sie müssen einen geschäftlichen Brief erledigen. Beeilen Sie
20 sich! Ehe unser kleiner Millionär eintrifft. Wie gefällt er Ihnen?"

„Ein reizender Mensch", sagte Johann. „Wir werden zu dritt noch sehr viel Spaß haben."

„Lassen Sie uns arme Leute ungeschoren!" meinte der Geheimrat. „Widmen Sie sich gefälligst dem Wintersport und der vornehmen Ge-
25 sellschaft!"

„Die Hoteldirektion glaubt, daß ich Doktor Hagedorn von Berlin aus kenne und es nur nicht zugeben will", erzählte Johann. „Man wird also nichts dabei finden, wenn ich oft mit ihm zusammen bin. Im Gegenteil, ohne mich wäre er nie so schnell Millionär geworden!" Er

blickte an Tobler herunter. „Ihre Schuhe sind auch nicht geputzt!"
sagte er. Man sah es ihm an, wie er darunter litt. „Es ist zum Verzweifeln!"

Der Geheimrat, dem die Zigarre außerordentlich schmeckte, meinte:
„Kümmern Sie sich lieber um Ihre Schiffahrtslinie!"   5

So oft die Kapelle eine Atempause machen wollte, klatschten die
Tanzpaare wie besessen.

Frau Casparius sagte leise: „Sie tanzen wirklich gut." Ihre Hand
lag auf Hagedorns Schulter und übte einen zärtlichen Druck aus. „Was
tun Sie morgen? Fahren Sie Schi?"   10

Er verneinte. „Als kleiner Junge hatte ich Schneeschuhe. Jetzt ist
mir die Sache zu teuer."

„Wollen wir eine Schlittenpartie machen? Nach Sankt Veit? Den
Lunch nehmen wir mit."

„Ich bin mit meinen beiden Bekannten verabredet."   15

„Sagen Sie ab!" bat sie. „Wie können Sie überhaupt diesen Mann,
der wie eine Vogelscheuche aussieht, meiner bezaubernden Gesellschaft
vorziehen?"

„Ich bin auch so eine Vogelscheuche", sagte er zornig. „Schulze und
ich gehören zusammen!"   20

Sie lachte und zwinkerte eingeweiht. „Freilich, Doktor. Ich vergesse
das immer wieder. Aber Sie sollten trotzdem mit mir nach Sankt Veit
fahren. Im Pferdeschlitten. Mit klingenden Glöckchen. Und mit warmen
Decken. So etwas kann sehr schön sein." Sie schmiegte sich noch enger
an ihn und fragte: „Mißfalle ich Ihnen denn so?"   25

„O nein", sagte er. „Aber Sie haben so etwas erschreckend Plötzliches
an sich."

Sie rückte ein wenig von ihm ab und rümpfte die Lippen. „So sind

die Männer. Wenn man redet, wie einem zumute ist, werdet ihr fein wie ein Schock Stiftsdamen." Sie sah ihm kerzengerade in die Augen. „Seien Sie doch nicht so zimperlich, zum Donnerwetter! Sind wir jung? Gefallen wir einander? Wie? Wozu das Theater! Hab ich recht
5 oder stimmt's*?"

Die Kapelle hörte zu spielen auf.

„Sie haben recht", sagte er. „Aber wo sind meine Bekannten?"

Er begleitete sie an ihren Tisch, verbeugte sich vor ihr und vor dem dicken Herrn Lenz und entfernte sich eilends, um die Herren Schulze und
10 Kesselhuth zu suchen.

„Stecken Sie die Notizen weg!" sagte Geheimrat Tobler zu seinem Diener. „Dort kommt unser kleiner Millionär."

Hagedorn strahlte. Er setzte sich und ächzte. „Das ist eine Frau!" meinte er benommen. „Die hätte Kavalleriegeneral werden müssen!"
15 „Dafür ist sie entschieden zu hübsch", behauptete Schulze.

Hagedorn dachte nach. „Na ja", sagte er. „Aber man kann doch nicht mit jeder hübschen Frau etwas anfangen! Dafür gibt es schließlich viel zu viele hübsche Frauen!"

„Ich kann dem Doktor nur beipflichten", meinte Herr Kesselhuth.
20 „Ober! Drei Korn!" Und als der Kellner wieder da war — und der Korn auch — rief er: „Allerseits frohe Pfingsten!"

Sie kippten den farblosen Inhalt der drei Gläser. Dann fragte Hagedorn neugierig: „Was tun wir jetzt? Es ist noch nicht einmal Mitternacht."
25 Schulze drückte die Zigarre aus und sagte: „Meine Herren, Silentium! Ich erlaube mir, eine Frage an Sie zu richten, die Sie verblüffen wird. Und die Frage lautet: Wozu sind wir nach Bruckbeuren gekommen? Etwa in der Absicht, uns zu betrinken?"

„Es scheint so", bemerkte Kesselhuth und kicherte.

„Wer dagegen ist, bleibe sitzen!" sagte Schulze. „Zum ersten*! Zum zweiten! Zum — dritten!"

„Einstimmig angenommen", meinte Hagedorn.

Schulze fuhr fort: „Wir sind also nicht hierhergekommen, um zu trinken."

Kesselhuth hob die Hand und sagte: „Nicht nur, Herr Lehrer!"

„Und so fordere ich die Anwesenden auf", erklärte Schulze, „sich von den Plätzen zu erheben und mir in die Natur zu folgen."

Sie erhoben sich mühsam und gingen, leise schwankend, aus dem Hotel hinaus. Die klare, kalte Gebirgsluft verschlug ihnen den Atem. Sie standen verwundert im tiefen Schnee. Über ihnen wölbte sich die dunkelblaue, mit goldnen und grünen, silbernen und rötlichen Brillant= splittern übersäte Riesenkuppel des Sternhimmels. Am Mond zog ein verlassenes weißes Wölkchen vorüber.

Sie schwiegen minutenlang. Aus dem Hotel klang ferne Tanzmusik. Herr Kesselhuth räusperte sich und sagte: „Morgen wird's schön."

Männer neigen, ergreifenden Eindrücken gegenüber, zur Verlegen= heit. So kam es, daß Hagedorn erklärte: „So, meine Herrschaften! Jetzt machen wir einen großen Schneemann!"

Und Schulze rief: „Ein Hundsfott, wer sich weigert! Marsch, marsch!"

Gleich darauf setzte eine rege Tätigkeit ein. Baumaterial war ja ge= nügend vorhanden. Sie buken und kneteten eine Kugel, rollten sie kreuz und quer durch den Schnee, klatschten fanatisch auf ihr herum, de= formierten sie ins Zylindrische, rollten den unaufhörlich wachsenden Block noch einige Male hin und her und stellten ihn schließlich, als er ausreichend imposant erschien, vor die kleinen Silbertannen, die gegen= über vom Hoteleingang, jenseits des Fahrweges, den Park flankierten.

Die drei Männer schwitzten. Aber sie waren unerbittlich und be= gannen nun den zweiten Teil des Schneemannes, seinen Rumpf, zu bilden. Der Schnee wurde knapp. Sie drangen in den Park vor. Die Tannenbäume stachen mit Nadeln nach den erhitzten Gesichtern.

Schließlich war auch der Rumpf fertig, und schwer atmend hoben sie ihn auf den Schneesockel hinauf. Es gelang ohne größere Zwischen-
5 fälle. Herr Kesselhuth fiel allerdings hin und sagte: „Der teure Smo-king!" Aber es focht ihn nicht weiter an. Wenn erwachsene Männer etwas vorhaben, dann setzen sie es durch. Sogar im Smoking.

Schließlich kam auch ein Kopf zustande. Er wurde auf den Rumpf gepflanzt. Dann traten sie ehrfurchtsvoll einige Schritte zurück und
10 bewunderten ihr Werk.

„Der Gute hat leider einen Eierkopf*", stellte Schulze fest.

„Das macht nichts", sagte Hagedorn. „Wir nennen ihn ganz einfach Kasimir*. Wer Kasimir heißt, kann sich das leisten." Es erhob sich kein Widerspruch.

15 Dann zückte Schulze sein Taschenmesser und wollte sich die Knöpfe vom violetten Anzug schneiden, um sie Kasimir in den Schneebauch zu drücken. Aber Herr Kesselhuth ließ es nicht zu und erklärte, das gehe keinesfalls. Deshalb nahm Hagedorn Herrn Schulze das Messer weg, schnitt mehrere Tannenzweige ab und besetzte Kasimirs Brust damit,
20 bis er wie ein Gardehusar aussah.

„Kriegt er keine Arme?" fragte Kesselhuth.

„O nein", sagte Doktor Hagedorn. „Kasimir ist ein Torso!"

Dann verliehen sie ihm ein Gesicht. Als Nase verwandten sie eine Streichholzschachtel. Der Mund wurde von kurzen Zweigstücken dar-
25 gestellt. Und als Augen benutzten sie Baumrinde.

„Ich besorge morgen früh aus der Küche einen Konfitüreneimer", versprach Hagedorn. „Den setzen wir unserem Liebling verkehrt auf. Da kann er den Henkel gleich als Kinnkette benutzen." Der Vorschlag wurde gebilligt und angenommen.

„Kasimir ist ein schöner, stattlicher Mensch", meinte Schulze hingerissen.

„Kunststück!" rief Kesselhuth. „Er hat ja auch drei Väter!"

„Zweifellos einer der beachtlichsten Schneemänner, die je gelebt haben", sagte Hagedorn. „Das ist meine ehrliche Überzeugung." 5

Dann riefen sie im Chor: „Gute Nacht, Kasimir!"

Und der Schneemann antwortete ganz laut: „Gute Nacht, meine Herren." Es war aber gar nicht der Schneemann, sondern ein Gast aus dem ersten Stock, der wegen des Lärms vor dem Hotel nicht hatte einschlafen können. Wütend knallte er das Fenster zu. 10

Und die drei Väter Kasimirs gingen auf den Zehenspitzen ins Haus.

Herr Schulze zog, als er schlafen ging, seinen Flauschmantel an. Er lächelte vergnügt zum Dachfenster empor, durch das der Mond in die Kammer sah, und sagte: „Der alte Tobler friert, aber er ergibt sich 15 nicht!" Dann schlummerte er ein.

Auch Hagedorn schlief sehr bald. Anfangs störten ihn zwar die elegante Umgebung und der warme Ziegelstein. Doch er war, was den Schlaf anlangt, eine Naturbegabung. Sie setzte sich auch in Bruckbeuren durch. 20

Nur Herr Kesselhuth wachte. Er saß in seinem Zimmer und erledigte Post. Nachdem der Geschäftsbrief fertig war, den ihm der Geheimrat zu schreiben aufgetragen hatte, begann er ein privates, außerordentlich geheimes Schreiben.

Und das lautete so: 25

„Liebes Fräulein Hildegard!

Wir sind gesund und munter angekommen. Sie hätten aber trotzdem nicht hintenrum mit dem Hotel telephonieren sollen. Der Herr Ge-

heimrat will Ihnen die Ohren abschneiden. Es war ja auch ein Schreck!
Man hat den andern Preisträger, Herrn Doktor Hagedorn, für den
verkleideten Millionär gehalten. Ich kam gerade dazu. Und nun hat
Hagedorn die Katzen im Zimmer. Nicht der Herr Geheimrat.

Wir haben uns angefreundet. Ich mich mit Hagedorn. Er sich mit
Ihrem Vater. Und dadurch der Herr Geheimrat mit mir. Ich bin sehr
froh. Vorhin haben wir zu dritt einen großen Schneemann gemacht.
Er heißt Kasimir und hat einen Eierkopf. Und einen Torso.

Das Hotel ist sehr vornehm. Das Publikum auch. Der Herr Geheimrat sieht natürlich zum Fürchten aus. Von dem Schlips kann einem
schlecht werden. Aber rausgeschmissen hat man ihn nicht. Morgen geh
ich in sein Zimmer und mache Ordnung. Mein elektrisches Bügeleisen
hab' ich mitgenommen. Wegen dem Schneemann wollte er sich die
Jackettknöpfe abschneiden. Man muß kolossal auf ihn aufpassen. Die
Frauen sind mächtig hinter Doktor Hagedorn her. Sie halten ihn für
einen Thronfolger. Dabei ist er stellungslos und sagt, man könnte sich
nicht in jede hübsche Frau verlieben. Das ginge zu weit.

Morgen lerne ich Schi fahren. Privatim. Es brauchen nicht alle zu
sehen, wenn ich lang hinschlage. Der Portier dachte erst, der Herr
Geheimrat sei ein Hausierer. Das hat er davon. Aber er findet so was
ja nur komisch. Nun darf ich ihn wenigstens kennen und mit ihm sprechen. Ich bin sehr froh. Aber das schrieb ich schon einmal, wie ich gerade
bemerke. Ich bin trotzdem sehr froh.

Wir waren in der Bar und haben einiges gehoben. Aber vom
Sternhimmel sind wir dann wieder nüchtern geworden. Und vom
Schneemann. Er steht vorm Hoteltor. Die Gäste werden morgen
staunen.

Ich schreibe Ihnen bald wieder. Hoffentlich breche ich nichts Wesent-
liches. Schi fahren ist ziemlich gefährlich. Wer soll sich um den Herrn

Geheimrat kümmern, wenn ich bei irgendeinem Arzt in Gips liege! Na, ich werde schon aufpassen, daß ich ganz bleibe.

Hoffentlich geht es Ihnen gut, liebes Fräulein Hilde. Haben Sie keine Sorge um Ihren Vater. Auf mich können Sie sich verlassen. Das wissen Sie ja.

Grüßen Sie die Kunkel von mir. Und der Einfall mit dem Telephonieren sähe ihr ähnlich. Mehr habe ich ihr nicht zu sagen.

Von ganzem Herzen hochachtungsvoll und Schi Heil!

Ihr alter Johann Kesselhuth."

Das neunte Kapitel

Drei Männer im Schnee

Früh gegen sieben Uhr polterten die ersten Gäste aus ihren Zimmern. Es klang, als marschierten Kolonnen von Tiefseetauchern durch die Korridore.

Der Frühstückssaal hallte wider von den Gesprächen und vom Gelächter hungriger, gesunder Menschen. Die Kellner balancierten üppig beladene Tabletts. Später schleppten sie Lunchpakete herbei und überreichten sie den Gästen, die erst am Nachmittag von größeren Schitouren zurückkehren wollten.

Heute zog auch Hoteldirektor Kühne wieder in die Berge. Als er, gestiefelt und gespornt, beim Portier vorüberkam, sagte er: „Herr Polter, sehen Sie zu, daß dieser Schulze keinen Quatsch macht! Der Kerl ist heimtückisch. Und kümmern Sie sich um den kleinen Millionär!"

„Wie ein Vater", erklärte Onkel Polter ernst. „Und dem Schulze werde ich irgendeine Nebenbeschäftigung verpassen. Damit er nicht übermütig wird."

Karl der Kühne musterte das Barometer. „Ich bin vor dem Diner wieder da." Fort war er.

„Na, wenn schon", sagte der Portier und sortierte gleich darauf die Frühpost.

5 Herr Kesselhuth saß noch in der Wanne, als es klopfte. Er meldete sich nicht. Denn er hatte Seife in den Augen. Und Kopfschmerzen hatte er außerdem. „Das kommt vom Saufen", sprach er zu sich selber. Und dann ließ er sich kaltes Wasser übers Genick laufen.

Da wurde die Badezimmertür geöffnet, und ein wilder, lockiger 10 Gebirgsbewohner trat ein. „Guten Morgen wünsch' ich", erklärte er. „Entschuldigen Sie, bittschön. Aber ich bin der Graswander Toni*."

„Da kann man nichts machen", sagte der nackte Mann in der Wanne. „Wie geht's?"

„Danke der Nachfrage*. Es geht."

15 „Das freut mich", versicherte Kesselhuth in gewinnender Manier. „Und worum handelt sich's? Wollen Sie mir den Rücken abseifen?"

Anton Graswander zuckte die Achseln. „Schon, schon. Aber eigentlich komm ich von wegen dem Schiunterricht."

„Ach so!" rief Kesselhuth. Dann steckte er einen Fuß aus dem Wasser, 20 bearbeitete ihn mit Bürste und Seife und fragte: „Wollen wir mit dem Schifahren nicht lieber warten, bis ich abgetrocknet bin?"

Der Toni sagte: „Please, Sir!" Er war ein internationaler Schilehrer. „Ich warte drunten in der Halle. Ich hab dem Herrn ein Paar Bretteln mitgebracht. Prima Eschenholz." Dann ging er wieder.

25 Auch Hagedorns morgendlicher Schlummer erlitt eine Störung. Er träumte, daß ihn jemand rüttele und schüttele, und rollte sich gekränkt auf die andre Seite des breiten Betts. Aber der Jemand ließ sich nicht

entmutigen. Er wanderte um das Bett herum, schlug die Steppdecke zurück, zog ihm den Pyjama vom Leibe, goß aus einer Flasche kühles Öl auf den Rücken des Schläfers und begann ihn mit riesigen Händen zu kneten und zu beklopfen.

„Lassen Sie den Blödsinn!" murmelte Hagedorn und haschte ver= 5 geblich nach der Decke. Dann lachte er plötzlich und rief: „Nicht kitzeln!" Endlich wachte er ein wenig auf, drehte den Kopf zur Seite, bemerkte einen großen Mann mit aufgerollten Hemdsärmeln und fragte erbost: „Sind Sie des Teufels*, Herr?"

„Nein, der Masseur", sagte der Fremde. „Ich bin bestellt. Mein 10 Name ist Masseur Stünzner."

„Ist Masseur Ihr Vorname?" fragte der junge Mann.

„Eher der Beruf", antwortete der andre und verstärkte seine hand= greiflichen* Bemühungen. Es schien nicht ratsam, Herrn Stünzner zu reizen. ‚Ich bin in seiner Gewalt‘, dachte der junge Mann. ‚Er ist ein 15 jähzorniger Masseur. Wenn ich ihn kränke, massiert er mich in Grund und Boden*.‘

Alle Knochen taten ihm weh. Und das sollte gesund sein?

Geheimrat Tobler wurde nicht geweckt. Er schlief, in seinen uralten warmen Mantel gehüllt, turmhoch über allem irdischen Lärm. Fern 20 von Masseuren und Schilehrern. Doch als er erwachte, war es noch dunkel.

Er blieb lange Zeit, im friedlichen Halbschlummer, liegen. Und er wunderte sich, in regelmäßigen Abständen, daß es nicht heller wurde.

Endlich kletterte er aus dem Bett und blickte auf die Taschenuhr. Die 25 Leuchtziffern teilten mit, daß es zehn Uhr war. ‚Offensichtlich eine Art Sonnenfinsternis‘, dachte er und ging kurz entschlossen wieder ins Bett. Es war hundekalt im Zimmer.

Aber er konnte nicht wieder einschlafen. Und, vor sich hin dösend*, kam ihm eine Idee. Er stieg wieder aus dem Bett heraus, zündete ein Streichholz an und betrachtete das nahezu waagerechte Dachfenster.

Das Fenster lag voller Schnee. ‚Das ist also die Sonnenfinsternis!‘ dachte er. Er stemmte das Fenster hoch. Der größere Teil des auf dem Fenster liegenden, über Nacht gefallenen Schnees prasselte das Dach hinab. Der Rest, es waren immerhin einige Kilo, fiel in und auf Toblers Pantoffeln.

Er schimpfte. Aber es klang nicht sehr überzeugend.

Draußen schien die Sonne. Sie drang wärmend in die erstarrte Kammer. Herr Geheimrat Tobler zog den alten Mantel aus, stellte sich auf einen Stuhl, steckte den Kopf durchs Fenster und nahm ein Sonnenbad. Die Nähe und der Horizont waren mit eisig glänzenden Berggipfeln und rosa schimmernden Felsschroffen angefüllt.

Schließlich stieg er wieder vom Stuhl herunter, wusch und rasierte sich, zog den violetten Anzug an, umgürtete die langen Hosenbeine mit einem Paar Wickelgamaschen, das aus dem Weltkrieg stammte, und ging in den Frühstückssaal hinunter.

Hier traf er Hagedorn. Sie begrüßten einander aufs herzlichste. Und der junge Mann sagte: „Herr Kesselhuth ist schon auf der Schiwiese." Dann frühstückten sie gründlich.

Durch die großen Fenster blickte man in den Park. Die Bäume und Büsche sahen aus, als ob auf ihren Zweigen Schnee blühe, genau wie Blumen blühen. Darüber erhoben sich die Kämme und Gipfel der winterlichen Alpen. Und über allem, hoch oben, strahlte wolkenloser, tiefblauer Himmel.

„Es ist so schön, daß man aus der Haut fahren könnte!" sagte Hagedorn. „Was unternehmen wir heute?"

„Wir gehen spazieren", meinte Schulze. „Es ist vollkommen gleich=

gültig, wohin." Er breitete sehnsüchtig die Arme aus. Die zu kurzen
Ärmel rutschten vor Schreck bis an die Ellbogen. Dann sagte er: „Ich
warne Sie nur vor einem: Wagen Sie es nicht, mir unterwegs mitzuteilen, wie die einzelnen Berge heißen!"

Hagedorn lachte. „Keine Bange, Schulze! Mir geht's wie Ihnen. 5
Man soll die Schönheit nicht duzen!"

„Die Frauen ausgenommen", erklärte Schulze aufs entschiedenste.

„Wie Sie wünschen!" sagte der junge Mann. Dann bat er einen
der Kellner, er möge ihm doch aus der Küche einen großen leeren Marmeladeneimer besorgen. Der Kellner führte den merkwürdigen Auf- 10
trag aus, und die beiden Preisträger brachen auf.

Onkel Polter überlief eine Gänsehaut, als er Schulzes Wickelgamaschen erblickte. Auch über Hagedorns Marmeladeneimer konnte er sich
nicht freuen. Es sah aus, als ob zwei erwachsene Männer fortgingen,
um im Sand zu spielen. 15

Sie traten aus dem Hotel. „Kasimir ist über Nacht noch schöner geworden!" rief Hagedorn begeistert aus, lief zu dem Schneemann hinüber, stellte sich auf die Zehenspitzen und stülpte ihm den goldgelben
Eimer aufs Haupt. Dann übte er, schmerzverzogenen Gesichts*, Schulterrollen und sagte: „Dieser Stünzner hat mich völlig zugrunde ge- 20
richtet!"

„Welcher Stünzner?" fragte Schulze.

„Der Masseur Stünzner", erklärte Hagedorn. „Ich komme mir vor,
als hätte man mich durch eine Wringmaschine gedreht. Und das soll
gesund sein? Das ist vorsätzliche Körperverletzung!" 25

„Es ist trotzdem gesund", behauptete Schulze.

„Wenn er übermorgen wiederkommt", sagte Hagedorn, „schicke ich
ihn in Ihre Rumpelkammer. Soll er sich bei Ihnen austoben!"

Da öffnete sich die Hoteltür, und Onkel Polter stapfte durch den

Schnee. „Hier ist ein Brief, Herr Doktor. Und in dem anderen Kuvert sind ein paar ausländische Briefmarken."

„Danke schön", sagte der junge Mann. „Oh, ein Brief von meiner Mutter! Wie gefällt Ihnen übrigens Kasimir?"

5 „Darüber möchte ich mich lieber nicht äußern", erwiderte der Portier.

„Erlauben Sie mal!" rief der junge Mann. „Kasimir gilt unter Fach= leuten für den schönsten Schneemann zu Wasser und zu Lande!"

„Ach so", sagte Onkel Polter. „Ich dachte, Kasimir sei der Vorname von Herrn Schulze." Er verbeugte sich leicht und ging zur Hoteltür zurück. Dort
10 drehte er sich noch einmal um. „Von Schneemännern verstehe ich nichts."

Sie folgten einem Weg, der über verschneites, freies Gelände führte. Später kamen sie in einen Tannenwald und mußten steigen. Die Bäume waren uralt und riesengroß. Manchmal löste sich die schwere Schneelast von einem der Zweige und stäubte in dichten weißen Wolken auf die
15 zwei Männer herab, die schweigend durch die märchenhafte Stille spa= zierten. Der Sonnenschein, der streifig über dem Bergpfad schwebte, sah aus, als habe ihn eine gütige Fee gekämmt.

Nach einer Weile war der Wald zu Ende. Sie gerieten auf freies Feld. Ihr Pfad schien im Himmel zu münden. In Wirklichkeit bog er
20 rechts ab und führte zu einem baumlosen Hügel, auf dem sich zwei schwarze Punkte bewegten.

Hagedorn sagte: „Ich bin glücklich! Bis weit über die Grenzen des Erlaubten!" Er schüttelte befremdet den Kopf. „Wenn man's so be= denkt: Vorgestern noch in Berlin. Seit Jahren ohne Arbeit. Und in
25 vierzehn Tagen wieder in Berlin . . ."

„Glücklichsein ist keine Schande", sagte Schulze, „sondern eine Seltenheit."

Plötzlich entfernte sich der eine der schwarzen Punkte von dem

anderen. Der Abstand wuchs. Der Punkt wuchs auch. Es war ein Schi=
fahrer. Er kam mit unheimlicher Geschwindigkeit näher und hielt sich
mit Mühe aufrecht.

„Da gehen jemandem die Schneeschuhe durch", meinte Hagedorn.

Ungefähr zwanzig Meter vor ihnen tat der Schifahrer einen ma= 5
rionettenhaften Sprung, stürzte kopfüber in eine Schneewehe und
war verschwunden.

„Spielen wir ein bißchen Feuerwehr!" rief Schulze. Dann liefen
sie querfeldein, versanken wiederholt bis an die Hüften im Schnee
und halfen einander, so gut es ging, vorwärts.   10

Endlich erblickten sie ein Paar zappelnde Beine und ein Paar Schi=
bretter und zogen und zerrten an dem fremden Herrn, bis er, dem
Schneemann Kasimir nicht unähnlich, zum Vorschein kam. Er hustete
und prustete, spuckte pfundweise Schnee aus und sagte dann tieftraurig:
„Guten Morgen, meine Herren." Es war Johann Kesselhuth.   15

Herr Schulze lachte Tränen. Doktor Hagedorn klopfte den Schnee
vom Anzug des Verunglückten. Und Kesselhuth befühlte mißtrauisch
seine Gliedmaßen. „Ich bin anscheinend noch ganz", meinte er dann.

„Weshalb sind Sie denn in diesem Tempo den Hang herunter=
gefahren?" fragte Schulze.   20

Kesselhuth sagte ärgerlich: „Die Bretter sind gefahren. Ich doch nicht!"

Nun kam auch der Graswander Toni* angesaust. Er fuhr einen
eleganten Bogen und blieb mit einem Ruck stehen. „Aber, mein Herr!"
rief er. „Schußfahren kommt doch erst in der fünften Stunde dran!"

Nach dem Mittagessen gingen die drei Männer auf die Hotelterrasse 25
hinaus, legten sich in bequeme Liegestühle, schlossen die Augen und
rauchten Zigarren. Die Sonne brannte heißer als im Sommer.

„In ein paar Tagen werden wir wie die Neger aussehen", meinte

Schulze. „Braune Gesichtsfarbe tut Wunder. Man blickt in den Spie=
gel und ist gesund."

Die anderen nickten zustimmend.

Nach einiger Zeit sagte Hagedorn: „Wissen Sie, wann meine Mut=
5 ter den Brief geschrieben hat, der heute ankam? Während ich in Berlin
beim Fleischer war, um Wurst für die Reise zu holen."

„Wozu diese Überstürzung?" fragte Kesselhuth verständnislos.

„Damit ich bereits am ersten Tage Post von ihr hätte!"

„Aha!" sagte Schulze. „Ein sehr schöner Einfall."

10 Die Sonne brannte. Die Zigarren brannten nicht mehr. Die drei
Männer schliefen. Herr Kesselhuth träumte vom Schifahren. Der
Graswander Toni stand auf dem einen Turm der Münchner Frauen=
kirche*. Und er, Kesselhuth, stand auf dem andern Turm.

„Und jetzt eine kleine Schußfahrt", sagte der Toni. „Über das Kir=
15 chendach, bitte schön. Und dann, mit einem stilreinen Sprung, in die
Brienner Straße. Vorm Hofgarten* machen S' einen Stemmbogen
und warten auf mich."

„Ich fahre nicht", erklärte Kesselhuth. „Das würde mir nicht einmal
im Traum einfallen!" Hierbei fiel ihm ein, daß er träumte! Da wurde
20 er mutig und sagte zum Toni: „Rutschen Sie mir in stilreinen Stemm=
bögen den Buckel runter!" Dann lächelte er im Schlaf.

Das zehnte Kapitel

Herrn Kesselhuths Aufregungen

Als Hagedorn erwachte, waren Schulze und Kesselhuth verschwun=
25 den. Aber an einem der kleinen Tische, nicht weit von ihm, saß Frau
von Mallebré und trank Kaffee.

„Ich habe Sie beobachtet, Herr Doktor", sagte sie. „Sie haben Talent zum Schlafen!"

„Das will ich meinen!" gab er stolz zur Antwort. „Habe ich geschnarcht?"

Sie verneinte und lud ihn zu einer Tasse Kaffee ein. Er setzte sich zu ihr. Sie sprachen zunächst über das Hotel und die Alpen und über das Reisen. Dann sagte sie: „Ich habe das Gefühl, mich bei Ihnen entschuldigen zu müssen, daß ich eine so oberflächliche Frau bin. Ja, ja, ich bin oberflächlich. Es stimmt leider. Aber ich war nicht immer so. Mein Wesen wird jeweils von dem Manne bestimmt, mit dem ich zusammenlebe. Das ist bei vielen Frauen so. Wir passen uns an. Mein erster Mann war Biologe. Damals war ich sehr gebildet. Mein zweiter Mann war Rennfahrer, und in diesen zwei Jahren habe ich mich nur für Autos interessiert. Ich glaube, wenn ich mich in einen Turner verliebte, würde ich die Riesenwelle können."

„Hoffentlich heiraten Sie niemals einen Feuerschlucker", meinte Hagedorn. „Übrigens soll es Männer geben, denen das Anpassungsbedürfnis der Frau auf die Nerven geht."

„Es gibt überhaupt nur solche Männer", sagte sie. „Aber ein, zwei Jahre lang findet es jeder reizend." Sie machte eine Kunstpause. Dann fuhr sie fort: „Ich habe große Angst, daß meine Oberflächlichkeit chronisch wird. Aber ohne fremde Hilfe finde ich nicht heraus."

Er stand auf. „Ich muß leider fort und meine Bekannten suchen. Wir werden das Gespräch ein andermal fortsetzen."

Sie gab ihm die Hand. Ihre Augen blickten verschleiert. „Schade, daß Sie schon gehen, lieber Doktor. Ich habe sehr großes Vertrauen zu Ihnen."

Er machte sich aus dem Staube und suchte Schulze, fand aber Kesselhuth. Dieser sagte: „Vielleicht ist er in seinem Zimmer." Sie begaben

sich also ins fünfte Stockwerk. Sie klopften. Weil niemand antwortete,
drückte Hagedorn auf die Klinke. Die Tür war nicht verschlossen. Sie
traten ein. Das Zimmer war leer.

„Wer wohnt hier?" fragte Kesselhuth.

5 „Schulze", antwortete der junge Mann. „Das heißt, von Wohnen
kann natürlich gar keine Rede sein. Es ist seine Schlafstelle. Er kommt
am späten Abend, zieht seinen Mantel an, setzt die rote Pudelmütze
auf und legt sich ins Bett."

Herr Kesselhuth schwieg. Er konnte es nicht fassen.

10 „Na, gehen wir wieder!" meinte Hagedorn.

„Ich komme nach", sagte der andere. „Das Zimmer interessiert
mich."

Als der junge Mann gegangen war, begann Herr Kesselhuth auf-
zuräumen. Der Spankorb stand aufgeklappt auf dem Fußboden. Die
15 Wäsche war durchwühlt. Der Mantel lag auf dem Bett. Schlipse, Röllchen und Socken häuften sich auf dem Tisch. Im Krug und im Wasch-
becken war kein frisches Wasser. Johann hatte Tränen in den Augen.

Nach zwanzig Minuten war Ordnung! Der Diener holte aus
seinem eleganten Jackett ein Etui hervor und legte drei Zigarren und
20 eine Schachtel Streichhölzer auf den Tisch.

Dann eilte er treppab, durchstöberte seine Koffer und Schränke und
kehrte, über die Dienstbotentreppe schleichend, in die Dachkammer zurück. Er brachte ein Frottierhandtuch, einen Aschenbecher, eine Kamelhaardecke, eine Vase mit Tannengrün, eine Gummiwärmflasche und
25 drei Äpfel angeschleppt. Nachdem er die verschiedenen Gaben auf-
gestellt und hingelegt hatte, blickte er sich noch einmal prüfend um,
notierte einiges in seinem Notizbuch und ging, wieder über die Hintertreppe, in sein vornehm eingerichtetes Zimmer zurück.

· Er war niemandem begegnet.

Hagedorn, der im Schreibsalon, im Spielzimmer, in der Bar, in der Bibliothek und sogar auf der Kegelbahn gesucht hatte, wußte sich keinen Rat mehr. Das Hotel lag wie ausgestorben. Die Gäste waren noch in den Bergen.

Er ging in die Halle und fragte den Portier, ob er eine Ahnung habe, wo Herr Schulze stecke.

„Er ist auf der Eisbahn, Herr Doktor", sagte Onkel Polter. „Hinterm Haus."

Der junge Mann verließ das Hotel. Die Sonne ging unter. Es schimmerten nur noch die höchsten Gipfel. — Die Eisbahn befand sich auf dem Tennisgelände. Aber es lief niemand Schlittschuh. Die Eisfläche war hoch mit Schnee bedeckt. Am anderen Ende der Bahn schippten zwei Männer. Hagedorn hörte sie reden und lachen. Er ging an dem hohen Drahtgitter entlang, um den Platz herum. Als er nahe genug war, rief er: „Entschuldigen Sie, haben Sie einen großen älteren Herrn gesehen, der Schlittschuh laufen wollte?"

Einer der beiden Arbeiter rief laut zurück: „Jawohl, mein Lieber! Der große ältere Herr schippt Schnee!"

„Schulze?" fragte Hagedorn. „Sind Sie's wirklich? Ihnen ist wohl die Sicherung durchgebrannt*?"

„Keineswegs!" antwortete Schulze heiter. „Ich treibe Ausgleichsgymnastik!" Er hatte die rote Pudelmütze auf dem Kopf sitzen, trug die schwarzen Ohrenklappen, die dicken Strickhandschuhe und zwei Paar Pulswärmer. „Der Portier hat mich als technische Nothilfe eingesetzt."

Hagedorn betrat, tastenden Schritts, die gekehrte Eisfläche und lief vorsichtig zu den beiden Männern hinüber.

Schulze schüttelte ihm die Hand.

„Aber das gibt's doch gar nicht*", meinte der junge Mann verstört. „So eine Unverschämtheit! Das Hotel hat doch Angestellte genug!"

Sepp, der Gärtner und Schihallenwächter, spuckte in die Hände, schippte weiter und sagte: „Freilich hat es das. Es dürfte* eine Schikane sein."

„Ich kann das nicht finden", erklärte Schulze. „Der Portier ist um meine Gesundheit besorgt."

„Kommen Sie sofort hier weg!" sagte Hagedorn. „Ich werde den Kerl ohrfeigen, bis er weiße Mäuse sieht!"

„Mein Lieber", sagte Schulze. „Ich bitte Sie noch einmal, sich nicht in diese Angelegenheit hineinzumischen."

„Ist noch eine Schippe da?" fragte der junge Mann.

„Das schon*", meinte der Sepp. „Aber der halbe Platz ist gekehrt. Das andere schaff' ich allein. Gehen S' jausen, Herr Schulze!"

„War ich sehr im Wege?" fragte der ältere Herr schüchtern.

Der Sepp lachte. „Leicht! Studiert haben S' nicht auf das Schippen."

Schulze lachte auch. Er verabschiedete sich kollegial, drückte dem Einheimischen ein paar Groschen in die Hand, lehnte sein Handwerkszeug ans Gitter und ging mit Hagedorn durch den Park ins Hotel zurück.

„Ich ärgere mich", gestand Hagedorn. „Wenn Sie jetzt keinen Krach machen, werden Sie spätestens übermorgen die Treppen scheuern. Beschweren Sie sich wenigstens beim Direktor!"

„Der Direktor steckt doch auch dahinter. Man will mich hinausekeln. Ich finde es sehr spannend." Schulze schob seinen Arm unter den des jungen Mannes. „Es ist eine Marotte von mir. Knurren Sie nicht! Vielleicht verstehen Sie mich später einmal!"

„Das glaube ich kaum", antwortete Hagedorn. „Sie sind zu gutmütig. Deshalb haben Sie's auch in Ihrem Leben zu nichts gebracht."

Der andere mußte lächeln. „Genau so ist es. Ja, es kann nicht jeder Mensch Thronfolger von Albanien sein." Er lachte. „Und nun erzählen Sie mir ein bißchen von Ihren Liebesaffären! Was wollte denn die dunkle Schönheit, die auf die Terrasse kam, um Ihren Schlaf zu bewachen? Und die Blondine aus Bremen? Welche gefällt Ihnen besser?"

„Ich bin für Flirts zu schwerfällig. Und ich möchte so bleiben. Auf Erlebnisse, über die man sich hinterher ärgert, bin ich nicht mehr neugierig. Andererseits: Wenn sich Frauen etwas in den Kopf gesetzt haben, führen sie es meistens durch. Sagen Sie, Schulze, könnten Sie nicht ein bißchen auf mich aufpassen?"

„Wie eine Mutter", erklärte der andere pathetisch. „Die bösen Frauen dürfen Ihnen nichts tun."

„Verbindlichen Dank", sagte Hagedorn.

„Als Belohnung kriege ich aber jetzt in Ihrem Salon einen Kognak. Schneeschippen macht durstig. Außerdem muß ich den kleinen Katzen guten Tag sagen. Wie geht's ihnen denn?"

„Sie haben schon nach Ihnen gefragt", erklärte der junge Mann.

Währenddem saß der angebliche Schiffahrtslinienbesitzer Kesselhuth in seinem Zimmer und verfaßte einen verzweifelten Brief. Er schrieb:

„Liebes Fräulein Hildegard!

Ich habe mich wieder einmal zu früh gefreut. Ich dachte schon, es wäre alles soweit gut und schön. Aber als Doktor Hagedorn und ich heute nachmittag den Herrn Geheimrat suchten, fanden wir ihn nicht. Hagedorn hat natürlich keine blasse Ahnung, wer Herr Schulze in Wirklichkeit ist.

Wir suchten den Herrn Geheimrat in seinem Zimmer. Und das ist wohl das Verheerendste, was sich denken läßt. Dieses Zimmer liegt im fünften Stock, hat lauter schiefe Wände und ist überhaupt kein Zimmer, sondern eine Rumpelkammer mit Bett. Es gibt keinen Ofen und nichts. Das Fenster ist direkt überm Kopf. Der Schnee tropft herein und wird zu kleinen Eiszapfen. Ein Schrank ist keiner da. Sondern die Wäsche liegt auf dem Tisch und in dem Spankorb, den Sie ja kennen.

Wenn Sie diese hundekalte, elende Bude sehen würden, fielen Sie
5 sofort um. Von Frau Kunkel gar nicht zu reden.

Ich habe selbstverständlich sofort aufgeräumt. Und Zigarren und Äpfel auf den Tisch gelegt. Nebst einer Vase mit Tannenzweigen drin. Als Schmuck. Morgen kauf ich eine elektrische Heizsonne im Ort. Hoffentlich gibt es eine solche. Die stelle ich heimlich hin. Ein Kontakt ist da.
10 Heute hat mich niemand gesehen. Das ist ein Glück. Denn der Herr Geheimrat will nicht, daß ich hinaufkomme. Weil ich ein reicher Mann sein muß. Und weil ich nicht merken soll, wie er wohnt. Er hat mir nämlich erzählt, sein Zimmer sei reizend und luftig. Luftig ist es ja wirklich. Wenn er uns bloß nicht krank wird!

15 Nicht einmal die Zimmernummer hat er mir gesagt! Das Zimmer hat gar keine Nummer. Aber er verschwieg sie nicht nur deswegen, sondern auch damit ich die Rumpelkammer nicht finde. Er hätte sie allerdings auch nicht sagen können, wenn er gewollt hätte. Doch er wollte ja gar nicht.

20 Ich weiß kaum, was ich machen soll. Denn wenn ich ihn bitte, umzuziehen oder abzureisen, wird er mich wieder beschimpfen. Oder ich muß sofort nach Berlin zurück, und was soll dann werden? Sie kennen ihn ja. Wenn auch nicht so lange wie ich. In dieser Rumpelkammer würde bestimmt kein Diener wohnen bleiben, sondern beim Arbeits-
25 gericht klagen.

Über mich ist nichts weiter zu erzählen. Heute früh hatte ich die erste Schistunde. Die Brettel sind sehr teuer. Doch mir kann es nur recht sein. Ich soll ja das Geld hinauswerfen. Der Schilehrer heißt Toni Graswander. Toni ist Anton. Ich habe ihn gefragt. — Er hat mir auf

einer Übungswiese gezeigt, wie man's machen soll. Das Absatzheben
und die Stöcke und andere Dinge. Leider lag die Wiese auf einem
Berg. Und plötzlich fuhr ich ab, obwohl ich gar nicht wollte. Es hat
sicher sehr komisch ausgesehen. Trotzdem hatte ich Angst, weil es so
rasch fuhr. Ich bin, glaube ich, bloß vor Schreck nicht hingefallen. Zum 5
Glück waren keine Bäume in der Gegend. Ich sauste sehr lange bergab.
Dann fuhr ich über eine große Wurzel. Und sprang hoch. Und fiel mit
dem Kopf in den Schnee. Mindestens einen Meter tief.

Später wurde ich von zwei Herren herausgezogen. Sonst wäre ich
eventuell erstickt. Die zwei Herren waren der Herr Geheimrat und der 10
Doktor Hagedorn. Das war sicher Schicksal. Finden Sie nicht auch?
Morgen habe ich die zweite Stunde. Das hilft nun alles nichts.

Liebes Fräulein Hilde, jetzt ziehe ich den Smoking an und gehe zum
Abendessen. Vorläufig die herzlichsten Grüße. Ich lasse das Kuvert
offen. Womöglich ist schon wieder etwas Neues eingetreten. Hoffent- 15
lich nein. Also bis nachher."

Das Abendessen verlief ohne Störungen. Hagedorn bekam Nudeln
mit Rindfleisch. Die Herrschaften, die an den Nachbartischen saßen und
Hors d'oeuvres* und gestobte Rebhühner verzehrten, blickten auf Hagedorns Terrine, als sei Nudelsuppe mit Rindfleisch die ungewöhnlichste 20
Delikatesse.

Schulze bekam einen Teller ab, weil er sagte, er esse es für sein
Leben gern. Dann ging er schlafen. Er war müde.

Als er in seine Dachkammer trat, staunte er nicht wenig. Er kannte
sich nicht mehr aus, bewunderte die Ordnung, beschnupperte die Zi- 25
garren und Äpfel und streichelte die Tannenzweige. Die Gummiwärmflasche schob er verächtlich beiseite. Aber die Kamelhaardecke breitete er
übers Bett.

Er war über Johanns heimliche Fürsorge gerührt, nahm sich jedoch vor, Herrn Kesselhuth am nächsten Tag auszuzanken. Dann kleidete er sich zum Schlafengehen an, holte einen der Äpfel vom Tisch, kroch ins Bett, löschte das Licht aus und biß begeistert in den Apfel hinein.

5 Es war fast wie in der Kindheit. —

Hagedorn und Kesselhuth saßen noch in der Halle und rauchten Zigarren. Sie schauten dem eleganten Treiben zu. Karl der Kühne kam an den Tisch und erkundigte sich, ob die Herren den Tag angenehm verbracht hätten. Dann entfernte er sich wieder, um andere Gäste zu be-
10 grüßen und um sich in der Bar als Tänzer zu betätigen. Fräulein Marek tanzte mit ihm am liebsten.

Hagedorn erzählte sein Erlebnis von der Eisbahn. Herr Kesselhuth geriet vollkommen außer sich. Er war unfähig, sich noch zu unterhalten, entschuldigte sich und ging stracks in sein Zimmer.

15 Hagedorn wurde etwas später von einem schlesischen Fabrikanten ins Gespräch gezogen, der herausfinden wollte, ob der junge Millionär geneigt sei, sich mit etlichen hunderttausend Mark an der Wiedereröffnung einer vor Jahren stillgelegten Großspinnerei zu beteiligen. Um den reichlich zwecklosen Gesprächen zu entgehen, tanzte er abwechselnd
20 mit Frau von Mallebré und Frau Casparius.

Hagedorn merkte allmählich, daß es sich lohnte, bald mit der einen, bald mit der anderen Dame zu tanzen. Die Eifersucht wuchs. Die Rivalin trat in den Vordergrund. Und der Mann, um den sich's drehte, wurde Nebensache.

25 Er verschwand, ohne sich lange zu verabschieden, besuchte rasch noch den Schneemann Kasimir, verschönte ihn durch einen Schnurrbart aus zwei Raubvogelfedern, die er im Walde gefunden hatte, und ging in sein Appartement. Auch er war müde.

Inzwischen beendete Johann den Brief an Fräulein Tobler. Der Schluß lautete folgendermaßen:

„Ich habe schon wieder etwas erfahren. Etwas Entsetzliches, gnädiges Fräulein! Am Nachmittag hat der Portier, ein widerlicher Kerl, den Herrn Geheimrat auf die Eisbahn geschickt. Dort mußte er mit einem gewissen Sepp Schnee schippen. Ist es nicht grauenhaft, daß ein so gebildeter Mann wie Ihr Herr Vater in einem Hotel als Straßenkehrer beschäftigt wird? Der Herr Geheimrat soll allerdings sehr gelacht haben. Und er hat dem Doktor Hagedorn verboten, etwas dagegen zu unternehmen. Dabei könnte der Herr Doktor sehr viel erreichen, da man ihn ja für den Millionär hält.

Ich bin restlos durcheinander, liebes Fräulein Hilde! Soll ich mich hineinmischen? Ihr Herr Vater tut ja trotzdem, was er will. Schreiben Sie mir doch bitte umgehend! Falls Sie es für richtig halten sollten, werde ich mich mit dem Herrn Geheimrat furchtbar zanken und verlangen, daß er ein anderes Zimmer nimmt oder abreist oder sich zu erkennen gibt. Der Herr Doktor sagt selber: Wenn das so weitergeht, muß Schulze nächstens die Treppen scheuern und Kartoffeln schälen. Glauben Sie das auch? Der Herr Geheimrat soll in Bruckbeuren scheuern? Er hat doch keine Ahnung, wie das gemacht wird!

Ich warte dringend auf Nachricht von Ihnen und verbleibe mit den besten Grüßen   Ihr unverbrüchlicher Johann Kesselhuth."

Das elfte Kapitel

Der Lumpenball

Am Nachmittag saßen die drei Männer im Lesezimmer, studierten die Zeitungen und sprachen über wichtige Ereignisse der letzten Zeit. Sie wurden von Professor Heltai, dem Tanzlehrer des Hotels, unterbrochen. Er trat an den Tisch und bat Herrn Schulze, ihm zu folgen. Schulze ging mit.

Nach einer Viertelstunde fragte Kesselhuth: „Wo bleibt eigentlich Schulze?"

5 „Vielleicht läßt* er sich Unterricht in modernen Tänzen geben?"

„Nicht sehr wahrscheinlich", meinte Kesselhuth. (Er hatte Hagedorns Bemerkung ernst genommen.)

Nach einer weiteren Viertelstunde brachen sie auf, Schulze zu ent= decken. Sie fanden ihn, ohne größere Schwierigkeiten, in einem der 10 Speisesäle.

Er stand spreizbeinig auf einer hohen Leiter, schlug gerade einen Nagel in die Wand und verknotete an diesem eine Wäscheleine. Dann kletterte er herunter und schleppte die Leiter voller Eifer an die Neben= wand.

15 „Haben Sie Fieber?" fragte Hagedorn besorgt.

Schulze stieg auf die Leiter, nahm einen Nagel aus dem Mund und den Hammer aus der Anzugtasche. „Ich bin gesund", sagte er.

„Ihr Benehmen spricht dagegen."

„Ich dekoriere", erklärte Schulze und schlug mit dem Hammer auf 20 seinen Daumen. Dann knotete er das andere Ende der Leine fest. Sie hing jetzt quer durch den Saal. „Eine allerliebste Beschäftigung", meinte er und kletterte wieder herunter. „Ich bin dem Professor der Tanzkunst behilflich."

Da rückte Heltai mit zwei Stubenmädchen an, die einen großen 25 Korb trugen. Die Mädchen reichten Schulze alte, zerlöcherte Wäsche= stücke hinauf, und er hängte sie dekorativ über die Leine.

Der Professor betrachtete die herabhängenden Hemden, Hosen, Strümpfe und Leibchen, kniff ein Auge zu, zwirbelte sein schwarzes Schnurrbärtchen und rief: „Sehr fesch, mein Lieber!"

Schulze schob in einem fort die Leiter durch den Saal, kletterte hinauf und herunter und hängte unermüdlich die dekorativen Fetzen auf. Die Stubenmädchen kicherten über die zerlöcherte, vorsintflutliche Unterwäsche. Sogar ein riesiges Fischbeinkorsett war dabei.

Der Professor rieb sich die Hände. „Sie sind ein Künstler, mein Lieber. Wann haben Sie das gelernt?"

„Soeben, mein Lieber", sagte Schulze.

Der Professor ließ, ob dieser burschikosen Entgegnung, seinen Schnurrbart los. „Andere Saalseite gleichfalls!" rief er. „Ich hole Luftschlangen und Ballons." Er verschwand.

Schulze schäkerte mit den Zimmermädchen und tat überhaupt, als seien Hagedorn und Kesselhuth längst fort.

Johann ertrug den Anblick nicht länger. Er trat auf die Leiter zu und sagte: „Lassen Sie mich hinauf!"

„Für zwei ist kein Platz", erwiderte Schulze.

„Ich will allein hinauf", sagte Kesselhuth.

„Das könnte Ihnen so passen", antwortete Schulze hochmütig. „Spielen Sie lieber Bridge! Feine Leute können wir hier nicht gebrauchen!"

Kesselhuth ging zu Hagedorn. „Wissen Sie keinen Rat, Herr Doktor?"

„Ich hab's ja kommen sehen", meinte der junge Mann. „Passen Sie auf: Morgen läßt man ihn Kartoffeln schälen!" Dann gingen die beiden, betrübt und im Gleichschritt, ins Lesezimmer zurück.

Nach dem Abendessen, das eine Stunde früher als sonst stattgefunden hatte, eilten die Gäste in ihre Zimmer und verkleideten sich.

Gegen zehn Uhr abends füllten sich die Säle, die Halle, die Bar und die Korridore mit Apachen, Bettlern, Zigeunerinnen, Leierkastenmännern, Indianerinnen, Einbrechern, Wilddieben, Zofen, Negern, Schulmädchen, Prinzessinnen, Schutzleuten, Menschenfressern, Spanierinnen, Vagabunden, hochbeinigen Pagen und Trappern.

Es trafen übrigens auch auswärtige Verbrecher, Gepäckträger und Wahrsagerinnen ein. Gäste anderer Hotels. Sie unterschieden sich von den andern dadurch, daß sie Eintritt zahlen mußten. Sie taten es gern. Die Kostümbälle im Grandhotel dauerten bis zum Morgengrauen.

5   Die Direktion hatte zwei dörfliche Kapellen engagiert. In sämtlichen Sälen erscholl Tanzmusik. Scharen von Einheimischen waren da, in ihren wunderschönen alten Trachten. Die Bauern sollten gegen Mitternacht bodenständige Tänze vorführen, Schuhplattler, Watschentänze und andere international berühmte Sitten und Gebräuche.

10   Die Tanzweisen vermischten sich, da in jedem Saal etwas anderes gespielt wurde, zu einem wilden, ohrenbetäubenden Lärm. Papierschlangen und Konfetti flogen durch die Luft. Bauernburschen trieben etliche Ziegen und ein schreckhaftes Schwein durch die Säle. Das Ferkel und die zur Lustigkeit entschlossenen Damen quiekten um die Wette.

15   In der Halle war eine Tombola errichtet. Alles, was überflüssig und entbehrlich ist, war in Pyramidenform vereinigt worden. (Die Lose und die Gewinne bezog der Tanzlehrer seit Jahren von einer Münchner Firma. Und der Reingewinn der Lotterie fiel, auf Grund eines Gewohnheitsrechtes, an ihn.)

20   Kesselhuth hatte während des Abendessens mitgeteilt, daß im Großen Saal ein Tisch mit drei Stühlen reserviert sei. Schulze und Hagedorn saßen, von verkleideten Menschen umgeben, an dem für sie bestellten Tisch und warteten auf den Besitzer der gutgehenden Schiffahrtslinie.

   Doktor Hagedorn war hemdsärmlig. Den Hals umschlang ein großes
25 rotes Taschentuch. Auf dem Kopf trug er eine schief und tief ins Gesicht gezogne Reisemütze. Er stellte ganz offensichtlich einen Apachen dar.

   Schulze hatte sich noch weniger verwandelt. Er trug, diesmal allerdings innerhalb des Hotels, seine übliche sportliche Ausrüstung: den violetten Anzug, die Wickelgamaschen, die kleeblättrigen Manschetten-

knöpfe, die schwarzsamtnen Ohrenklappen und die feurig rote Pudelmütze.

„Wie gefallen Ihnen meine Dekorationen, junger Freund?" Er
schaute sich zufrieden um.

Hagedorn erklärte, hingerissen zu sein.

„Das ist recht", sagte Schulze. „Wo jedoch steckt unser lieber Kesselhuth?"

In diesem Augenblick füllte jemand, der hinter ihnen stand, die drei
Weingläser.

„Wir haben keinen Wein bestellt", sagte Hagedorn erschrocken. „Ich
möchte ein helles Bier haben."

„Ich meinerseits auch", meinte Schulze.

Da lachte der Kellner. Und als sie sich erstaunt umdrehten, war es
gar kein Kellner, sondern Herr Johann Kesselhuth. Er trug die Tobler-
sche Livree, seinen altgewohnten, geliebten Anzug, und blickte Herrn
Schulze, um Entschuldigung bittend, in die Augen.

„Großartig!" rief Hagedorn. „Ich will Sie nicht kränken, Herr Kesselhuth, aber Sie sehen wie der geborene herrschaftliche Diener aus!"

„Ich fühle mich nicht gekränkt, Herr Doktor", sagte Kesselhuth.
„Wenn ich nicht Alexander wäre, möchte ich Diogenes sein*."

Die drei Männer amüsierten sich königlich. Jeder auf seine Weise.
Herr Kesselhuth beispielsweise stand, obwohl er schließlich Besitzer einer
Schiffahrtslinie war, glückselig lächelnd hinter dem Stuhl, auf dem
Schulze saß, und nannte den armen Kerl, der die Eisbahn hatte kehren
müssen, bei jeder Gelegenheit „gnädiger Herr". Und Schulze rief den
Reeder Kesselhuth unentwegt beim Vornamen. „Johann, bitte Feuer!"
Und: „Johann, Sie trinken zu viel!" Und: „Johann, besorgen Sie uns
drei Schinkenbrote!"

Hagedorn meinte: „Kinder, das klappt, als ob ihr die Rollen jahrelang einstudiert hättet."

„Sie sind ein Schlaumeier", sagte Schulze. Und Kesselhuth lachte
geschmeichelt. Später kam der dicke Herr Lenz an den Tisch. Er hatte
5 sich als Kaschemmenwirt verkleidet, trug eine halbleere Flasche Danziger Goldwasser unterm Arm und fragte Schulze, ob er sich denn nicht
an der Prämiierung der drei gelungensten Lumpenkostüme vormerken
lassen wolle. „Sie kriegen todsicher den ersten Preis", sagte er. „So
echt wie Sie können wir andern gar nicht aussehen! Wir sind ja bloß
10 verkleidet."

Schulze ließ sich überreden und ging mit Lenz zu Professor Heltai,
der die Startnummern für den Wettbewerb zu verteilen hatte. Doch
der Tanzlehrer zwirbelte den Schnurrbart und sagte: „Tut mir leid,
mein Lieber. Sie fallen nicht unter die Bestimmungen. Sie sind nicht
15 kostümiert. Sie sehen nur so aus. Sie sind ein Professional."

Lenz war, weil er Rheinländer war, leicht erregbar. Aber der Professor blieb hart. „Ich habe meine Anweisungen", erklärte er abschließend.

„Na, denn nicht, liebe Tante"! sagte Schulze und machte kehrt. Als
er zum Tisch zurückkam, war Hagedorn verschwunden.

20 Johann hockte solo und sprach dem Alkohol zu. „Ein kleines Schulmädchen, in einem kurzen Rock und mit einem Ranzen auf dem Rücken,
hat ihn weggeholt", berichtete er. „Es war die Dame aus Bremen."

Sie gingen auf die Suche und gerieten versehentlich an die Tombola.
Johann kaufte, auf Toblers leisen Befehl, dreißig Lose. Acht Gewinne
25 waren darunter! Und zwar eine gerahmte Alpenlandschaft, die von
einem einheimischen Ölmaler stammte. Ein großer Teddybär, der
„Muh!" sagen konnte. Eine Flasche Kölnischwasser. Noch eine Flasche
Kölnischwasser. Noch ein Teddybär. Eine Rolle Papierschlangen. Ein
Karton Briefpapier. Und noch eine Flasche Kölnischwasser.

Sie beluden sich mit den Gewinnen und ließen im Nebenraum eine Blitzlichtaufnahme machen. „Des Jägers Heimkehr", meinte der Geheimrat. Und dann drängten sie sich weiter durch das Gewühl. Von Saal zu Saal. Durch alle Korridore. Aber Hagedorn war nicht zu entdecken.

„Wir müssen ihn finden, Johann", sagte der Geheimrat. „Das Bremer Schulmädchen hat ihn natürlich verschleppt. Dabei hat er mich auf beiden Knien beschworen, ihm eine Art Mutter zu sein."

In der Bar war der verlorene Sohn auch nicht. Johann nahm die Gelegenheit wahr und begann die Gewinne wegzuschenken. Das Kölnischwasser fand bei den Bauernmädchen reißenden Absatz. Eine der Holländerinnen bekam* ungefragt die ölgemalte Alpenlandschaft in die Hand gedrückt und bedankte sich holländisch. „Wir verstehen dich ja doch nicht", erwiderte Johann unwillig, gab ihr den Karton mit dem Briefpapier als Zugabe und sagte: „Kein Wort weiter!"

Sie kehrten an ihren Tisch zurück. Hagedorn war noch immer nicht da. Johann setzte die zwei Teddybären auf den dritten Stuhl. Der Geheimrat nahm die schwarzen Ohrenklappen ab. „Es ist merkwürdig", erklärte er. „Aber ohne Ohrenklappen schmeckt der Wein besser. Was, um alles in der Welt, hat das Gehör mit den Geschmacksnerven zu tun?"

„Nichts", sagte Johann.

Gleich darauf begannen sie zu experimentieren. Sie hielten sich die Ohren zu und tranken. Sie hielten sich die Augen zu und tranken.

„Fällt Ihnen etwas auf?" fragte Tobler.

„Jawohl", antwortete Johann. „Sämtliche Leute starren herüber und halten uns für blödsinnig."

„Was fällt Ihnen sonst noch auf?"

„Man kann machen, was man will, — der Wein schmeckt großartig. Prosit!"

Währenddem saß Frau Casparius, eine große Schleife im Haar, und auch sonst als halbwüchsiges Schulmädchen verkleidet, mit dem Apachen Fritz Hagedorn in dem verqualmten, überfüllten Bierkeller. An ihrem Tisch saßen außerdem noch viele andere Gäste. Sie waren ebenfalls kostümiert, aber sie litten darunter.

Das rund dreißigjährige Schulkind klappte den Ranzen auf, holte eine Puderdose heraus und betupfte sich die freche Nase mit einer rosa Quaste.

Der junge Mann sah ihr zu. „Was machen* die Schularbeiten, Kleine?"

„Ich brauche dringend ein paar Nachhilfestunden. Vor allem in Menschenkunde. Da tauge ich gar nichts."

„Du mußt warten, bis du größer wirst", riet er und erklärte, leider gehen zu müssen.

Die beiden älteren Herren winkten, als sie ihn kommen sahen. „Wo waren Sie mit dem Schulmädchen?" fragte Schulze sittenstreng. „Habt ihr gut gefolgt?"

„Lieber, mütterlicher Freund", sagte der junge Mann. „Wir haben nur davon gesprochen, was die Kleine, wenn sie aus der Schule kommt, werden will."

Dann sagte Kesselhuth, der sich wieder hinter Schulzes Stuhl gestellt hatte: „Na denn Prost!" Sie tranken. Und er fuhr fort: „Gnädiger Herr, darf ich mir eine Bemerkung erlauben?"

„Ich bitte darum, Johann", sagte Schulze.

„Wir sollten jetzt vors Hotel gehen und auf Kasimirs Wohl trinken."

Der Vorschlag wurde einstimmig angenommen. Kesselhuth belud sich mit einer Flasche und drei Gläsern. Schulze übernahm die Teddybären. Dann spazierten die drei Männer im Gänsemarsch durch die Säle. Hagedorn schritt voran.

Im Grünen Saal störten sie die Preisverteilung für die gelungensten
Kostüme. Im Kleinen Saal behinderten sie durch ihren Vorbeimarsch
die von Professor Heltai arrangierten Tanz- und Pfänderspiele. Wür-
dig und ein wenig im Zickzack marschierend bahnten sie sich unbeirrt
ihren Weg.   5

Der Portier, den besonders wagehalsige Ballbesucher mit Konfetti
und Papierschlangen verziert hatten, verbeugte sich vor Hagedorn und
blickte giftig zu Schulze hinüber, der die Teddybären emporhob und
laut zu ihnen sagte: „Schaut euch einmal den bösen Onkel an*! So
etwas gibt's wirklich."   10

Kasimir, der Husaren-Schneemann, sah wieder ganz reizend aus.
Die drei Männer betrachteten ihn voller Liebe. Es schneite.

Schulze trat vor. „Bevor wir auf das Wohl unseres gemeinsamen
Sohnes anstoßen", sagte er feierlich, „möchte ich ein gutes Werk tun.
Es ist bekanntlich nicht gut, daß der Mann allein sei. Auch der Schnee- 15
mann nicht." Er ging langsam in Kniebeuge und setzte die Teddybären,
einen zur Rechten und einen zur Linken Kasimirs, in den kalten Schnee.
„Nun hat er wenigstens, auch wenn wir fern von ihm weilen, Gesellschaft."

Dann füllte Herr Kesselhuth die Gläser. Aber der Rest Wein, der 20
in der Flasche war, reichte nicht aus. Und Johann verschwand im Hotel,
um eine volle Flasche zu besorgen.

Nun standen Schulze und Hagedorn allein unterm Nachthimmel.
Jeder hatte ein halbvolles Glas in der Hand. Sie schwiegen. Der
Abend war sehr lustig gewesen. Aber die beiden Männer waren plötz- 25
lich ernst. Ein sich leise bewegender Vorhang von Schneeflocken
trennte sie.

Schulze hustete verlegen. Dann sagte er: „Seit ich im Krieg war,
habe ich keinen Mann mehr geduzt. Frauen, na ja. Da gibt es Situa-

tionen, wo man schlecht Sie sagen kann. Ich möchte, wenn es dir recht
ist, mein Junge, den Vorschlag machen, daß wir jetzt Brüderschaft
trinken."

Der junge Mann hustete gleichfalls. Dann antwortete er: „Ich habe
seit der Universität keinen Freund mehr gehabt. Ich hätte mich nie
getraut, Sie um Ihre Freundschaft zu bitten. Menschenskind, ich
danke dir."

„Ich heiße Eduard", bemerkte Schulze.

„Ich heiße Fritz", sagte Hagedorn.

Dann stießen sie mit den Gläsern an, tranken und drückten einander
die Hand.

Kesselhuth, der, eine neue Flasche unterm Arm, aus der Tür trat,
sah die beiden, ahnte die Bedeutung dieses Händedrucks, lächelte ernst,
machte behutsam kehrt und ging in das lärmende Hotel zurück.

₁₅ Das zwölfte Kapitel

Der große Rucksack

Mutter Hagedorns Paket traf am nächsten Tag ein. Es enthielt die
Reklamearbeiten, die der Sohn verlangt hatte, und einen Brief.

„Mein lieber guter Junge!" schrieb die Mutter. „Vielen Dank für
die zwei Ansichtskarten. Ich bin auf dem Sprunge und will das Paket
zum Bahnhof bringen, damit Du es schnell kriegst. Hoffentlich knicken
die Ecken nicht um. Ich meine, bei den Paketen und Kunstdrucksachen.
Und sage diesem Herrn Kesselhuth, wir möchten Deine Arbeiten gelegentlich zurückhaben. Solche Herrschaften sind meistens vor lauter
Großartigkeit vergeßlich.

Herr Franke sagt, wenn es mit den Toblerwerken klappte, das wäre zum Blödsinnigwerden. Du weißt ja, daß er sich stets so ausschweifend ausdrückt. Er will für Dich die Daumen halten*. Das finde ich, wo er nur zur Untermiete bei uns wohnt, sehr anständig von ihm. Ich halte nicht nur die Daumen, sondern auch die großen Zehen. Wenn trotzdem aus der Anstellung nichts werden sollte, haben wir uns wenigstens keine Vorwürfe zu machen. Das ist die Hauptsache. Man darf sich nicht aus der Ruhe bringen lassen. Und wer sich ein Bein ausreißt, hat es sich selber zuzuschreiben.

Daß der andere Preisträger ein netter Mensch ist, freut mich. Grüße ihn schön. Natürlich unbekannterweise. Und laßt Euch von den feinen Leuten nichts vormachen. Viele können sowieso nichts dafür, daß sie reich sind. Viele haben, glaube ich, nur deswegen Geld, weil der liebe Gott ein weiches Herz hat. Besser als gar nichts, hat er bei ihrer Erschaffung gedacht. Wirst Du übrigens mit der Wäsche reichen? Sonst schicke mir rasch die schmutzige in einem Karton. In drei Tagen hast Du sie wieder. Bei Heppners liegen sehr schöne Oberhemden im Fenster. Ich werde eins zurücklegen lassen. Ein blaues mit vornehmen Streifen. Wir holen es, wenn Du wieder zu Hause bist. Ich könnte Dir's mitschicken. Aber wer weiß, ob es Dir gefällt.

Mir geht es ganz ausgezeichnet. Ich singe viel. In der Küche. Wenn ich esse, steht Deine Photographie auf dem Tisch. Denn allein schmeckt's mir nicht. Hab ich recht? Hoffentlich kommt morgen ein Brief von Dir. Wo Du ausführlich schreibst. Vorläufig versteh ich nämlich manches noch nicht. Vielleicht bin ich mit der Zeit ein bißchen dumm geworden. Durch die Arterienverkalkung.

Wieso hast Du zum Beispiel drei kleine Katzen im Zimmer? Und wieso hast Du zwei Zimmer und ein extra Bad? Und was soll das mit dem Ziegelstein? Das ist mir völlig unklar, mein lieber Junge.

Herr Franke sagt, hoffentlich wäre es wirklich ein Hotel. Und nicht

etwa ein Irrenhaus. Er ist ein schrecklicher Mensch. Hat denn der andere
Preisträger auch so viele Räumlichkeiten und Katzen und einen
Ziegelstein?

Und dann: mach keine Dummheiten! Ich meine Ausflüge auf ge-
5 fährliche Berggipfel. Gibt es in Bruckbeuren Lawinen? Dann sieh Dich
besonders vor! Sie fangen ganz harmlos an, und plötzlich sind sie groß.
Ausweichen hat dann keinen Zweck mehr.

Passe, bitte, gut auf! Ja? Auch mit den weiblichen Personen im
Hotel. Entweder ist es nichts Genaues oder in festen Händen*.
10 Ich schreibe wieder einmal einen Brief, der nicht alle wird. Also
Schluß! Antworte auf meine Fragen. Du vergißt es oft. Und nun
zum Bahnhof.

Bleibe gesund und munter! Kein Tag, der vorüber ist, kommt wieder. Und benimm Dich! Du bist manchmal wirklich frech. Viele Grüße
15 und Küsse

von Deiner Dich über alles liebenden

Mutter."

Nach dem Lunch saßen die drei Männer auf der Terrasse, und Doktor
Hagedorn zeigte seine gesammelten Werke. Schulze betrachtete sie ein-
gehend. Er fand sie sehr gelungen, und sie unterhielten sich lebhaft dar-
20 über. Herr Kesselhuth rauchte eine dicke schwarze Zigarre, schenkte allen
Kaffee ein und sonnte sich in jeder Beziehung. Schließlich meinte er:
„Also, heute abend schicke ich das Paket an Geheimrat Tobler."

„Und vergessen Sie, bitte, nicht, bei ihm anzufragen, ob er auch für
Herrn Schulze einen Posten hat", bat Hagedorn. „Es ist dir doch recht,
25 Eduard?"

Schulze nickte. „Gewiß, mein Junge. Der olle Tobler soll sich mal
anstrengen und was für uns beide tun."

Kesselhuth nahm die Arbeiten an sich. „Ich werde nichts unversucht lassen, meine Herren."

„Und er soll die Sachen, bitte, bestimmt zurückgeben", erklärte der junge Mann. „Meine Mutter ist diesbezüglich sehr streng."

„Selbstverständlich", sagte Schulze, obwohl ihn das ja eigentlich gar nichts anging.

Kesselhuth zerdrückte den Rest seiner Zigarre im Aschenbecher, erhob sich ächzend, murmelte einiges und ging traurig davon. Denn im Rahmen der Hoteltür stand der Graswander Toni und hatte zwei Paar Schneeschuhe auf der Schulter. Die dritte Lehrstunde nahte. Das Geheimnis des Stemmbogens sollte enträtselt werden.

Eduard und Fritz brachen etwas später auf. Sie planten einen Spaziergang. Zunächst statteten sie jedoch ihrem Schneemann einen kurzen Besuch ab. Der Ärmste taute. „Kasimir weint", behauptete Hagedorn. „Das weiche Gemüt, Eduard, hat er von dir."

„Er weint nicht", widersprach Schulze. „Er macht eine Abmagerungskur."

„Wenn wir Geld hätten", meinte Hagedorn, „könnten wir ihm einen großen Sonnenschirm schenken, in den Boden stecken und über ihm aufspannen. Ohne Schirm wird er zugrunde gehen."

„Mit dem Geld ist das so eine Sache*", meinte Schulze. „Auch wenn wir welches* hätten, — spätestens Anfang März stünde hier nur noch ein Schirm herum, und Kasimir wäre verschwunden. Die Vorteile des Reichtums halten sich sehr in Grenzen."

„Du sprichst, als ob du früher ein Bankkonto gehabt hättest", sagte Hagedorn und lachte gutmütig. „Meine Mutter behauptet, Besitz sei häufig nichts anderes als ein Geschenk der Vorsehung an diejenigen, die im übrigen schlecht weggekommen sind."

„Das wäre allzu gerecht", erklärte Schulze. „Und allzu einfach."

Dann wanderten sie, in beträchtliche Gespräche vertieft, nach Schloß Kerms hinaus, sahen den Bauern beim Eisschießen* zu, folgten quellwärts einem zugefrorenen Gebirgsbach, mußten steil bergan klettern, glitten aus, schimpften, lachten, atmeten schwer, schwiegen, kamen durch
5 weiße Wälder und entfernten sich mit jedem Schritt mehr von allem, was an den letzten Schöpfungstag erinnert*.

Nach dem Kaffeetrinken ging Hagedorn auf sein Zimmer. Schulze versprach bald nachzukommen. Wegen der kleinen Katzen und wegen eines großen Kognaks. Aber als er aus dem Lesesaal trat und auf die
10 Treppe zusteuerte, wurde er von Onkel Polter gestört. „Sie sehen aus, als ob Sie sich langweilten", meinte der Portier.

„Machen Sie sich meinetwegen kein Kopfzerbrechen!"* bat Schulze. „Ich langweile mich niemals." Er wollte gehen.

Onkel Polter tippte ihm auf die Schulter. „Hier ist eine Liste! Den
15 Rucksack bekommen Sie in der Küche."

„Ich brauche keinen Rucksack", meinte Schulze.

„Sagen Sie das nicht!" erklärte der Portier und lächelte grimmig. „Das Kind der Botenfrau hat die Masern."

„Gute Besserung! Aber was hat das arme Kind in dem Rucksack zu
20 suchen, den ich in der Küche holen soll?"

Der Portier schwieg und legte Briefe und Zeitungen in verschiedene Schlüsselfächer.

Schulze betrachtete die Liste, die vor ihm lag, las sie staunend, lachte und sagte: „Ach, so ist das gemeint!"

25 Der Portier legte einige Geldscheine auf den Tisch. „Schreiben Sie hinter jeden Posten den Preis. Am Abend rechnen wir ab."

Schulze steckt die Liste und das Geld ein. „Wo soll ich das Zeug holen?"

„Im Dorf", befahl Onkel Polter. „In der Apotheke, beim Friseur, auf der Post, beim Uhrmacher, in der Drogerie*, beim Kurzwaren= händler, im Schreibwarengeschäft. Beeilen Sie sich!"

Der andere zündete sich eine Zigarre an und sagte, während er sie in Zug brachte: „Ich hoffe, es hier noch weit zu bringen*. Daß ich je= mals Botenfrau würde, hätte ich noch vor einer Woche für ausgeschlossen gehalten." Er nickte dem Portier freundlich zu. „Hoffentlich bilden Sie sich nicht ein, daß Sie mich auf diese Weise vor der Zeit aus ihrem Hotel hinausgraulen."

Onkel Polter antwortete nicht.

„Darf man schon wissen, was Sie morgen mit mir vorhaben?" fragte Schulze. „Wenn es Ihnen recht ist, — ich möchte für mein Leben* gern einmal Schornstein fegen! Wäre es Ihnen möglich zu veranlassen, daß der Schornsteinfeger morgen Zahnschmerzen kriegt?" Er ging strahlend seiner Wege.

Onkel Polter nagte über eine Stunde an der Unterlippe. Später fand er keine Zeit mehr dazu. Die Gäste kehrten in Scharen von den Schiwiesen und von Ausflügen heim.

Schließlich kam sogar der Hoteldirektor Kühne nach Hause. „Was ist denn mit Ihnen los?" fragte er besorgt. „Haben Sie die Gelbsucht?"

„Noch nicht", sagte der Portier. „Aber es kann noch werden. Dieser Schulze benimmt sich unmöglich. Er wird immer unverschämter."

„Streikt er?" fragte Karl der Kühne.

„Im Gegenteil", meinte der Portier. „Es macht ihm Spaß!"

Der Direktor öffnete wortlos den Mund.

„Morgen möchte er Schornstein fegen!" berichtete Polter. „Es sei ein alter Traum von ihm."

Karl der Kühne sagte: „Einfach tierisch!" und ließ Herrn Polter in trübe Gedanken versunken zurück.

Geheimrat Tobler alias Herr Schulze brauchte zwei Stunden, bis er, von der Last des Rucksacks gebeugt, ins Hotel zurückkehrte. Er hatte sich übrigens nie so gut unterhalten wie während dieser von seltsamen Einkäufen ausgefüllten Zeit. Er lud den Rucksack in der Hotelküche ab 5 und begab sich in den fünften Stock, um die Abrechnung für den Portier fertigzumachen. Er öffnete die Tür zu seinem Zimmer und mußte feststellen, daß er Besuch hatte! Ein fremder, gutgekleideter Herr lag, mit dem Kopf vorneweg, unter dem Waschtisch, hämmerte emsig und hatte anscheinend keine Ahnung, daß er nicht mehr allein war. Jetzt be- 10 gann er sogar zu pfeifen. „Sie wünschen?" fragte Schulze laut und streng.

Der Eindringling fuhr hoch, stieß mit dem Hinterkopf gegen die Tischkante und kam, rückwärts kriechend, ans Tageslicht.

Es war Herr Kesselhuth! Er hockte auf dem Fußboden und machte ein schuldbewußtes Gesicht.

15 „Sie sind wohl nicht bei Troste*!" sagte Schulze. „Stehen Sie gefälligst auf!"

Kesselhuth erhob sich und klopfte seine Beinkleider sauber. Mit der Hand, die übrigblieb, massierte er den Hinterkopf.

„Was haben Sie unter meinem Waschtisch zu suchen?" fragte Schulze 20 energisch.

Der andere wies auf einen großen Karton, der auf dem Stuhl lag. „Es ist wegen der Steckdose, Herr Geheimrat", sagte er verlegen. „Die war nicht ganz in Ordnung."

„Ich brauche keine Steckdosen!"

25 „Doch, Herr Geheimrat", antwortete Johann und öffnete den Karton. Es kam eine nickelglänzende elektrische Heizsonne zum Vorschein. „Sie erkälten sich sonst zu Tode." Er stellte das Gerät auf den Tisch, kroch erneut unter den Waschtisch, fügte den Stecker in den Kontakt, kam wieder hervor und wartete gespannt.

Allmählich begann das Drahtgitter zu erglühen, erst rosa, dann rot; und schon spürten sie, wie sich die eisige Dachkammer mit sanfter Wärme füllte. „Das Wasser in der Waschschüssel taut auf", sagte Johann und schaute selig zu seinem Gebieter hinüber.

Tobler empfand diesen Blick, aber er erwiderte ihn nicht.

„Und hier ist ein Kistchen Zigarren", erklärte Kesselhuth schüchtern. „Ein paar Blumen habe ich auch besorgt."

„Nun aber nichts wie raus!" meinte der Geheimrat. „Sie hätten Weihnachtsmann werden sollen!"

Inzwischen hatte auch Doktor Hagedorn Besuch erhalten. Es hatte geklopft. Er hatte, müde auf dem Sofa liegend, „herein" gerufen und gefragt: „Warum kommst du so spät, Eduard?"

Aber der Besucher hatte geantwortet: „Ich heiße nicht Eduard, sondern Hortense." Kurz und gut, es war Frau Casparius! Sie war erschienen, um mit den drei siamesischen Katzen zu spielen. Und das tat sie denn auch. Sie saß auf dem Teppich und stellte Gruppen.

Schließlich fand sie, daß sie sich lange genug als Tierfreundin betätigt hatte, und wandte sich dem eigentlichen Zweck ihrer Anwesenheit zu. „Sie sind nun schon drei Tage hier", sagte sie vorwurfsvoll. „Wollen wir morgen einen Ausflug machen? Wir nehmen den Lunch mit und gehen bis zur Lamberger Au. Dort legen wir uns in die Sonne. Und wer zuerst den Sonnenstich hat, darf sich etwas wünschen."

„Ich wünsche mir gar nichts", erklärte der junge Mann. „Nicht einmal den Sonnenstich."

Sie hatte sich in einen geräumigen Lehnstuhl gesetzt, zog die Beine hoch und legte die Arme um die Knie. „Wir könnten auch folgendes unternehmen", meinte sie leise. „Wir könnten die Koffer packen und ausreißen. Was halten Sie von Garmisch?"

„Garmisch ist meines Wissens ein reizender Ort", sagte er. „Aber Eduard wird es wahrscheinlich nicht erlauben."

„Was geht uns denn Eduard an?" fragte sie ärgerlich.

„Er vertritt Mutterstelle an mir."

5 Sie wiegte den Kopf. „Wir könnten mit dem Nachtzug fahren. Kommen Sie. Jede Stunde ist kostbar. An ein Fortleben nach dem Tode glaube ich nämlich nicht recht."

„Also deswegen haben Sie's so eilig!" meinte er. Es klopfte. Er rief: „Herein!"

10 Die Tür ging auf. Schulze trat ein. „Entschuldige, Fritz. Ich hatte ein paar Besorgungen zu machen. Bist du allein?"

„Sofort!" sagte Frau Hortense Casparius, sah durch Herrn Schulze hindurch, als sei er aus Glas, und ging.

Das dreizehnte Kapitel

15 ### Die Liebe auf den ersten Blick

Am nächsten Nachmittag geschah etwas Außergewöhnliches: Hagedorn verliebte sich! Er tat dies im Hotelautobus, der neue Gäste vom Bahnhof brachte und den er, von einem kleinen Ausflug kommend, unterwegs bestieg. Einer der Passagiere war ein junges, herzhaftes 20 Mädchen. Sie hatte eine besonders geradlinige Art, die Menschen anzuschauen. (Womit nicht nur gesagt werden soll, daß sie nicht schielte.) Neben ihr saß eine dicke, verstört gutmütige Frau, die von dem Mädchen „Tante Julchen" genannt wurde.

Hagedorn hätte Tante Julchens Nichte stundenlang anstarren kön-25 nen. Außerdem wurde er das Gefühl nicht los, das junge Mädchen schon einmal gesehen zu haben*.

Vorm Hotel half er den beiden beim Aussteigen. Und da Tante Jul=
chen das Abladen der Koffer aufs strengste überwachte, waren das
junge Mädchen und er plötzlich allein.

„Das ist aber ein schöner Schneemann", rief sie.

„Gefällt er Ihnen?" fragte er stolz. „Den haben Eduard und ich er= 5
richtet. Und ein Bekannter, der eine große Schiffahrtslinie besitzt.
Eduard ist mein Freund."

„Aha!" sagte sie.

„Er hat leider seit gestern abgenommen."

„Der Besitzer der Schiffahrtslinie oder Ihr Freund Eduard?" 10

„Der Schneemann", erwiderte er. „Weil die Sonne so sehr schien."

Sie betrachteten den Schneemann und schwiegen verlegen.

Sie zeigte auf die Teddybären, die neben Kasimir hockten. „Es sind
Eisbären geworden. Ganz weiß. Wie nennt man das gleich?"

„Mimikry", gab er zur Antwort. 15

„Ich bin so vergeßlich", sagte sie. „Was die Bildung anlangt."

„Werden Sie lange hierbleiben?" fragte er.

Sie schüttelte den Kopf. „Ich muß bald wieder nach Berlin zurück."

„Ich bin auch aus Berlin", meinte er. „Welch ein Zufall!"

Geheimrat Tobler hielt, oben im fünften Stock, sein Nachmittags= 20
schläfchen. In Bruckbeuren hatte er sich eigentlich, aus Hochachtung
vor den Schönheiten der Natur, dieses Brauches entäußern wollen.
Aber man war eben doch nicht mehr der Jüngste*. Und so hatte er
Johanns Heizsonne in Betrieb gesetzt, sich ins Bett gelegt und schlief.

Dann aber wurde die Tür aufgerissen. Er erwachte und blickte miß= 25
mutig auf. Hagedorn stand vor ihm, setzte sich aufs Bett und sagte:
„Wo hast du denn die Heizsonne her, Eduard?"

„Das ist 'ne Stiftung", bemerkte Schulze mit verschlafener Stimme.

„Solltest du gekommen sein, um mich das zu fragen, so nennen wir uns wieder Sie."

„Mensch! Schulze!" stieß Hagedorn hervor. „Ich mußte es dir sofort sagen. Ich bin verloren. Ich habe mich soeben verliebt!"

5 „Ach, bleib mir mit deinen albernen Weibern vom Halse", befahl Eduard und drehte sich zur Wand. „Gute Nacht, mein Junge!"

„Sie ist kein albernes Weib", sagte Fritz streng. „Sie ist enorm hübsch. Und gescheit! Und Humor hat sie. Und ich glaube, ich gefalle ihr auch."

„Du bist größenwahnsinnig!" murmelte Schulze. „Welche ist es denn?
10 Die Mallebré oder die Circe aus Bremen?"

„Höre schon endlich mit denen auf!"* rief Hagedorn entrüstet. „Es ist doch eine ganz andere! Sie ist doch nicht verheiratet! Das wird sie doch erst sein, wenn ich ihr Mann bin! Eine Tante ist mit dabei. Die hört auf den Namen Julchen."

15 Schulze war nun wach geworden. „Du bist ein Wüstling!" sagte er.
„Warte mit dem Heiraten wenigstens bis morgen! Du wirst dich doch nicht etwa in eine Gans vergaffen, die mit einer Tante namens Julchen auf Männerfang geht! Wir werden schon wen* für dich finden."

Hagedorn stand auf. „Eduard, ich verbiete dir, in einem derartigen
20 Ton von meiner zukünftigen Gemahlin zu sprechen! Sie ist keine Gans. Und sie fängt keine Männer. Sehe ich vielleicht wie eine gute Partie aus?"

„Gott bewahre!" sagte Schulze. „Aber sie hat doch natürlich davon gehört, daß du ein Thronfolger bist!"

25 „Diesen Quatsch kann sie noch gar nicht gehört haben", meinte der junge Mann. „Sie ist nämlich eben erst aus Berlin eingetroffen."

„Und ich erlaube es ganz einfach nicht", erklärte Schulze kategorisch.
„Ich vertrete Mutterstelle an dir. Ich verbiete es dir. Damit basta! Ich werde dir schon eines schönen Tages die richtige Frau aussuchen."

„Geliebter Eduard", sagte Fritz. „Schau sie dir erst einmal an.
Wenn du sie siehst, wird dir die Luft wegbleiben!"

Hagedorn setzte sich in die Halle und behielt den Lift und die Treppe
im Auge. Seine erste Begeisterung wich, während er ungeduldig auf
das junge Mädchen und auf die Zukunft wartete, einer tiefen Niederge=
schlagenheit. Ihm war plötzlich eingefallen, daß man zum Heiraten Geld
braucht und daß er keines hatte. Früher, als er Geld verdiente, war er an
die verkehrten Fräuleins geraten. Und jetzt, wo er Tante Julchens Nichte
liebte, war er stellungslos und wurde für einen Thronfolger gehalten!

„Sie sehen aus, als wollten Sie ins Kloster gehen", sagte jemand
hinter ihm.

Er fuhr hoch. Es war Tante Julchens Nichte. Er sprang auf. Sie
setzte sich und fragte: „Was ist denn mit Ihnen los?"

Er blickte sie so lange an, bis sie die Lider senkte. Er hustete und
meinte dann: „Außer Herrn Kesselhuth und Eduard weiß es in dem
Hotel noch kein Mensch. Ihnen muß ich es aber sagen. Man hält mich
für einen Millionär oder, wie Eduard behauptet, für den Thronfolger
von Albanien. Wieso, weiß ich nicht. In Wirklichkeit bin ich ein stel=
lungsloser Akademiker."

„Warum haben Sie denn das Mißverständnis nicht aufgeklärt?"
fragte sie.

„Nicht wahr?" meinte er. „Ich hätte es tun sollen. Ich wollte es ja
auch! Ach, bin ich ein Esel! Sind Sie mir sehr böse? Eduard meinte
nämlich, ich solle den Irrtum auf sich beruhen lassen. Vor allem wegen
der drei siamesischen Katzen. Weil er so gern mit ihnen spielt."

„Wer ist denn nun eigentlich dieser Eduard?" fragte sie.

„Eduard und ich haben ein Preisausschreiben gewonnen. Dafür
lassen wir uns hier gratis durchfüttern."

„Von dem Preisausſchreiben habe ich in der Zeitung geleſen",
meinte ſie. „Es handelt ſich um ein Ausſchreiben der Toblerwerke, ja?"
Er nickte.

„Dann ſind Sie Doktor Hageſtolz?"

5 „Hagedorn", verbeſſerte er. „Mein Vorname iſt Fritz."

Darauf ſchwiegen ſie. Dann wurde ſie rot. Und dann ſagte ſie: „Ich
heiße Hildegard."

„Sehr angenehm", antwortete er. „Der ſchönſte Vorname, den ich
je gehört habe!"

10 „Nein", erklärte ſie entſchieden. „Fritz gefällt mir beſſer!"

„Ich meine die weiblichen Vornamen."

Sie lächelte. „Dann ſind wir uns ja einig."

Er faßte nach ihrer Hand, ließ ſie verlegen wieder los und ſagte:
„Das wäre wundervoll."

15 Endlich trat Schulze aus dem Lift. Hagedorn nickte ihm ſchon von
weitem zu und meinte zu Tante Julchens Nichte: „Jetzt kommt
Eduard!"

Sie drehte ſich nicht um.

Der junge Mann ging dem Freund entgegen und flüſterte: „Das
20 iſt ſie."

„Was du nicht ſagſt!" erwiderte Schulze ſpöttiſch. Das junge Mädchen hob den Kopf, lächelte ihm zu und meinte: „Das iſt gewiß Ihr
Freund Eduard, Herr Doktor. So hab ich ihn mir vorgeſtellt."

Hagedorn nickte fröhlich. „Jawoll. Das iſt Eduard. Ein goldenes Herz
25 in rauher Schale. Und das iſt ein gewiſſes Fräulein Hildegard."

Schulze war wie vor den Kopf geſchlagen und hoffte zu halluzinieren.
Das Mädchen lud zum Sitzen ein. Er kam der Aufforderung, völlig
geiſtesabweſend, nach und hätte ſich beinahe neben den Stuhl geſetzt.

Hagedorn lachte.

„Sei nicht ſo albern, Fritz!" ſagte Schulze mürriſch.

Aber Fritz lachte weiter. „Was haſt du denn*, Eduard? Du ſiehſt wie ein Schlafwandler aus, den man laut beim Namen gerufen hat."

„Gar kein übler Vergleich", meinte das junge Mädchen beifällig.   5 Sie erntete einen vernichtenden Blick von Schulze.

Hagedorn erſchrak und dachte: ‚Das kann ja heiter werden*!' Darauf redete er, faſt ohne Atem zu holen, über den Lumpenball, und wes= wegen Schulze keinen Koſtümpreis erhalten hätte, und über Keſſel= huths erſte Schiſtunde, und über Berlin einerſeits und die Natur 10 andrerſeits, und daß ſeine Mutter geſchrieben habe, ob es in Bruck= beuren Lawinen gäbe, und —

„Tu mir einen Gefallen, mein Junge!" bat Eduard. „Hole mir doch aus meinem Zimmer das Fläſchchen mit den Baldriantropfen*! Ja? Es ſteht auf dem Waſchtiſch. Ich habe Magenſchmerzen."   15

Hagedorn ſprang auf, winkte dem Liftboy und fuhr nach oben.

„Sie haben Magenſchmerzen?" fragte Tante Julchens Nichte.

„Halte den Schnabel!" befahl der Geheimrat wütend. „Biſt du plötz= lich übergeſchnappt? Was willſt du hier?"

„Ich wollte nur nachſehen, wie dir's geht, lieber Vater", ſagte Fräu= 20 lein Hilde.

Der Geheimrat trommelte mit den Fingern auf der Tiſchplatte. „Dein Benehmen iſt beiſpiellos! Erſt informierſt du, hinter meinem Rücken, die Hoteldirektion, und vier Tage ſpäter kommſt du ſelber an= gerückt!"   25

„Aber Papa", entgegnete ſeine Tochter. „Der Anruf nützte doch nichts. Man hielt doch Herrn Hagedorn für den Millionär!"

„Woher weißt du das?"

„Er hat mir's eben erzählt."

„Und weil er dir das eben erzählt hat, bist du vorgestern von Berlin weggefahren?"

„Das klingt tatsächlich höchst unwahrscheinlich", meinte sie nachdenklich.

5 „Und seit wann hast du eine Tante, die Julchen heißt?"

„Seit heute früh, lieber Vater. Willst du sie kennenlernen? Dort kommt sie gerade!"

Tobler wandte sich um. In ihrem zweitbesten Kleid kam, dick und kordial, Frau Kunkel treppab spaziert. Sie suchte Hilde und entdeckte 10 sie. Dann erkannte sie den violett gekleideten Mann neben ihrer Nichte, wurde blaß, machte kehrt und steuerte schleunigst wieder auf die Treppe zu.

„Schaffe mir auf der Stelle diese idiotische Person herbei!" knurrte der Geheimrat.

15 Hilde holte die Kunkel auf den ersten Stufen ein und schleppte sie an den Tisch. „Darf ich die Herrschaften miteinander bekannt machen?" fragte das junge Mädchen belustigt. „Herr Schulze — Tante Julchen."

Tobler mußte sich, aus Rücksicht auf den neugierig herüberschauenden Portier, erheben. Die Kunkel reichte ihm, ängstlich und glücklich zu-20 gleich, die Hand. Er verbeugte sich förmlich, setzte sich wieder und fragte: „Bei euch piept's wohl*? Was?"

„Nur bei mir, Herr Geheimrat", erwiderte Tante Julchen. „Gott sei Dank, Sie leben noch! Aber schlecht sehen Sie aus. Na, es ist ja auch kein Wunder."

25 „Ruhe!" befahl Hilde.

Doch Frau Kunkel trat bereits aus den Ufern. „Auf Leitern klettern, die Eisbahn kehren, Kartoffeln schälen, in einer Rumpelkammer schlafen ..."

„Kartoffeln habe ich nicht geschält", bemerkte Tobler. „Noch nicht."

Die Kunkel war nicht mehr aufzuhalten. „Die Treppen scheuern, schiefe Wände haben Sie auch, und keinen Ofen im Zimmer, ich habe es ja kommen sehen! Wenn Sie jetzt eine doppelseitige Lungenentzündung hätten, kämen wir vielleicht schon zu spät, weil Sie schon tot wären! Es dreht sich einem das Herz im Leibe um*. Aber natürlich, 5 ob wir inzwischen in Berlin sitzen und jede Minute darauf warten, daß der Blitz einschlägt, Ihnen kann das ja egal sein. Aber uns nicht, Herr Geheimrat! Uns nicht! Man sollte es wirklich nicht für möglich halten. Ein Mann wie Sie macht hier den dummen August*!" Sie hatte echte Tränen in den Augen. „Soll ich Ihnen einen Umschlag machen? Haben 10 Sie irgendwo Schmerzen, Herr Geheimrat? Ich könnte das Hotel anzünden! Oh!" Sie schwieg und putzte sich geräuschvoll die Nase.

Tobler sah Tante Julchen unwillig an. „So ist das also", meinte er und nickte wütend. „Herr Kesselhuth hat geklatscht. Mit mir könnt ihr's ja machen." 15

Seine Tochter sah ihn an. „Papa", sagte sie leise. „Wir hatten solche Sorge um dich. Du darfst es uns nicht übelnehmen. Wir hatten keine ruhige Minute zu Hause. Verstehst du das denn nicht? Die Kunkel und der Johann und sogar ich, wir haben dich doch lieb."

Der Kunkel rollte aus jedem Auge je eine Träne über die knallroten 20 Bäckchen. Sie schluchzte auf.

Geheimrat Tobler* war unbehaglich zumute. „Lassen Sie die blöde Heulerei!" brummte er. „Ihr benehmt euch ja noch kindischer als ich!"

„Ein großes Wort*", behauptete seine Tochter.

„Kurz und gut", sagte Tobler, „ihr macht hier alles kaputt. Daß ihr's 25 nur wißt! Ich habe einen Freund gefunden. So etwas braucht ein Mann! Und nun kommt ihr angerückt. Er stellt mich meiner eignen Tochter vor! Kurz vorher hat er oben in meinem Zimmer erklärt, daß er dieses Mädchen unbedingt heiraten wird!"

„Welches Mädchen?" erkundigte sich Hilde.

„Dich!" sagte der Vater. „Wie sollen wir dem Jungen nun auseinandersetzen, wie sehr wir ihn beschwindelt haben? Wenn er erfährt, wer Tante Julchen und deren Nichte und der Schiffahrtslinienbesitzer
5 Kesselhuth und sein Freund Schulze in Wirklichkeit sind, guckt er uns doch überhaupt nicht mehr an!"

„Wer will Fräulein Hildegard heiraten?" fragte die Kunkel. Ihre Tränen waren versiegt.

„Fritz", sagte Hilde hastig. „Ich meine, der junge Mann, der Ihnen
10 im Autobus die Namen der Berge aufgezählt hat."

„Aha", bemerkte Tante Julchen. „Ein reizender Mensch. Aber Geld hat er keins."

Das vierzehnte Kapitel

Drei Fragen hinter der Tür

15 Als Hagedorn mit den Baldriantropfen anrückte, saßen die drei einträchtig beisammen. Sie einte die Besorgnis, er könne hinter ihr Geheimnis kommen.

„Tante Julchen ist auch da!" sagte er erfreut. „Sind die Koffer ausgepackt? Und wie gefällt Ihnen mein Freund Eduard?"

20 „Vorzüglich!" antwortete sie aus tiefster Seele.

„Eduard, hier sind die Tropfen", meinte Hagedorn.

„Was für Tropfen?" fragte Schulze.

„Die Baldriantropfen natürlich!" erklärte Fritz. „Menschenskind, ich denke, du hast Magenschmerzen?"

25 „Ach richtig", murmelte der andere, und dann mußte er wohl oder übel Baldriantropfen einnehmen. Mittels eines Kaffeelöffels. Hagedorn bestand darauf.

Hilde freute sich über die Gesichter, die ihr Vater schnitt. Tante Julchen, die nicht begriffen hatte, daß es sich um erfundene Magenschmerzen handelte, war schrecklich aufgeregt und wollte dem Kranken
einen heißen Wickel machen. Schulze schwor, daß es ihm bereits viel,
viel besser gehe.

„Das kennen wir!" sagte Tante Julchen mißtrauisch. „Das machen
Sie immer so!"

Der Geheimrat und seine Tochter zuckten vor Schreck zusammen.

„Das machen sie immer so, die Männer!" fuhr die Tante geistesgegen-
wärtig fort. „Sie geben nie zu, daß ihnen etwas fehlt."

Die Situation war gerettet. Frau Kunkels Gesicht grenzte an Größenwahn. So geschickt hatte sie sich noch nie aus der Affäre gezogen.

Ja, und dann kehrte Herr Kesselhuth von der vierten Schistunde zurück. Er hinkte aus Leibeskräften. Denn er war auf der Übungswiese
versehentlich in den Graswander Toni hineingefahren. Und beide
waren, als unentwirrbarer Knäuel, in einem Wildbach gelandet.

Onkel Polter erkundigte sich teilnahmsvoll, wie der Unglücksfall verlaufen war, und empfahl eine Firma, die den zerrissenen Sportanzug
wieder ins Geschick bringen würde.

Kesselhuth sah sich suchend um.

„Herr Doktor Hagedorn sitzt in der Halle", sagte der Portier.

Kesselhuth humpelte weiter. Er entdeckte den Tisch, an dem Schulze
und Hagedorn saßen. Als er, nur noch wenige Schritte entfernt, sah,
wer die beiden Frauen waren, begann er leise mit den Zähnen zu
klappern. Er fuhr sich entsetzt über die Augen. Das war doch wohl nicht
möglich! Er blickte noch einmal hin. Dann wurde ihm übel. Er wäre für
sein Leben gern* im Boden versunken. Doch es gab weit und breit keine
Versenkung. Er humpelte hinüber. Tante Julchen grinste schadenfroh.

„Was ist denn mit Ihnen geschehen?" fragte Schulze.

„Es ist nicht sehr gefährlich", meinte Kesselhuth. „Es gab einen Zu-
sammenstoß. Das ist alles. Ich habe aber das Gefühl, daß ich keinen
Sport mehr treiben werde."

Tante Julchen sah Herrn Hagedorn hypnotisch an. „Wollen Sie uns
5 nicht vorstellen?"

Der junge Mann machte die Herrschaften miteinander bekannt.
Händedrücke wurden getauscht. Es ging sehr förmlich zu. Kesselhuth
wagte nicht zu sprechen. Jede Bemerkung konnte grundverkehrt sein.

„Sie sind bestimmt der Herr, dem die Schiffahrtslinie gehört?"
10 fragte Hilde.

„So ist es", sagte Kesselhuth betreten.

„Was gehört ihm?" fragte Tante Julchen und hielt, als sei sie schwerhörig, eine Hand hinters Ohr.

„Eine Schiffahrtslinie", meinte Herr Schulze streng. „Sogar eine
15 sehr große Linie! Nicht wahr?"

Kesselhuth war nervös. „Ich muß mich umziehen. Sonst hole ich
mir den Schnupfen." Er nieste dreimal. „Darf ich die Anwesenden
bitten, nach dem Abendbrot in der Bar meine Gäste zu sein?"

„Genehmigt", sagte Schulze.

20 Hagedorn verzehrte Hilde mittlerweile mit seinen Blicken. Plötzlich
lachte er auf. „Es ist zwar unwichtig, — aber ich weiß Ihren Familien-
namen noch gar nicht."

„Nein?" fragte sie. „Komisch, was? Stellen Sie sich vor: Ich heiße
genau so wie Ihr Freund Eduard!"

25 „Eduard", sagte der junge Mann, „wie heißt du? Ach so, entschuldige,
ich glaube, bei mir ist heut ein Schräubchen locker. Sie heißen Schulze?"

„Seit wann siezt du mich denn wieder?" fragte Eduard.

„Er meint doch mich", erklärte Hilde. „Es stimmt schon, Herr Doktor.
Ich heiße genau wie Ihr Freund."

„Nein, so ein Zufall!" rief Hagedorn.

„Schulze ist ein sehr verbreiteter Name", bemerkte Eduard und musterte Hilde ärgerlich.

„Trotzdem, trotzdem", meinte Fritz gefühlvoll. „Dieser Zufall berührt mich merkwürdig. Es ist, als stecke das Schicksal dahinter. Vielleicht seid ihr miteinander verwandt und wißt es gar nicht?"

An dieser Gesprächsstelle bekam Tante Julchen einen Erstickungsanfall und mußte von Fräulein Hildegard schleunigst aufs Zimmer transportiert werden. Auf der Treppe sagte sie erschöpft: „Das ist die reinste Pferdekur*. Konnten Sie sich denn keinen anderen Namen aussuchen?"

Hilde schüttelte energisch mit dem Kopf. „Ich konnte ihn nicht belügen. Daß ich genauso wie sein Freund Eduard heiße, ist doch wahr."

„Wenn das mal gut geht", sagte die Kunkel.

„Ist das Mädchen nicht wundervoll?" fragte Fritz.

„Doch", meinte Eduard mürrisch.

„Hast du gesehen, daß sie, wenn sie lacht, ein Grübchen hat?"

„Ja."

„Und in den Pupillen hat sie golden schimmernde Pünktchen."

„Das ist mir an ihr noch nie aufgefallen", sagte Schulze.

„Für wie alt hältst du sie eigentlich?"

„Im August wird sie einundzwanzig Jahre."

Fritz lachte. „Laß deine Witze, Eduard! Aber ungefähr wird es schon stimmen. Findest du nicht auch, daß ich sie heiraten muß?"

„Na ja", sagte Schulze. „Meinetwegen." Er bemerkte endlich, daß er faselte, und nahm sich zusammen. „Vielleicht hat sie keinen Pfennig Geld", warf er ein.

„Höchstwahrscheinlich sogar", sagte Hagedorn. „Ich habe ja auch keins! Ich werde sie morgen fragen, ob sie meine Frau werden will. Dann können wir uns umgehend verloben. Und sobald ich eine Anstellung gefunden habe, wird geheiratet. Willst du Trauzeuge sein?"

„Das ist doch selbstverständlich!" erklärte Schulze.

Hagedorn begann zu schwärmen. „Ich bin wie neugeboren. Menschenskind, werde ich jetzt aber bei den Berliner Firmen herumsausen! Ich werde sämtliche Generaldirektoren in Grund und Boden quatschen. Sie werden gar nicht auf die Idee kommen, mich hinauszuwerfen."

„Vielleicht klappt es mit den Toblerwerken."

„Wer weiß", sagte Fritz skeptisch. „Mit Empfehlungen habe ich noch nie Glück gehabt. Nein, das machen wir anders. Wenn wir in Berlin sind, rücken wir dem ollen Tobler auf die Bude*! Hast du 'ne Ahnung, wo er wohnt?"

„Irgendwo im Grunewald."

„Die Adresse werden wir schon herauskriegen. Wir gehen ganz einfach hin, klingeln, schieben das Dienstmädchen beiseite, setzen uns in seine gute Stube und gehen nicht eher weg, bis er uns angestellt hat. Schlimmstenfalls übernachten wir dort. Ein paar Stullen nehmen wir mit. Ist das gut?"

„Eine grandiose Idee", sagte Schulze. „Ich freue mich schon jetzt auf Toblers Gesicht. Wir zwei werden's dem ollen Knaben schon besorgen, was?" •

„Worauf er sich verlassen kann!" bemerkte Hagedorn begeistert. „Herr Geheimrat — werden wir sagen — Sie besitzen zwar viele Millionen und verdienen jedes Jahr noch ein paar dazu, und somit ist es eigentlich überflüssig, daß zwei so talentierte Werbefachleute wie wir gerade zu Ihnen kommen. Wir sollten lieber für Werke arbeiten, denen es schlecht geht, damit sie wieder auf die Beine kommen. Aber, Herr Geheimrat, keine Reklame ist so gut, daß sie nicht mit Kosten verbunden wäre. Wir Propagandisten sind Feldherren; aber unsre Armeen liegen, sauber gebündelt, in Ihrem Geldschrank. Ohne Truppen kann der beste Stratege keine Schlacht gewinnen. Und Reklame ist Krieg! Es gilt, die Köpfe von Millionen Menschen zu erobern. Es gilt, diese Köpfe zum besetzten Gebiet zu machen, Herr Geheimrat Tobler! Man darf die Kon- 5 kurrenz nicht erst auf dem Markt, man muß sie bereits im Gedankenkreis derer besiegen, die morgen kaufen wollen. Wir Werbefachleute bringen es fertig, aus einem Verkaufsartikel, der dem freien Wettbewerb unter= liegt, mit Hilfe der Psychologie einen Monopolartikel zu machen! Geben Sie uns Bewegungsfreiheit, Sire!" Hagedorn holte Atem. 10

„Großartig!" meinte Schulze. „Bravo, bravo! Wenn uns der Tobler auch dann noch nicht engagiert, verdient er sein Glück überhaupt nicht."

„Du sagst es*", erklärte Fritz. „Aber so dämlich wird er ja nicht sein." Schulze zuckte zusammen.

„Vielleicht frag ich sie schon heute abend", sagte Fritz entschlossen. 15

„Wen?"

„Hilde."

„Was?"

„Ob sie meine Frau werden will."

„Und wenn sie nicht will?" 20

„Auf diesen Gedanken bin ich noch gar nicht gekommen", sagte Hage= dorn. Er war ehrlich erschrocken. „Mach mir keine Angst, Eduard!"

„Und wenn die Eltern nicht wollen?"

„Vielleicht hat sie keine mehr. Das wäre das bequemste."

„Sei nicht so roh, Fritz! Na, und wenn der Bräutigam nicht will? 25 Was dann?"

Hagedorn wurde blaß. „Du bist übergeschnappt. Meine Hilde hat doch keinen Bräutigam!"

„Ich verstehe dich nicht", sagte Schulze. „Warum soll so ein hübsches,

kluges, lustiges Mädchen, das ein Grübchen hat und in der Iris goldne
Pünktchen, — warum soll sie denn keinen Bräutigam haben? Meinst
du, sie hat dich seit Jahren vorgeahnt?"

Fritz sprang auf. „Ich bringe dich um! Aber zuvor gehe ich auf ihr
5 Zimmer. Bleib sitzen, Eduard! Solltest du recht gehabt haben, werde
ich dich nachher aufs Rad flechten. Besorge, bitte, inzwischen ein passen=
des Rad!" Und dann rannte Doktor Hagedorn treppauf.

Geheimrat Tobler sah ihm lächelnd nach.

Einige Minuten später kam Herr Johann Kesselhuth, bereits im
10 Smoking, in die Halle zurück. Er hinkte noch immer ein bißchen. „Sind
Sie mir sehr böse, Herr Geheimrat?" fragte er bekümmert. „Ich hatte
Fräulein Hildegard versprochen, jeden Tag über unser Befinden zu
berichten. Wer konnte denn ahnen, daß sie hierherkämen? Daran ist
aber bloß die Kunkel schuld, dieser Trampel."

15 „Schon gut, Johann", sagte Tobler. „Es ist nicht mehr zu ändern.
Wissen Sie schon das Neueste?"

„Ist es etwas mit der Wirtschaftskrise?"

„Nicht direkt, Johann. Nächstens gibt's eine Verlobung."

„Wollen Sie sich wieder verheiraten, Herr Geheimrat?"

20 „Nein, Sie alter Esel. Doktor Hagedorn wird sich verloben!"

„Mit wem denn, wenn man fragen darf?"

„Mit Fräulein Hilde Schulze!"

Johann begann wie die aufgehende Sonne zu strahlen. „Das ist
recht", meinte er. „Da werden wir bald Großvater."

25 Nach längerem Suchen fand Hagedorn die Zimmer von Tante Jul=
chen und deren Nichte.

„Das gnädige Fräulein hat einundachtzig", sagte das Stubenmäd=
chen und knickste.

Er klopfte.

Er hörte Schritte. „Was gibt's?"

„Ich muß Sie dringend etwas fragen", sagte er gepreßt.

„Das geht nicht", antwortete Hildes Stimme. „Ich bin beim Um=
ziehen." 5

„Dann spielen wir drei Fragen hinter der Tür*", meinte er.

„Also, schießen Sie los, Herr Doktor!" Sie legte ein Ohr an die Tür=
füllung, aber sie vernahm nur das laute, aufgeregte Klopfen ihres
Herzens. „Wie lautet die erste Frage?"

„Genau wie die zweite", sagte er. 10

„Und wie ist die zweite Frage?"

„Genau wie die dritte", sagte er.

„Und wie heißt die dritte Frage?"

Er räusperte sich. „Haben Sie schon einen Bräutigam, Hilde?"

Sie schwieg lange. Er schloß die Augen. Dann hörte er, es schien eine 15
Ewigkeit vergangen zu sein, die drei Worte: „Noch nicht, Fritz."

„Hurra!" rief er, daß es im Korridor widerhallte. Dann rannte er davon.

Die Tür des Nebenzimmers öffnete sich vorsichtig. Tante Julchen
spähte aus dem Spalt und murmelte: „Diese jungen Leute!"

Das fünfzehnte Kapitel 20

Auf dem Wolkenstein

Frau Kunkel fragte: „Und hat sich der Doktor erklärt?"

„Wollen Sie sich deutlicher ausdrücken?" fragte Hilde.

„Hat er die vierte Frage hinter der Tür gestellt?"

„Ach so! Sie haben gestern nachmittag gehorcht! Nein, die vierte 25
Frage hat er nicht gestellt."

„Warum denn nicht?"

„Vielleicht war keine Tür da", meinte Fräulein Tobler. „Außerdem waren wir ja nie allein."

Frau Kunkel sagte: „Ich verstehe Sie ja nicht ganz, Fräulein Hilde."

5 „Meines Wissens verlangt das auch kein Mensch."

„So ein arbeitsloser Doktor, das ist doch kein Mann für Sie. Wenn ich bedenke, was für Partien* Sie machen könnten!"

„Werden Sie jetzt nicht ulkig!" sagte Hilde. „Partien machen! Wenn ich das schon höre*! Eine Ehe ist doch kein Ausflug!" Sie stand 10 auf, zog die Norwegerjacke an und ging zur Tür. „Kommen Sie! Sie sollen Ihren Willen haben. Wir werden eine Partie machen!"

Tante Julchen lief erregt hinterher. Auf der Treppe mußte sie um= kehren, weil sie die Tasche vergessen hatte. Als sie in die Halle eintraf, standen die andern schon vor der Hoteltür und warfen nach dem schönen 15 Kasimir mit Schneebällen.

Sie trat ins Freie und fragte: „Wo soll denn die Reise hingehen?"

Herr Schulze zeigte auf die Berge. Und Hagedorn rief: „Auf den Wolkenstein!"

Tante Julchen schauderte. „Gehen Sie immer* voraus!" bat sie. 20 „Ich komme gleich nach. Ich habe die Handschuhe vergessen."

Herr Kesselhuth lächelte schadenfroh und sagte: „Bleiben Sie nur hier. Ich borge Ihnen meine."

Als Frau Kunkel die Talstation der Drahtseilbahn erblickte, riß sie sich los. Die Männer mußten sie wieder einfangen. Sie strampelte und 25 jammerte, als man sie in den Wagen schob. Es war, als würde Vieh verladen. Die andern Fahrgäste lachten sie aus.

„Dort hinauf soll ich?" rief sie. „Wenn nun das Seil reißt?"

„Dieserhalb sind zwei Reserveseile da", meinte der Schaffner.

„Und wenn die Reserveseile reißen?"

„Dann steigen wir auf freier Strecke aus", behauptete Hagedorn.

Sie randalierte weiter, bis Hilde sagte: „Liebe Tante, willst du denn, daß wir andern ohne dich abstürzen?"

Frau Kunkel verstummte augenblicklich, blickte ihre Nichte und Herrn Schulze treuherzig an und schüttelte den Kopf. „Nein", sagte sie sanft wie ein Lamm, „dann will ich auch nicht weiterleben."

Der Wagen hob sich und glitt aus der Halle. Während der ersten zehn Minuten hielt Tante Julchen die Augen fest zugekniffen. Jedesmal, wenn man, schaukelnd und schwankend, einen der Pfeiler passierte, bewegte sie lautlos die Lippen.

Die Hälfte der Strecke war ungefähr vorüber. Sie hob vorsichtig die Lider und blinzelte durchs Fenster. Man schwebte gerade hoch über einem mit Felszacken, Eissäulen und erstarrten Sturzbächen reichhaltig ausgestatteten Abgrund. Die andern Fahrgäste schauten andächtig in die grandiose Tiefe. Tante Julchen stöhnte auf, und ihre Zähne schlugen gegeneinander.

„Sind Sie aber ein Angsthase!" meinte Schulze ärgerlich.

Sie war empört. „Ich kann Angst haben, so viel ich will! Warum soll ich denn mutig sein? Wie komme ich dazu? Mut ist Geschmackssache. Habe ich recht, meine Herrschaften? Wenn ich General wäre, meinetwegen! Das ist etwas anderes. Aber so? Als meine Schwester und ich noch Kinder waren — meine Schwester ist in Halle an der Saale verheiratet, recht gut sogar, mit einem Oberpostinspektor, Kinder haben sie auch, zwei Stück, die sind nun auch schon lange aus der Schule, was wollte ich eigentlich sagen? richtig, ich weiß schon wieder — damals waren wir in den großen Ferien auf einem Gut — es gehörte einem entfernten Onkel von unserem Vater, eigentlich waren sie nur Jugendfreunde und gar nicht verwandt, aber wir Mädchen nannten ihn Onkel, später mußte er das Gut verkaufen, denn die Landwirte haben es sehr schwer, aber das wissen Sie ja alle, vielleicht ist er auch schon tot, wahrscheinlich sogar, denn ich bin heute — natürlich muß er tot sein, denn hundertzwanzig Jahre alt wird doch kein Mensch, es gibt natürlich Ausnahmen, vor allem in der Türkei, habe ich gelesen."

Bums! Die Drahtseilbahn hielt. Man war an der Gipfelstation angelangt. Die Fahrgäste stiegen laut lachend aus.

„Die alte Frau hat den Höhenrausch", sagte ein Schifahrer.

Tante Julchen und die beiden älteren Herren machten es sich in den Liegestühlen bequem.

„Willst du nicht erst das Panorama bewundern, liebe Tante?" fragte Hilde. Sie stand neben Hagedorn an der Brüstung und blickte in die Runde.

„Laßt mich mit euren Bergen zufrieden!" knurrte die Tante, faltete die Hände überm Kostümjackett und sagte: „Ich liege gut."

„Ich glaube, wir stören", flüsterte Hagedorn.

Schulze hatte scharfe Ohren. „Macht, daß ihr fortkommt!" befahl er. „Aber in einer Stunde seid ihr zurück, sonst raucht's! Kehrt, marsch!"

Dann fiel ihm noch etwas ein. „Fritz! Vergiß nicht, daß ich Mutterstelle an dir vertrete!"

„Mein Gedächtnis hat seit gestern sehr gelitten", erklärte der junge Mann. Dann folgte er Hilde. Doch er wurde noch einmal aufgehalten. Aus einem Liegestuhl streckte sich ihm eine Frauenhand entgegen. Es war die Mallebré. „Servus, Herr Doktor!" sagte sie und ließ hierbei ihre schöne Altstimme vibrieren. Sie sah resigniert in seine Augen. „Darf ich Sie mit meinem Mann bekannt machen? Er kam heute morgen an."

„Welch freudige Überraschung!" meinte Hagedorn und begrüßte einen eleganten Herrn mit schwarzem Schnurrbart und müdem Blick.

9

„Ich habe schon von Ihnen gehört", sagte Herr von Mallebré. „Sie sind der Gesprächsstoff dieser Saison. Meine Verehrung!"

Hagedorn verabschiedete sich rasch und folgte Hilde, die am Fuß der Holztreppe im Schnee stand und wartete. „Schon wieder eine Anbeterin?" fragte sie.

Er zuckte die Achseln. „Sie wollte von mir gerettet werden", berichtete er. „Sie leidet an chronischer Anpassungsfähigkeit. Da ihre letzten Liebhaber mehr oder weniger oberflächlicher Natur waren, entschloß sie sich, die Verwahrlosung ihres reichen Innenlebens befürchtend, zu einer Radikalkur. Sie wollte sich an einem wertvollen Menschen emporranken. Der wertvolle Mensch sollte ich sein. Aber nun ist ja der Gatte eingetroffen!"

Sie kreuzten den Weg, der zur Station hinunterführte. Der nächste Wagen war eben angekommen. Allen Fahrgästen voran kletterte Frau Casparius ins Freie. Dann steckte sie burschikos die Hände in die Hosentaschen und stiefelte eifrig zum Hotel empor. Hinter ihr, mit zwei Paar Schneeschuhen bewaffnet, ächzte Lenz aus Köln.

Die blonde Bremerin erblickte Hagedorn und Hilde, kriegte böse Augen* und rief: „Hallo, Doktor! Was machen Ihre kleinen Katzen? Grüßen Sie sie von mir!" Sie verschwand mit Riesenschritten im Hotel.

Hildegard ging schweigend neben Fritz her. Erst als sie, nach einer Wegbiegung, allein waren, fragte sie: „Wollte diese impertinente Person ebenfalls gerettet werden?"

Hagedorns Herz hüpfte. ‚Sie ist schon eifersüchtig', dachte er gerührt. Dann sagte er: „Nein. Sie hatte andere Pläne. Sie erklärte, daß wir jung, blühend und gesund seien. So etwas verpflichte. Platonische Vorreden seien auf ein Mindestmaß zu beschränken."

„Und was wollte sie mit Ihren Katzen?"

„Vor einigen Tagen klopfte es an meiner Tür. Ich rief ‚herein'! weil ich dachte, es sei Eduard. Es war aber Frau Casparius. Sie legte sich auf den kostbaren Perserteppich und spielte mit den Kätzchen. Später kam dann Eduard, und da ging sie wieder. Sie heißt Hortense."

„Das ist ja allerhand*", meinte Hildegard. „Ich glaube, Herr Doktor, auf Sie müßte jemand aufpassen. Sie machen sonst zuviel Dummheiten."

Er nickte verzweifelt. „So geht es auf keinen Fall weiter. Das heißt: Eduard paßt ja auf mich auf."

„Eduard?" fragte sie höhnisch. „Eduard ist nicht streng genug. Außerdem ist das keine Aufgabe für einen Mann!"

„Wie recht Sie haben!" rief er. „Aber wer soll es sonst tun?"

„Versuchen Sie's doch einmal mit einem Inserat", schlug sie vor. „Kinderfrau gesucht!"

„Kinderfräulein", verbesserte er gewissenhaft. „Kost und Logis gratis. Liebevolle Behandlung zugesichert."

„Jawohl!" sagte sie zornig. „Mindestens sechzig Jahre alt! Besitz eines Waffenscheins Vorbedingung!" Sie verließ den Weg und stolperte, vor sich hin schimpfend, über ein blütenweißes Schneefeld.

Er hatte Mühe, einigermaßen Schritt zu halten.

Einmal drehte sie sich um. „Lachen Sie nicht!" rief sie außer sich. „Sie Wüstling!" Dann rannte sie gehetzt weiter.

„Wollen Sie gleich stehenbleiben!" befahl er.

In demselben Augenblick brach sie im Schnee ein. Sie versank bis an die Hüften. Erst machte sie ein erschrockenes Gesicht. Dann begann sie wild zu strampeln. Aber sie glitt immer tiefer in den Schnee. Es sah aus, als gehe sie unter.

Hagedorn eilte zu Hilfe. „Fassen Sie meine Hand an!" sagte er besorgt. „Ich ziehe Sie heraus."

Sie schüttelte den Kopf. „Unterstehen Sie sich! Ich bin keine von denen, die sich retten lassen." In ihren Augen standen Tränen.

Nun war er nicht mehr zu halten. Er bückte sich, packte zu, zog sie aus der Schneewehe, umfing sie mit beiden Armen und küßte sie auf den Mund.

Später sagte sie: „Du Schuft! Du Canaille! Du Halunke! Du Mädchenhändler!" Und dann gab sie ihm den Kuß, ohne Abzüge, zurück. 5 Hierbei hämmerte sie anfangs mit ihren kleinen Fäusten auf seinen Schultern herum. Später öffneten sich die Fäuste. Dafür schlossen sich, ganz allmählich, ihre Augen. Noch immer hingen kleine Tränen in den langen, dunklen Wimpern.

„Na, wie war's?" fragte Schulze, als sie wiederkamen. 10

„Das läßt sich schwer beschreiben", sagte Hagedorn.

„Ja, ja", meinte Herr Kesselhuth verständnisvoll. „Diese Gletscher und Durchblicke und Schneefelder überall! Da fehlen einem die Worte."

„Vor allem die Schneefelder!" bestätigte der junge Mann. Hilde sah ihn streng an. 15

Tante Julchen erwachte gerade. Ihr Gesicht war rotgebrannt. Sie gähnte und rieb sich die Augen.

Hilde setzte sich und sagte: „Komm, Fritz! Neben mir ist noch ein Platz frei."

Die Tante fuhr elektrisiert hoch. „Was ist denn passiert?" 20

„Nichts Außergewöhnliches", meinte das junge Mädchen.

„Aber du duzt ihn ja!" rief die alte Frau.

„Ich nehme das Ihrer Nichte nicht weiter übel", bemerkte Hagedorn.

„Er duzt mich ja auch!" sagte Hilde. 25

„Es ist an dem", erklärte Fritz. „Hilde und ich haben beschlossen, während der nächsten fünfzig Jahre zueinander du zu sagen."

„Und dann?" fragte Tante Julchen.

„Dann lassen wir uns scheiden", behauptete die Nichte.

„Meine herzlichsten Glückwünsche!" rief Herr Kesselhuth erfreut.

Während die Tante noch immer nach Luft rang, fragte Schulze: „Liebes Fräulein, haben Sie zufällig irgendwelche Angehörigen?"

5 „Ich bin so frei", erklärte das junge Mädchen. „Ich bin zufällig im Besitz eines Vaters."

Hagedorn fand das sehr gelungen. „Ist er wenigstens nett?" fragte er.

„Es läßt sich mit ihm auskommen", meinte Hilde. „Er hat glücklicherweise sehr viele Fehler. Das hat seine väterliche Autorität restlos unter-
10 graben."

„Und wenn er mich nun absolut nicht leiden kann?" fragte der junge Mann bekümmert. „Vielleicht will er, daß du einen Bankdirektor heiratest. Oder einen Tierarzt aus der Nachbarschaft. Oder einen Studienrat, der ihm jeden Morgen in der Straßenbahn gegenüber sitzt. Das ist
15 alles schon vorgekommen. Na, und wenn er erst hört, daß ich nicht einmal eine Anstellung habe!"

„Du wirst schon eine finden", tröstete Hilde. „Und wenn er dann noch etwas dagegen hat, grüßen wir ihn auf der Straße nicht mehr. Das kann er nämlich nicht leiden."

20 Schulze sagte: „So ist's recht! Ihr werdet ihn schon kleinkriegen, den ollen Kerl!"

Herr Kesselhuth hob abwehrend die Hand. „Sie sollten von Herrn Schulze nicht so abfällig sprechen, Herr Schulze!"

Tante Julchen wurde es zuviel. Sie stand auf und wollte nach Bruck-
25 beuren zurück. „Aber mit der Drahtseilbahn fahre ich nicht!"

„Zu Fuß ist die Strecke noch viel gefährlicher", sagte Hagedorn. „Außerdem dauert es vier Stunden."

„Dann bleibe ich hier oben und warte bis zum Frühling", erklärte die Tante kategorisch.

„Ich habe doch aber schon die Rückfahrkarten gelöst!" meinte Herr
Kesselhuth. „Soll denn Ihr Billett verfallen?"

Tante Julchen rang mit sich. Es war ergreifend anzusehen. Endlich
sagte sie: „Das ist natürlich etwas anderes." Und dann schritt sie als
erste zur Station.   5

Sparsamkeit macht Helden.

Das sechzehnte Kapitel

Hoffnungen und Entwürfe

Am frühen Nachmittag, während die älteren Herrschaften je ein
Schläfchen absolvierten, gingen Hildegard und Fritz in den Wald. Sie   10
faßten sich bei den Händen. Sie blickten einander von Zeit zu Zeit
lächelnd an. Sie blieben manchmal stehen, küßten sich und strichen ein=
ander zärtlich übers Haar. Sie spielten Haschen. Sie schwiegen meist und
hätten jede Tanne umarmen mögen. Das Glück lastete auf ihren Schul=
tern wie viele Zentner Konfekt.   15

Fritz meinte nachdenklich: „Eigentlich sind wir doch zwei ziemlich ge=
scheite Lebewesen. Wie kommt es dann, daß wir uns genau so albern
benehmen wie andere Liebespaare? Wir halten uns an den Händchen.
Wir stolpern Arm in Arm durch die kahle Natur. Wir bissen* einander
am liebsten die Nasenspitze ab. Ist das nicht idiotisch?"   20

Hilde kreuzte die Arme vor der Brust, verneigte sich dreimal und
sagte: „Erhabner Sultan, gestatte deiner sehr unwürdigen Dienerin
die Bemerkung, daß die Klugheit im Liebeskonzert der Völker noch
nie die erste Geige spielte."

„Stehen Sie auf, teuerste Gräfin!" rief er pathetisch, obwohl sie   25
gar nicht kniete. „Stehen Sie auf! Wer so klug ist, daß er die Grenzen

der Klugheit erkennt, muß belohnt werden. Ich ernenne Sie hiermit zu meiner Kammerzofe à la suite*!"

Sie machte einen Hofknicks. „Ich werde sogleich vor Rührung weinen, Majestät, und bitte, in meinen Tränen baden zu dürfen."

5 „Es sei!" erklärte er königlich. „Erkälten Sie sich aber nicht! Und wann treten Sie Ihren Dienst an meinem Hofe an?"

„Sobald du willst", erklärte sie. Dann begann sie plötzlich, trotz der Nagelschuhe, zu tanzen.

Nach einiger Zeit wurde er ernst. „Wieviel Geld muß ich verdienen, 10 damit wir heiraten können? Bist du sehr anspruchsvoll? Was kostet der Ring, den du am Finger hast?"

„Zweitausend Mark."

„Ach, du grüne Neune*", rief er.

„Das ist doch schön", meinte sie. „Den können wir versetzen!"

15 „Ich werde dich gleich übers Knie legen! Wir werden nicht von dem leben, was du versetzst, sondern von dem, was ich verdiene."

Sie stemmte die Hände in die Hüften. „Aha! Das könnte dir so passen! Du widerwärtiger Egoist! Alle Männer sind Egoisten. Vier Monate lang könnten wir von dem Ring leben! In einer Dreizimmerwoh= 20 nung mit indirekter Beleuchtung! Zentralheizung und Fahrstuhl inklusive! Und sonntags könnten wir miteinander zum Fenster hinaus= gucken! Aber nein! Lieber stopfst du mich in eine Konservenbüchse wie junges Gemüse*. Bis ich einen grauen Bart kriege. Ich bin aber kein junges Gemüse!"

25 „Doch", wagte er zu bemerken.

„Ich schmeiße den blöden Ring in den Schnee!" rief sie. Und sie tat es wirklich. Gleich darauf krochen sie auf allen vieren im Wald umher. Endlich fand er den Ring wieder.

„Ätsch!" machte sie. „Nun gehört er dir!"

Er steckte ihn an ihren Finger und sagte: „Ich borge ihn dir bis auf weiteres." Nach einer Weile fragte er: „Du glaubst also, daß wir mit fünfhundert Mark im Monat auskommen?"

„Na klar."

„Und wenn ich weniger verdiene?" 5

„Dann kommen wir mit weniger aus", meinte sie überzeugt. „Du darfst das Geld nicht so ernst nehmen, Fritz. Wenn alle Stränge reißen, pumpen wir meinen Vater an. Damit er weiß, wozu er auf der Welt ist."

„Du bist wahnwitzig", sagte er. „Du verstehst nichts von Geld. Und 10 von Männern verstehst du noch weniger. Dein Vater könnte der Schah von Persien sein, — ich nähme keinen Pfennig von ihm geschenkt."

Sie hob sich auf die Zehenspitzen und flüsterte ihm ins Ohr: „Liebling, mein Vater ist doch aber gar nicht der Schah von Persien!"

„Da haben wir's", sagte er. „Da siehst du wieder einmal, daß ich 15 immer recht habe."

„Du bist ein Dickschädel", erwiderte sie. „Zur Strafe fällt Klein-Hildegard nunmehr in eine tiefe Ohnmacht." Sie machte sich stocksteif, kippte in seine ausgebreiteten Arme, blinzelte vorsichtig durch die gesenkten Lider und spitzte die Lippen. 20

Inzwischen hatten die älteren Herrschaften das Nachmittagsschläfchen erfolgreich beendet. Johann stieg, über die Dienstbotentreppe, ins fünfte Stockwerk und brachte Blumen, eine Kiste Zigarren, frische Rasierklingen, sowie Geheimrat Toblers violette Hose, die er gebügelt hatte. 25

Der Geheimrat stand ohne Beinkleider in seinem elektrisch geheizten Dachstübchen und sagte: „Deswegen suche ich wie ein Irrer! Ich wollte gerade in Unterhosen zum Fünfuhrtee gehen."

„Ich habe die Hose, während Sie schliefen, aus Ihrem Zimmer ge=
holt. Sie sah skandalös aus."

„Hauptsache, daß sie Ihnen jetzt gefällt", meinte Tobler. Er kleidete
sich an. Johann bürstete ihm Jackett und Schuhe. Dann gingen sie und
5 klopften unterwegs an Frau Kunkels Zimmer. Tante Julchen rauschte
imposant in den Korridor.

„Sie haben sich ja geschminkt!" meinte Johann.

„Ein ganz kleines bißchen", sagte sie. „Man fällt sonst aus dem Rah=
men*. Wir können schließlich nicht alle miteinander wie die Vagabun=
10 den herumrennen! Herr Geheimrat, ich habe ein paar Anzüge mitge=
bracht. Wollen Sie sich nicht endlich umziehen? Heute früh haben die
Leute oben auf dem hohen Berg gräßliche Bemerkungen gemacht."

„Halten Sie den Mund, Kunkel!" befahl Tobler. „Es ist egal!"

Dann tranken sie in der Halle Kaffee. Frau Kunkel aß Torte und
15 sah den Tanzpaaren zu. Die beiden Männer lasen Zeitung und rauch=
ten schwarze Zigarren.

Plötzlich trat ein Boy an den Tisch und sagte: „Herr Schulze, Sie
sollen mal zum Herrn Portier kommen!"

Tobler, der, in Gedanken versunken, Zeitung las, meinte: „Johann,
20 sehen Sie nach, was er will!"

„Schrecklich gern", flüsterte Herr Kesselhuth. „Aber das geht doch nicht."

Der Geheimrat legte das Blatt beiseite. „Das geht wirklich nicht."
Er blickte den Boy an. „Einen schönen Gruß, und ich läse Zeitung.
Wenn der Herr Portier etwas von mir will, soll er herkommen."

25 Der Junge machte ein dämliches Gesicht und verschwand. Der Ge=
heimrat griff erneut zur Zeitung. Frau Kunkel und Johann blickten
gespannt zur Portierloge hinüber.

Kurz darauf kam Onkel Polter an. „Ich höre, daß Sie sehr beschäftigt
sind", meinte er mürrisch.

Tobler nickte gleichmütig und las weiter.

„Wie lange kann das dauern?" fragte der Portier und bekam rote Backen.

„Schwer zu sagen", meinte Tobler. „Ich bin erst beim Leitartikel."

Der Portier schwitzte schon. „Die Hoteldirektion wollte Sie um eine kleine Gefälligkeit bitten."

„Oh, darf ich endlich den Schornstein fegen?"

„Sie sollen für ein paar Stunden die Schihalle beaufsichtigen. Bis die letzten Gäste herein sind. Der Sepp ist verhindert."

„Hat er die Masern?" fragte der andere. „Sollte ihn das Kind der Botenfrau angesteckt haben?"

Der Portier knirschte mit den Zähnen. „Die Gründe tun nichts zur Sache. Dürfen wir auf Sie zählen?"

Herr Schulze schüttelte den Kopf. Er schien die Absage selber zu bedauern. „Ich mag heute nicht. Vielleicht ein andermal."

Die Umsitzenden spitzten die Ohren. Frau Casparius, die an einem der Nebentische saß, reckte den Hals.

Onkel Polter senkte die Stimme. „Ist das Ihr letztes Wort?"

„In der Tat", versicherte Schulze. „Sie wissen, wie gern ich Ihrem offensichtlichen Personalmangel abhelfe. Aber heute bin ich nicht in der richtigen Stimmung. Ich glaube, das Barometer fällt. Ich bin ein sensibler Mensch. Guten Abend!"

Der Portier trat noch einen Schritt näher. „Folgen Sie mir endlich!" Hierbei legte er seine Rechte auf Schulzes Schulter. „Ein bißchen plötzlich, bitte!"

Da aber drehte sich Schulze herum und schlug dem Portier energisch auf die Finger. „Nehmen Sie sofort die Hand von meinem Anzug!" fügte er drohend hinzu. „Ich möchte Sie darauf aufmerksam machen, daß ich jähzornig bin."

Der Portier bekam Fäuste. Sein Atem pfiff. Er erinnerte an eine
Kaffeemaschine, die den Siedepunkt erreicht hat. Aber er sagte nur:
„Wir sprechen uns noch*." Dann ging er. An den Nebentischen wurde
erregt geflüstert. Die Augen der Bremer Blondine schillerten giftig.

5 „Hätten Sie ihm doch eine geklebt", meinte Tante Julchen. „Es ist
immer dasselbe, Herr Geheimrat. Sie sind zu gutmütig."

„Ruhe!" flüsterte Tobler. „Die Kinder kommen."

Als sich Doktor Hagedorn fürs Abendessen umkleidete, brachte der
Liftboy einen Einschreibebrief und, mit Empfehlungen vom Portier,
10 ein paar ausländische Briefmarken. Fritz quittierte. Dann öffnete er
den Umschlag. Wer schickte ihm denn Einschreibebriefe nach Bruckbeuren?
Er stolperte lesend über den Teppich. Er fiel aufs Sofa, mitten zwischen
die drei spielenden Katzen, und starrte hypnotisiert auf das Schreiben.
Dann drehte er das Kuvert um. Ein Stück Papier rutschte heraus.
15 Ein Scheck über fünfhundert Mark! Er fuhr sich aufgeregt durchs
Haar.

Eine der Katzen kletterte auf seine Schulter, rieb ihren Kopf an seinem
Ohr und schnurrte. Er stand auf, hielt sich, weil ihm schwindelte, am
Tisch fest und trat langsam zum Fenster. Vor ihm lagen der verschneite
20 Park, die spiegelglatte Eisbahn, die Schihalle mit dem weißen Dach.
Hagedorn sah nichts von alledem.

Die Katze krallte sich ängstlich in dem blauen Jackett fest. Er lief kreuz
und quer durchs Zimmer. Sie miaute kläglich. Er nahm sie von seiner
Schulter, setzte sie auf den Rauchtisch und ging weiter. Er bückte sich,
25 nahm den Scheck hoch, den Brief auch. Dann sagte er: „Nun ist der
Bart ab*!" Etwas Passenderes fiel ihm nicht ein.

Plötzlich rannte er aus dem Zimmer. Im Korridor begegnete ihm
das Stubenmädchen. Sie blickte ihn lächelnd an, wünschte guten Abend

und fragte: „Haben* der Herr Doktor absichtlich keine Krawatte um=
gebunden?"

Er blieb stehen. „Wie bitte? Ach so. Nein. Danke schön." Er ging in
seine Gemächer zurück. Hier begann er zu pfeifen. Etwas später begab
er sich, die Tür weit offen lassend, zum Portier hinunter und verlangte   5
ein Telegrammformular.

„Entschuldigung, Herr Doktor. Haben Sie absichtlich keine Krawatte
umgebunden?"

„Wieso?" fragte Hagedorn. „Ich war doch extra deswegen noch ein=
mal in meinem Zimmer!" Er griff sich an den Hemdkragen und schüt=   10
telte den Kopf. „Tatsächlich! Na, erst muß ich depeschieren." Er beugte
sich über das Formular und adressierte es an: „Fleischerei Kuchenbuch,
Charlottenburg, Mommsenstraße 7." Dann schrieb er: „Anrufe* Diens=
tag 10 Uhr stop erbitte Mutter ans Telefon stop vorbereitet freudige
Mitteilung. Fritz Hagedorn."   15

Er reichte das Formular über den Tisch. „Wenn meine Mutter eine
Depesche kriegt, denkt sie, ich bin unter eine Lawine gekommen. Drum
depeschiere ich dem Fleischer von nebenan. Der Mann hat Gemüt."

Der Portier nickte höflich, obwohl er nicht verstand, worum es sich
handelte.   20

Hagedorn ging in den Speisesaal. Die anderen saßen schon bei Tisch.
Er sagte: „Mahlzeit*!" und nahm Platz.

„Haben Sie absichtlich keine Krawatte umgebunden?" fragte Tante
Julchen.

„Ich bitte um Nachsicht", meinte er. „Ich habe heute einen Webe=   25
fehler*."

„Wovon denn, mein Junge?" erkundigte sich Schulze.

Hagedorn klopfte mit einem Löffel ans Glas. „Wißt ihr, was los
ist? Ich bin engagiert! Ich habe vom nächsten Ersten ab eine Anstel=

lung! Mit achthundert Mark im Monat! Es ist zum Überschnappen!
Eduard, hast du noch keinen Brief bekommen? Nein? Dann kriegst du
ihn noch. Verlaß dich drauf! Man schreibt mir, wir zwei hätten künftig
geschäftlich miteinander zu tun. Freust du dich, oller Knabe? Hach, ist
das Leben schön!" Er blickte den Schiffahrtsbesitzer Johann Kesselhuth
an. „Haben Sie vielen Dank! Ich bin so glücklich!" Er drückte dem
soignierten alten Herrn gerührt die Hand. „Eduard, bedanke dich
auch!"

Schulze lachte. „Das hätte ich fast vergessen. Also, besten Dank, mein
Herr!"

Kesselhuth rutschte verlegen auf seinem Stuhl hin und her. Tante
Julchen sah verständnislos von einem zum anderen.

Hagedorn griff in die Tasche und legte den Scheck über fünfhundert
Mark neben Hildes Teller. „Eine Sondergratifikation! Kinder, ist das
eine noble Firma! Fünfhundert Mark, noch ehe man den kleinen Finger
krumm gemacht hat! Der Abteilungschef schreibt, ich möge mich im
Interesse des Unternehmens bestens erholen. Bestens! Was sagt ihr
dazu?"

„Prächtig, prächtig", meinte Hilde. „Da kannst du morgen gleich deiner Mutter etwas schicken, nicht?"

Er nickte. „Jawoll! Zweihundert Mark!"

Hilde sagte: „Ich gratuliere dir zu deiner Anstellung von ganzem
Herzen."

„Ich dir auch", antwortete er fröhlich. „Nun kriegst du endlich einen
Mann."

„Wen denn?" fragte Tante Julchen. „Ach, so, ich weiß schon. Na ja
Damit Sie's wissen, Herr Doktor, ich bin nicht sehr dafür."

„Es tut mir leid", sagte er. „Aber ich kann leider auf Hildes Tanten
keine Rücksicht nehmen. Das würde zu weit führen. Liebling, ob dein

Vater einverstanden sein wird? Achthundert Mark sind doch 'ne Stange
Geld."

Frau Kunkel lachte despektierlich.

„Paß mal auf", sagte Hilde. „Wir werden sogar sparen. Wir brau=
chen kein Dienstmädchen, sondern ich lasse dreimal in der Woche eine 5
Aufwartefrau kommen."

Am gleichen Abend fand, eine Stunde später, ein Gespräch statt,
das nicht ohne Folgen bleiben sollte. Frau Casparius kam zu Onkel
Polter, der hinter seinem Ladentisch saß und eine englische Zeitung
überflog. „Ich habe mit Ihnen zu reden", erklärte sie.   10

Er stand langsam auf. Die Füße taten ihm weh.

„Wir kennen einander seit fünf Jahren, nicht wahr?"

„Jawohl, gnädige Frau."

Sie lächelte, griff in ihre kleine Brokattasche und gab ihm ein Bün=
del Banknoten. „Es sind fünfhundert Mark", erklärte sie obenhin. „Ich 15
habe die Summe gerade übrig."

Er nahm das Geld. „Gnädige Frau, verfügen Sie über mich!"

Sie holte eine Zigarette aus dem goldenen Etui. Er gab ihr Feuer.
Sie rauchte und blickte ihn prüfend an. „Hat sich eigentlich noch keiner
der Gäste über Herrn Schulze beschwert?"   20

„O doch", sagte er. „Man hat sich wiederholt erkundigt, wieso ein
derartig abgerissen gekleideter Mensch gerade in unserem Hotel wohnt.
Dazu kommt ja noch, daß sich der Mann im höchsten Grade unverschämt
aufführt. Ich selber hatte heute nachmittag einen Auftritt mit ihm, der
jeder Beschreibung spottet."   25

„Diese Beschreibung wäre zudem überflüssig", erklärte sie. „Ich saß am
Nebentisch. Es war skandalös! Sie sollten sich eine solche Unverfroren=
heit nicht bieten lassen. Das untergräbt den guten Ruf Ihres Hotels."

Der Portier zuckte die Achseln. „Was kann ich dagegen tun, gnädige Frau? Gast bleibt Gast."

„Hören Sie zu! Mir liegt daran, daß Herr Schulze umgehend verschwindet. Die Gründe tun nichts zur Sache."

5 Er verzog keine Miene.

„Sie sind ein intelligenter Mensch", sagte sie. „Beeinflussen Sie den Hoteldirektor! Übertreiben Sie die Beschwerden, die gegen Schulze geführt wurden. Fügen Sie hinzu, daß ich niemals wieder hierherkomme, falls nichts unternommen wird. Herr Lenz geht übrigens mit 10 mir d'accord*."

„Und was soll praktisch geschehen?"

„Herr Kühne soll morgen dem Schulze vorschlagen, im Interesse der Gäste und des Hotels abzureisen. Der Mann ist offensichtlich sehr bedürftig. Bieten Sie ihm eine pekuniäre Entschädigung an! Die Höhe 15 der Summe ist mir gleichgültig. Geben Sie ihm dreihundert Mark. Das ist für ihn ein Vermögen."

„Ich verstehe", meinte der Portier.

„Um so besser", meinte sie hochmütig. „Was Sie von den fünfhundert Mark übrigbehalten, gehört selbstverständlich Ihnen."

20 Er verbeugte sich dankend. „Ich werde tun, was in meinen Kräften steht, gnädige Frau."

„Noch eins", sagte sie. „Wenn dieser Herr Schulze morgen nachmittag nicht verschwunden sein sollte, reise ich mit dem Abendzug nach Sankt Moritz. Auch das wollen Sie, bitte, Ihrem Direktor ausrichten!" Sie 25 nickte flüchtig und ging in die Bar. Das Abendkleid rauschte. Es klang, als flüstere es in einem fort seinen Preis.

Das siebzehnte Kapitel

Zerstörte Illusionen

Am nächsten Morgen kurz nach acht Uhr klingelte es bei Frau Hage=
born in der Mommsenstraße. Die alte Dame öffnete.

Draußen stand der Lehrling vom Fleischermeister Kuchenbuch. Er 5
war fast zwei Meter groß und wurde Karlchen genannt. „Einen schönen
Gruß vom Meister", sagte Karlchen. „Und um zehn Uhr würde der
Doktor Hagedorn aus den Alpen anrufen. Sie brauchten aber nicht zu
erschrecken."

„Da soll man nicht erschrecken?" fragte die alte Dame. 10

„Nein. Er hat uns gestern abend ein Telegramm geschickt, und wir
sollten Sie, bitte, auf ein freudiges Ereignis vorbereiten."

„Das sieht ihm ähnlich", sagte die Mutter. „Ein freudiges Ereignis?
Ha! Ich komme gleich hinunter. Moment mal, ich hole Ihnen einen
Sechser. Für den Weg*." Sie verschwand, brachte ein Fünfpfennigstück 15
und gab es Karlchen. Er bedankte sich und rannte polternd treppab.

Punkt neun Uhr erschien Frau Hagedorn bei Kuchenbuchs im Laden.

„Karlchen hat natürlich wieder einmal Quatsch gemacht", meinte die
Frau des Fleischermeisters. „Sie kommen eine Stunde zu früh."

„Ich weiß", sagte Mutter Hagedorn. „Aber ich habe zu Hause keine 20
Ruhe. Vielleicht telephoniert er früher. Ich werde Sie gar nicht
stören."

Frau Kuchenbuch lachte gutmütig. Von Stören könne keine Rede
sein. Dann gab sie der alten Dame die Depesche und lud sie zum
Sitzen ein. 25

„Wie er sich hat*!" meinte Frau Hagedorn gereizt. „Er tut ja ge=
rade, als ob ich eine Zinttüte* wäre. So schnell erschrecke ich nun
wirklich nicht."

„Was mag er nur wollen?*" fragte die Meistersfrau.

„Ich bin schrecklich aufgeregt", stellte die alte Dame fest. Dann kamen Kunden, und sie mußte den Mund halten. Sie blickte jede Minute dreimal auf die Wanduhr, die über den Zervelat= und Salamiwürsten hing.

Als kurz nach zehn Uhr das Telephon klingelte, war sie bereits völlig aufgelöst. Sie lief zittrig hinter die Ladentafel, schob sich am Hackblock vorbei, preßte den Hörer krampfhaft ans Ohr und sagte zu Frau Kuchenbuch: „Hoffentlich verstehe ich ihn deutlich. Er ist so weit weg!"

Dann schwieg sie und lauschte angespannt. Plötzlich erstrahlte ihr Gesicht. „Ja?" rief sie mit heller Stimme. „Hier Hagedorn! Fritz, bist du's? Hast du dir ein Bein gebrochen? Nein? Das ist recht. Oder einen Arm? Auch nicht? Da bin ich aber froh, mein Junge. Bist du bestimmt gesund? Wie? Was sagst du? Ich soll ruhig zuhören? Fritz, benimm dich. So spricht man nicht mit seiner Mutter. Nicht einmal telephonisch. Was gibt's?"

Sie schwieg ziemlich lange, hörte angespannt zu und tat unvermittelt einen kleinen Luftsprung.

„Junge, Junge! Mach keine Witze? Achthundert Mark im Monat? Hier in Berlin? Das ist aber schön. Stelle dir vor, du müßtest nach Königsberg oder Köln, und ich säße in der Mommsenstraße und finge Fliegen*. Was soll ich mich? Sprich lauter, Fritz! Es ist jemand im Laden. Ach so, festhalten soll ich mich! Gern, mein Junge. Wozu denn? Was hast du dich? Du hast dich verlobt? Schreck, laß nach! Hildegard Schulze? Kenne ich nicht. Weshalb denn gleich verloben? Dazu muß man sich doch erst näher kennen. Widersprich nicht. Das weiß ich besser. Ich war schon verlobt, da warst du noch gar nicht auf der Welt. Wieso willst du das hoffen? Ach so!"

Sie lachte.

10

„Na, ich werde das Fräulein mal unter die Lupe nehmen. Wenn sie
mir nicht gefällt, erlaube ich's nicht. Lade sie zum Abendessen bei uns
ein! Ist sie verwöhnt? Nein? Dein Glück! Was hast du abgeschickt?
Zweihundert Mark? Ich brauche doch nichts. Also gut. Ich kaufe ein
paar Oberhemden und was du sonst noch brauchst. Müssen wir nicht 5
aufhören, Fritz? Es wird sonst zu teuer. Was ich noch fragen wollte:
Reicht die Wäsche? Habt ihr schönes Wetter? Dort taut es auch? Das
ist aber schade. Und grüße das Mädchen von mir. Nicht vergessen! Und
deinen Freund. Du, der heißt doch auch Schulze! Sie ist wohl seine
Tochter? Gar nicht miteinander verwandt? Soso." 10

Nun hörte die alte Dame wieder längere Zeit zu. Dann fuhr sie fort:
„Also, mein lieber Junge, auf frohes Wiedersehen! Bleib mir gesund!
Komme nicht unter die Straßenbahn. Weiß ich ja. Es gibt gar keine in
eurem Kuhdorf." Sie lachte. „Mir geht's ausgezeichnet. Und vielen
Dank für den Anruf. Das war sehr lieb von dir. Weißt du schon, ob 15
du günstige Fahrtverbindung zum Büro hast? Weißt du noch nicht?
Aha. Wie heißt denn die Firma? Toblerwerke? Die dir den Preis verliehen haben? Da wird sich aber Herr Franke freuen. Natürlich grüß
ich ihn. Selbstverständlich. So, nun wollen wir hinhängen. Sonst kostet
es das Doppelte. Auf Wiedersehen, mein Junge. Ja. Natürlich. Ja, ja. 20
Ja! Auf Wiedersehen!"

„Das waren aber gute Nachrichten", meinte Frau Kuchenbuch an-
erkennend.

„Achthundert Mark im Monat", sagte die alte Dame. „Und vorher
jahrelang keinen Pfennig!" 25

„Achthundert Mark und eine Braut!"

Frau Hagedorn nickte. „Ein bißchen viel aufs Mal, wie? Aber dazu
sind die Kinder ja schließlich da, daß sie später Eltern werden."

„Und wir Großeltern."

„Das wollen wir stark hoffen", meinte die alte Dame. Sie musterte den Ladentisch.

„Geben Sie mir, bitte, ein Viertelpfund Hochrippe. Und ein paar Knochen extra. Und ein Achtel gekochten Schinken. Der Tag muß ge=
5 feiert werden."

Fritz war früh auf der Bank gewesen und hatte den Scheck eingelöst. Dann hatte er im Postamt das Telephongespräch mit Berlin ange= meldet und, während er auf die Verbindung wartete, für seine Mutter zweihundert Mark eingezahlt.

10 Jetzt, nach dem Gespräch, bummelte er guter Laune durch den kleinen altertümlichen Ort und machte Einkäufe. Das ist, wenn man jahrelang jeden Pfennig zehnmal hat umdrehen müssen, ein ergreifendes Ver= gnügen. Jahrelang hat man die Zähne zusammengebissen. Und nun das Glück wie der Blitz eingeschlagen hat, möchte man am liebsten
15 heulen. Na, Schwamm drüber!

Für Herrn Kesselhuth, seinen Gönner, besorgte Doktor Hagedorn eine Kiste kostbarer Havannazigurren. Für Eduard kaufte er in einem kleinen Antiquitätengeschäft einen alten Zinnkrug. Für Hilde erstand er ein seltsames traubenförmiges Ohrgehänge. Es war aus Jade, mat=
20 tem Gold und Halbedelsteinen. Im Blumenladen bestellte er schließ= lich für Tante Julchen einen imposanten Strauß und bat die Ver= käuferin, die Geschenke ins Hotel zu schicken.

Sich selber schenkte er nichts.

Anderthalb Stunden war er im Ort. Als er zurückkam, lag Kasimir,
25 der unvergleichliche Schneemann, in den letzten Zügen. Der Eier= kopf war weggeschmolzen. Der Konfitüreneimer, Kasimirs Helm, saß auf den Schultern. Augen, Nase, Mund und Schnurrbart waren dem geliebten Husaren auf die Heldenbrust gerutscht. Aber noch stand er

aufrecht. Er starb im Stehen, wie es sich für einen Soldaten geziemt.

„Fahr wohl, teurer Kasimir!" sagte Hagedorn. Dann betrat er das Grandhotel. Hier war inzwischen mancherlei geschehen.

Das Unheil hatte harmloserweise damit begonnen, daß der Geheimrat Tobler, seine Tochter, die Kunkel und Johann frühstückten.

Sie saßen im Verandasaal, aßen Brötchen und sprachen über das Tauwetter. Jetzt traten der Portier und der Direktor Kühne feierlich in den Saal und näherten sich dem Tisch.

„Die beiden sehen wie Sekundanten aus, die eine Duellforderung überbringen", behauptete der Geheimrat.

Johann konnte eben noch „Dicke Luft!" murmeln. Da machte Karl der Kühne schon seine Verbeugung und sagte: „Herr Schulze, wir möchten Sie eine Minute sprechen."

Schulze meinte: „Eine Minute? Meinetwegen."

„Wir erwarten Sie nebenan im Schreibzimmer", erklärte der Portier.

„Da können Sie lange warten", behauptete Schulze.

Hilde sah auf ihre Armbanduhr. „Die Minute ist gleich um."

Herr Kühne und Onkel Polter wechselten Blicke. Dann gestand der Direktor, daß es sich um eine delikate Angelegenheit handle.

„Das trifft sich großartig", sagte Tante Julchen. „Für so etwas schwärme ich. Hildegard, halte dir die Ohren zu!"

„Wie Sie wünschen". meinte der Direktor. „Ich wollte Herrn Schulze die Gegenwart von Zeugen ersparen. Kurz und gut, die Hotelbetriebsgesellschaft, deren hiesiger Direktor ich bin, ersucht Sie, unser Haus zu verlassen. Einige unserer Stammgäste haben Anstoß genommen. Seit gestern haben sich die Beschwerden gehäuft. Ein Gast, der begreiflicherweise nicht genannt sein will, hat eine beträchtliche Summe ausgeworfen. Wieviel war es?"

„Zweihundert Mark", sagte Onkel Polter gütig.

„Diese zweihundert Mark", meinte der Direktor, „werden Ihnen ausgehändigt, sobald Sie das Feld räumen. Ich nehme an, daß Ihnen das Geld nicht ungelegen kommt."

„Warum wirft man mich eigentlich hinaus?" fragte Schulze. Er war um einen Schein blässer geworden. Das Erlebnis ging ihm nahe.

„Von Hinauswerfen kann keine Rede sein", sagte Herr Kühne. „Wir ersuchen Sie, wir bitten Sie, wenn Sie so wollen. Uns liegt daran, die anderen Gäste zufriedenzustellen."

„Ich bin ein Schandfleck, wie?" fragte Schulze.

„Ein Mißton", erwiderte der Portier.

Geheimrat Tobler, einer der reichsten Männer Europas, meinte ergriffen: „Armut ist also doch eine Schande."

Aber Onkel Polter zerstörte diese Illusion. „Sie verstehen das Ganze falsch", erklärte er. „Wenn ein Millionär mit drei Schrankkoffern ins Armenhaus zöge und dort dauernd im Frack herumliefe, wäre Reichtum eine Schande! Es kommt auf den Standpunkt an."

„Alles zu seiner Zeit und am rechten Ort" behauptete Herr Kühne.

„Und Sie sind nicht am rechten Ort", sagte Onkel Polter.

Da erhob sich Tante Julchen, trat dicht an Onkel Polter heran, wedelte unmißverständlich mit der rechten Hand und meinte: „Machen Sie, daß Sie fortkommen, sonst knallt's!"

„Lassen Sie den Portier in Ruhe!" befahl Schulze. Er stand auf. „Also gut. Ich reise. Herr Kesselhuth, würden Sie die Güte haben und ein Leihauto bestellen? In zwanzig Minuten fahre ich."

„Ich komme natürlich mit", sagte Herr Kesselhuth. „Portier, meine Rechnung. Aber ein bißchen plötzlich!" Er verschwand im Laufschritt.

„Mein Herr!" rief der Direktor hinterher. „Warum wollen Sie uns denn verlassen?"

Tante Julchen lachte böse. „Sie sind ja wirklich das Dümmste, was 'raus ist! Hoffentlich hebt sich das mit der Zeit. Für meine Nichte und mich die Rechnung! Aber ein bißchen plötzlich!" Sie rauschte davon und stolperte über die Schwelle.

Der Direktor murmelte: „Einfach tierisch!"

„Wo sind die zweihundert Mark?" fragte Herr Schulze streng.

„Sofort", murmelte der Portier, holte die Brieftasche heraus und legte zwei Scheine auf den Tisch.

Schulze nahm das Geld, winkte dem Ober, der an der Tür stand, und gab ihm die zweihundert Mark. „Die Hälfte davon bekommt der Sepp, mit dem ich die Eisbahn gekehrt habe", sagte er. „Werden Sie das nicht vergessen?"

Der Kellner hatte die Sprache verloren. Er schüttelte nur den Kopf.

„Dann ist's gut", meinte Schulze. Er sah den Direktor und den Portier kalt an. „Entfernen Sie sich!"

Die beiden folgten wie die Schulkinder. Geheimrat Tobler und Hilde waren allein.

„Und was wird mit Fritz?" fragte Fräulein Tobler.

Ihr Vater blickte den entschwindenden Gestalten nach. Er sagte: „Morgen kaufe ich das Hotel. Übermorgen fliegen die beiden hinaus."

„Und was wird mit Fritz?" fragte Hilde weinerlich.

„Das erledigen wir in Berlin", erklärte der Geheimrat. „Glaub mir, es ist die beste Lösung. Sollen wir ihm in dieser unmöglichen Situation erzählen, wer wir eigentlich sind?" •

Zwanzig Minuten später fuhr eine große Limousine vor. Sie gehörte dem Lechner Leopold*, einem Fuhrhalter aus Bruckbeuren, und

er saß persönlich am Steuer. Die Hausdiener brachten aus dem Neben=
eingang des Hotels mehrere Koffer und schnallten sie auf dem Klapprost
des Wagens fest.

Der Direktor und der Portier standen vor dem Portal und waren
5 sich nicht im klaren*.

„Einfach tierisch", sagte Herr Kühne. „Der Mann schmeißt zwei=
hundert Mark zum Fenster hinaus. Er läßt seine Freifahrkarte verfallen
und fährt im Auto nach München. Drei Gäste, die er erst seit ein paar
Tagen kennt, schließen sich an. Ich fürchte, wir haben uns da eine sehr
10 heiße Suppe eingebrockt."

„Und das alles wegen dieser mannstollen Casparius!" meinte Onkel
Polter. „Sie will den Schulze doch nur forthaben, damit sie besser an
den kleinen Millionär herankann."

„Ja, warum haben Sie mir denn das nicht früher mitgeteilt?" fragte
15 Karl der Kühne empört.

Der Portier dachte an die dreihundert Mark, die er bei der Trans=
aktion eingesteckt hatte, und steckte den Vorwurf dazu.

Dann kamen Tante Julchen und ihre Nichte. Sie waren mit Hut=
schachteln, Schirmen und Taschen beladen. Der Direktor wollte ihnen
20 beispringen. „Lassen Sie die Finger davon!" befahl die Tante. „Ich
war nur zwei Tage hier. Aber mir hat's genügt. Ich werde Sie, wo
ich kann, weiterempfehlen."

„Ich bin untröstlich", erklärte Herr Kühne.

„Mein Beileid", sagte die Tante.

25 Der Portier fragte: „Meine Damen, warum verlassen Sie uns denn
so plötzlich?"

„Er kommt aus dem Mustopf", meinte Tante Julchen.

„Hier ist ein Brief für Doktor Hagedorn", sagte Hilde. Onkel Polter
nahm ihn ehrfürchtig in Empfang. Das junge Mädchen wandte sich an

den Direktor. „Ehe ich's vergesse: wir haben vor sechs Tagen miteinander telephoniert."

„Nicht daß ich wüßte*, gnädiges Fräulein!"

„Ich bereitete Sie damals auf einen verkleideten Millionär vor."

„Sie waren das?" fragte der Portier. „Und jetzt lassen Sie Herrn Doktor Hagedorn allein?"

„Wie kann ein einzelner Mensch nur so dämlich sein!" meinte Tante Julchen und schüttelte das Haupt.

Hilde sagte: „Tantchen, jetzt keine Fachsimpeleien! Guten Tag, die Herren. Ich glaube, Sie werden lange an den Fehler denken, den Sie heute gemacht haben." Die beiden Damen stiegen in Lechners Limousine.

Bald danach erschienen Schulze und Kesselhuth. Schulze legte einen Brief für Fritz auf den Portiertisch.

Der Direktor und Onkel Polter verbeugten sich. Sie wurden aber übersehen. Das Auto füllte sich. Johann hielt die elektrische Heizsonne auf dem Schoß. Die Koffer waren voll gewesen.

Der Lechner Leopold wollte schon anfahren, als Sepp, der Schihallenhüter, angaloppiert kam. Er gab gutturale Laute der Rührung von sich, ergriff Schulzes Hand und schien entschlossen, sie abreißen zu wollen.

„Schon gut, Sepp", sagte Schulze. „Es ist gern geschehen. Sie waren beim Eisbahnkehren sehr nett zu mir."

Kesselhuth zeigte auf die kläglichen Reste des getauten Schneemanns. „Der schöne Kasimir ist hin."

Schulze lächelte. Er entsann sich jener gestirnten Nacht, in der Kasimir zur Welt gekommen war. „Schön war's doch", murmelte er.

Dann fuhr der Wagen davon. Die Schneepfützen spritzten.

Als Hagedorn ins Hotel zurückkam, übergab ihm der Portier zwei Briefe. „Nanu", sagte Fritz, setzte sich in die Halle und riß die Kuverts auf.

Das erste Schreiben lautete: „Mein lieber Junge! Ich muß, unerwartet und sofort, nach Berlin zurück. Es tut mir sehr leid. Auf baldiges Wiedersehen. Herzliche Grüße, Dein Freund Eduard."

Auf dem zweiten Briefbogen stand: „Mein Liebling! Wenn Du diese Zeilen liest, ist Dein Fräulein Braut durchgegangen. Sie wird es bestimmt nicht wieder tun. Sobald Du sie gefunden hast, darfst Du sie so lange an den Ohren ziehen, bis diese rechtwinklig abstehen. Vielleicht ist es kleidsam. Komme, bitte, bald nach Berlin, wo nicht nur meine Ohren auf Dich warten, sondern auch der Mund Deiner zukünftigen Gattin, Hilde Hagedorn."

Fritz stieß einen gräßlichen Fluch aus und rannte zum Portier hinüber. „Was soll das denn bedeuten?" fragte er fassungslos. „Schulze ist abgereist! Meine Braut ist abgereist! Und Tante Julchen?"

„Abgereist", sagte der Portier.

„Und Herr Kesselhuth?"

„Abgereist", flüsterte der Portier.

Hagedorn musterte das Armesündergesicht Onkel Polters. „Hier stimmt doch etwas nicht! Warum sind die vier fort? Erzählen Sie mir jetzt keine Märchen! Sonst könnte ich heftig werden!"

Der Portier sagte: „Warum die beiden Damen und Herr Kesselhuth fort sind, weiß ich nicht."

„Und Herr Schulze?"

„Einige Gäste hatten sich beschwert. Herr Schulze störe die Harmonie. Die Direktion bat ihn, abzureisen. Er trug der Bitte sofort Rechnung*. Daß zu guter Letzt vier Personen abfuhren, hatten wir nicht erwartet."

„Nur vier?" fragte Doktor Hagedorn. Er trat vor den Fahrplan,
der an der Wand hing. „Ich fahre natürlich auch. In einer Stunde geht
mein Zug." Er rannte zur Treppe. Der Portier war dem Zusammen-
brechen nahe. Er schleppte sich ins Büro, sank dort in einen Stuhl und
meldete Karl dem Kühnen das neueste Unglück.

„Hagedorns Abreise muß verhindert werden!" behauptete der Direktor. „So ein verstimmter Millionär kann uns derartig in Verruf
bringen, daß wir in der nächsten Saison die Bude zumachen können."

Sie stiegen ins erste Stockwerk und klopften am Appartement 7. Aber
Hagedorn antwortete nicht. Herr Kühne drückte auf die Klinke. Die
Tür war abgeriegelt. Sie hörten es bis auf den Korridor hinaus, wie
im Zimmer Schubkästen aufgezogen und Schranktüren zugeknallt
wurden.

„Er packt sehr laut", sagte der Portier beklommen. Sie gingen
traurig in die Halle hinunter und warteten, daß der junge Mann er-
schiene.

Er erschien. „Den Koffer bringt der Hausdiener zur Bahn. Ich gehe
zu Fuß."

Die beiden liefen neben ihm her. „Herr Doktor", flehte Karl der
Kühne, „das dürfen Sie uns nicht antun."

„Strengen Sie sich nicht unnötig an!" sagte Hagedorn.

An der Tür stieß er mit der Verkäuferin aus dem Blumenladen zusammen. Sie brachte die Geschenke, die er vor knapp zwei Stunden
eingekauft hatte. „Ich habe mich etwas verspätet", meinte sie.

„Ein wahres Wort", sagte er.

„Der Strauß ist dafür besonders schön geworden", versicherte sie.

Er lachte ärgerlich. „Das Bukett können Sie sich ins Knopfloch
stecken! Behalten Sie das Gemüse!" Sie staunte, knickste und entfernte
sich eilends.

Nun stand Fritz, mit einem Zinnkrug, einer Kiste Zigarren und einem originellen Ohrgehänge, allein in Bruckbeuren!

Der Direktor fragte: „Dürfen wir Sie wenigstens bitten, in Ihren Kreisen über den höchst bedauerlichen Zwischenfall zu schweigen?"

5 „Der Ruf unseres Hotels steht auf dem Spiele", bemerkte Onkel Polter ergänzend.

„In meinen Kreisen?" meinte Hagedorn verwundert. Dann lachte er. „Ach richtig! Ich bin Ihnen noch eine Erklärung schuldig! Sie halten mich ja für einen Millionär, nicht wahr? Damit ist es allerdings Essig.
10 Vor meinen Kreisen ist Bruckbeuren zeitlebens sicher. Ich war bis gestern arbeitslos. Da staunen Sie! Irgend jemand hat Sie zum Narren gehalten. Guten Tag, meine Herren!" Das Portal schloß sich hinter ihm.

„Er ist gar kein Millionär?" fragte der Direktor heiser. „Glück muß der Mensch haben, Polter! Menschenskind, das junge Mädchen hat uns
15 verkohlt? Gott sei Dank! Wir waren bloß die Dummen? Einfach tierisch!"

Der Portier winkte aufgeregt ab. Plötzlich schlug er sich vor die Stirn. Es sah aus, als wolle er einen Ochsen töten. „Grauenhaft! Grauenhaft!" rief er. „Das beste ist, wir bringen uns um!"

20 „Gern", erklärte der Direktor, noch immer obenauf. „Aber wozu, bittschön? Es sind einige Gäste vor der Zeit weggefahren. Und? Ein junges Mädchen hat uns auf den Besen geladen*. Das kann ich verschmerzen."

„Die Geschichte bricht uns das Genick", sagte der Portier. „Wir
25 waren komplette Idioten!"

„Na, na", machte Karl der Kühne. „Sie tun mir unrecht."

Onkel Polter erhob lehrhaft den Zeigefinger. „Hagedorn war kein Millionär. Aber das junge Mädchen hat nicht gelogen. Es war ein verkleideter Millionär hier! Oh, das ist furchtbar! Wir sind erschossen."

„Nun wird mir's zu bunt!" rief der Direktor nervös. „Drücken Sie sich endlich deutlicher aus!"

„Der verkleidete Millionär wurde von uns vor einer Stunde hinausgeworfen", sagte der Portier mit Grabesstimme. „Er hieß Schulze!"

Herr Kühne schwieg.   5

Der Portier verfiel zusehends. „Und diesen Mann habe ich die Eisbahn kehren lassen! Mit dem Rucksack mußte er ins Dorf hinunter, weil das Kind der Botenfrau die Masern hatte! Der Heltai hat ihn auf die Bockleiter geschickt! Oh!"

„Einfach tierisch!" murmelte der Hoteldirektor. „Ich muß mich legen, 10 sonst trifft mich der Schlag im Stehen."

Am Nachmittag wurde der bettlägerige Herr Kühne von einem Boy gestört.

„Eine Empfehlung vom Herrn Portier", sagte der Junge. „Ich soll Ihnen mitteilen, daß Frau Casparius mit dem Abendzug fährt."   15

Der Direktor stöhnte weidwund.

„Sie käme nie wieder nach Bruckbeuren, läßt der Portier sagen. Ach so, und Herr Lenz aus Köln reist auch."

Der Direktor drehte sich ächzend um und biß knirschend ins Kopfkissen.   20

Das achtzehnte Kapitel

Vielerlei Schulzes

In München hatte Doktor Hagedorn volle sechs Stunden Aufenthalt. Er gab seinen Koffer am Handgepäckschalter ab. Er dachte immerzu an Hilde. An Eduard natürlich auch.   25

Er steckte die Hände in den abgeschabten Mantel, lief in die Stadt, saß, ehe er sich dessen versah, in einem Münchner Postamt und blätterte im Berliner Adreßbuch. Er studierte die Rubrik „Schulze". Neben ihm lagen Notizblock und Bleistift.

Einen Werbefachmann Eduard Schulze gab es nicht. Vielleicht hatte sich Eduard als „Kaufmann" eingetragen? Hagedorn schrieb sich die einschlägigen Adressen auf. Was Hildegard anbetraf, war der Fall noch schwieriger. Welchen Vornamen hatte, um alles in der Welt*, sein künftiger Schwiegervater? Und welchen Beruf? Man konnte doch unmöglich zu allen in Berlin wohnhaften Schulzes laufen und fragen: „Haben Sie erstens eine Tochter, und ist diese zweitens meine Braut?" Das war ja eine Lebensaufgabe!

Später sah sich Hagedorn ein Filmlustspiel an. So oft er lachte, ärgerte er sich. Glücklicherweise bot der Film nur wenige Möglichkeiten zum Lachen. Sonst wäre der junge Mann bestimmt innerlich mit sich zerfallen.

Gleich nachher aß er in einem Bräu Rostwürstchen mit Kraut. Dann begab er sich zum Bahnhof zurück und hockte im Wartesaal. Er war entschlossen, kühne Einfälle für künftige Reklamefeldzüge zu finden. Es fiel ihm aber auch nicht das mindeste ein. Immerzu dachte er an Hilde. Wenn er sie nun nicht fand? Und wenn sie nichts mehr von sich hören ließ? Was dann?

Der Zug war nur schwach besetzt. Fritz hatte ein Abteil für sich allein. Bis Landshut lief er in dem Kupee wie in einem Käfig hin und her. Dann legte er sich lang, schlief sofort ein und träumte wilde Sachen.

Als er erwachte, stand vor ihm der Zugschaffner. „Bitte, die Fahr= karten!" Und draußen dämmerte der Tag.

Am Morgen klingelte es bei Frau Hagedorn in der Mommsenstraße. Die alte Dame öffnete.

Von der Treppe her rief es: „Kuckuck! Kuckuck!"

Mutter Hagedorn schlug die Hände überm Kopfe zusammen*. Sie lief ins Treppenhaus und blickte um die Ecke. Eine Etage tiefer saß ihr Junge auf den Stufen und nickte ihr zu.

„Da hört sich doch alles auf!" sagte sie. „Was willst du denn in Berlin, du Lausejunge? Du gehörst doch nach Bruckbeuren! Steh auf, Fritz! 5 Die Stufen sind zu kalt."

„Muß ich gleich wieder zurückfahren?" fragte er. „Oder kriege ich erst 'ne Tasse Kaffee?"

„Marsch in die gute Stube", befahl sie.

Er kam langsam herauf und schlich mit seinem Koffer an ihr vorbei, 10 als habe er Angst.

Mutter und Sohn spazierten Arm in Arm in die Wohnung. Während sie frühstückten, berichtete Fritz ausführlich von den Ereignissen des Vortags. Dann las er die beiden Abschiedsbriefe vor.

„Da stimmt etwas nicht, mein armer Junge", meinte die Mutter 15 tiefsinnig. „Du bist mit deiner Vertrauensseligkeit wieder einmal hineingefallen. Wollen wir wetten?"

„Nein", erwiderte er.

„Du bildest dir immer ein, man merkte auf den ersten Blick, ob an einem Menschen etwas dran ist* oder nicht", sagte sie. „Wenn du recht 20 hättest, müßte die Welt ein bißchen anders aussehen. Wenn alle ehrlichen Leute ehrlich ausschauten und alle Strolche wie Strolche, dann könnten wir lachen. Die schöne Reise haben sie dir verdorben. Am nächsten Ersten mußt du ins Büro. Eine Woche zu früh bist du abgereist. Man könnte mit dem Fuß aufstampfen!" 25

„Aber gerade deswegen hat sich Eduard wahrscheinlich nicht von mir verabschiedet!" rief er. „Er fürchtete, ich käme mit, und er wollte, ich solle in Bruckbeuren bleiben! Er dachte doch nicht, daß ich erführe, wie abscheulich man ihn behandelt hat."

„Dann konnte er wenigstens seine Berliner Adresse dazuschreiben",
sagte die Mutter. „Ein Mann mit Herzensbildung hätte das getan. Da
kannst du reden, was du willst. Und warum hat sich das Fräulein nicht
von dir verabschiedet? Und warum hat denn sie keine Adresse angegeben?
Von einem Mädchen, das du heiraten willst, können wir das ver=
langen! Alles, was recht ist*."

„Du kennst die zwei nicht", entgegnete er. „Sonst würdest du das
alles ebensowenig verstehen wie ich. Man kann sich in den Menschen
täuschen. Aber so sehr in ihnen täuschen, das kann man nicht."

„Und was wird nun?" fragte sie. „Was wirst du tun?"
Er stand auf, nahm Hut und Mantel und sagte: „Die beiden suchen!"
Sie schaute ihm vom Fenster aus nach. Er ging über die Straße.
‚Er geht krumm‘, dachte sie. ‚Wenn er krumm geht, ist er traurig.‘

Während der nächsten fünf Stunden hatte Doktor Hagedorn an=
strengenden Dienst. Er besuchte Leute, die Eduard Schulze hießen.
Es war eine vollkommen blödsinnige Beschäftigung. So oft der Fa=
milienvorstand selber öffnete, mochte es noch angehen*. Dann wußte
Fritz wenigstens sofort, daß er wieder umkehren konnte. Er brauchte
nur zu fragen, ob etwa eine Tochter namens Hildegard vorhanden sei.
Wenn aber eine Frau Schulze auf der Bildfläche erschien, war die
Sache zum Auswachsen. Man konnte schließlich nicht einfach fragen:
„War Ihr Herr Gemahl bis gestern in Bruckbeuren? Haben Sie eine
Tochter? Ja? Heißt sie Hilde? Nein? Guten Tag!"
Er versuchte es auf jede Weise. Trotzdem hatte er den Eindruck, überall
für verrückt gehalten zu werden.
Besonders schlimm war es in der Prager Straße und auf der Ma=
surenallee.
In der Prager Straße rief die dortige Frau Schulze empört: „Also

in Bruckbeuren war der Lump? Mir macht er weis, er käme aus Magdeburg. Hatte er ein Frauenzimmer mit? Eine dicke Rotblonde?"

„Nein", sagte Fritz. „Es war ja gar nicht Ihr Mann. Sie tun ihm unrecht."

„Und wieso kommen Sie dann hierher? Nein, nein, mein Lieber! Sie bleiben hübsch hier* und warten, bis mein Eduard nach Hause kommt! Dem werde ich helfen!"

Hagedorn mußte sich mit aller Kraft losreißen. Er floh. Sie schimpfte hinter ihm her, daß das Treppenhaus wackelte.

Ja, und bei den Schulzes auf der Masurenallee existierte eine Tochter, die Hildegard hieß! Sie war zwar nicht zu Hause. Aber der Vater war da. Er bat Fritz in den Salon.

„Sie kennen meine Tochter?" fragte der Mann.

„Ich weiß nicht recht*", sagte Fritz verlegen. „Vielleicht ist sie's. Vielleicht ist sie's nicht. Haben Sie zufällig eine Photographie der jungen Dame zur Hand?"

Herr Schulze lachte bedrohlich. „Ich will nicht hoffen, daß Sie meine Tochter nur im Dunkeln zu treffen pflegen!"

„Keineswegs", erklärte Fritz. „Ich möchte nur feststellen, ob Ihr Fräulein Tochter und meine Hilde identisch sind."

„Ihre Absichten sind doch ernst?" fragte Herr Schulze streng.

Der junge Mann nickte.

„Das freut mich", sagte der Vater. „Haben Sie ein gutes Einkommen? Trinken Sie?"

„Nein", meinte Fritz. „Das heißt, ich bin kein Trinker. Das Gehalt ist anständig. Bitte, zeigen Sie mir eine Photographie!"

Herr Schulze stand auf. „Nehmen Sie mir's nicht übel! Aber ich glaube, Sie haben einen Stich." Er trat zum Klavier, nahm ein Bild herunter und sagte: „Da!"

Hagedorn erblickte ein mageres, häßliches Fräulein. Es war eine
Aufnahme von einem Kostümfest. Hilde Schulze war als Pierrot verkleidet und lächelte neckisch. Daß sie schielte, konnte am Photographen
liegen. Aber daß sie krumme Beine hatte, war nicht seine Schuld.

5 „Allmächtiger!" flüsterte er. „Hier liegt ein Irrtum vor. Verzeihen
Sie die Störung!" Er stürzte in den Korridor und raste die Treppe
hinunter.

Nach diesem Erlebnis fuhr er mit der Straßenbahn heim. Dreiund-
zwanzig Schulzes hatte er absolviert.

10 Er hatte noch gut fünf Tage zu tun*.

Seine Mutter kam ihm aufgeregt entgegen: „Was glaubst du, wer
hier war?"

Er wurde lebendig. „Hilde?" fragte er. „Oder Eduard?"

„Ach wo", entgegnete sie.

15 „Ich gehe schlafen", meinte er müde. „Spätestens in drei Tagen
nehme ich einen Detektiv."

„Tu das, mein Junge. Aber heute abend gehen wir aus. Wir sind
eingeladen. Ich habe dir ein bildschönes Oberhemd besorgt. Und eine
Krawatte. Blau und rot gestreift."

20 „Vielen Dank", sagte er und sank auf einen Stuhl. „Wo sind wir
denn eingeladen?"

Sie faßte seine Hand. „Bei Geheimrat Tobler."

Er zuckte zusammen.

„Ist das nicht großartig?" fragte sie eifrig. „Denke dir an! Es
25 klingelte dreimal. Ich gehe hinaus. Wer steht draußen? Ein Chauffeur
in Livree. Er fragt, wann du aus Bruckbeuren zurückkämst? Mein
Sohn ist schon da, sage ich. Er kam heute früh an. Er verbeugt sich und
sagt: Geheimrat Tobler bittet Sie und Ihren Herrn Sohn, heute

abend seine Gäste zu sein. Es handelt sich um einfaches Abendbrot. Der
Herr Geheimrat möchte seinen neuen Mitarbeiter kennenlernen. Dann
druckste er ein bißchen herum. Endlich meinte er: Kommen Sie, bitte,
nicht in großer Toilette. Der Herr Geheimrat mag das nicht besonders.
Ist Ihnen acht Uhr abends recht? Ein reizender Mensch. Er wollte uns 5
im Auto abholen. Ich habe aber gesagt, wir führen lieber mit der
Straßenbahn. Die 176* und die 76* halten ja ganz in der Nähe. Und
große Toiletten, habe ich gesagt, hätten wir sowieso nicht. Da brauchten
sie keine Bange zu haben." Sie sah ihren Sohn erwartungsvoll an.

„Da müssen wir ja wohl hingehen", meinte er.   10

Frau Hagedorn traute ihren Ohren nicht. „Deinen Kummer in allen
Ehren, mein Junge", sagte sie dann. „Aber du solltest dich wirklich ein
bißchen zusammennehmen!" Sie fuhr ihm sanft übers Haar. „Kopf
hoch, Fritz! Heute gehen wir zu Toblers! Ich finde es sehr aufmerksam
von dem Mann. Eigentlich hat er das doch gar nicht nötig, wie? Ein 15
Multimillionär, der einen Konzern besitzt, sicher hat er tausend Angestellte. Wenn der mit allen Angestellten Abendbrot essen wollte!
Es ist schließlich eine Ehre. Heute erledigen wir das Geschäftliche. Ich
ziehe das Schwarzseidene an. Eine alte Frau braucht nicht modern
herumzulaufen. Wenn ich ihm nicht fein genug bin, kann ich ihm auch 20
nicht helfen."

„Natürlich, Muttchen", sagte er.

„Siehst du wohl", meinte sie. „Zerbrich dir wegen deiner zwei
Schulzes nicht den Kopf, mein Junge! Morgen ist auch noch ein Tag."

Er lächelte bekümmert. „Und was für ein Tag!" sagte er. Dann ging 25
er aus dem Zimmer.

Das neunzehnte Kapitel

Das dicke Ende*

Fritz Hagedorn und seine Mutter folgten dem Diener, der ihnen das Parktor geöffnet hatte. Zwischen den kahlen Bäumen schimmerten in 5 regelmäßigen Abständen große Kandelaber. Auf der Freitreppe flüsterte die Mutter: „Du, das ist ja ein Schloß!"

In der Halle nahm ihnen der Diener die Hüte und die Mäntel ab. Er wollte der alten Dame beim Ausziehen der Überschuhe behilflich sein. Sie setzte sich, drückte ihm den Schirm in die Hand und sagte: 10 „Das fehlte gerade noch!"

Sie stiegen ins erste Stockwerk. Er schritt voraus. In einer Treppennische stand ein römischer Krieger aus Bronze. Mutter Hagedorn deutete hinüber. „Der paßt auf, daß nichts wegkommt."

Der Diener öffnete eine Tür. Sie traten ein. Die Tür schloß sich 15 geräuschlos. Sie standen in einem kleinen Biedermeiersalon*. Am Fenster saß ein Herr. Jetzt erhob er sich.

„Eduard!" rief Fritz und stürzte auf ihn los. „Gott sei Dank, daß du wieder da bist! Der olle Tobler hat dich auch eingeladen? Das finde ich ja großartig. Mutter, das ist er! Das ist mein Freund Schulze. Und das 20 ist meine Mutter."

Die beiden begrüßten sich. Fritz war aus dem Häuschen. „Ich habe dich wie eine Stecknadel gesucht. Sag mal, stehst du überhaupt im Adreßbuch? Und weißt du, wo Hilde wohnt? Schämst du dich denn gar nicht, daß du mich in Bruckbeuren hast sitzenlassen? Und wieso sind 25 Hilde und Tante Julchen mitgefahren? Und Herr Kesselhuth auch? Einen schönen Anzug hast du an. Auf Verdacht oder auf Vorschuß,* wie?" Der junge Mann klopfte seinem alten Freund fröhlich auf die Schulter.

Eduard kam nicht zu Worte. Er lächelte unsicher. Sein Konzept war ihm verdorben worden. Fritz hielt ihn noch immer für Schulze! Es war zum Davonlaufen!

Mutter Hagedorn sagte: „Herr Schulze, ich freue mich, Sie kennen= zulernen. Einen hätten* wir also, mein Junge. Das Fräulein Braut* 5 werden wir auch noch finden."

Es klopfte. Der Diener trat ein. „Fräulein Tobler läßt fragen*, ob die gnädige Frau vor dem Essen ein wenig mit ihr plaudern möchte."

„Was denn für eine gnädige Frau?" erkundigte sich die alte Dame.

„Wahrscheinlich sind Sie gemeint", sagte Eduard. 10

„Das wollen wir aber nicht einführen", knurrte sie. „Ich bin Frau Hagedorn. Das klingt fein genug. Na schön, gehen wir plaudern*. Schließlich ist das Fräulein die Tochter eures Chefs." Sie nickte den zwei Männern vergnügt zu und folgte dem Diener.

„Warum bist du denn schon wieder in Berlin?" fragte Eduard. 15

„Erlaube mal!" sagte Fritz beleidigt. „Als mir der Türhüter Polter mitteilte, was vorgefallen war, gab es doch für Hagedorn keinen Halt mehr."

„Die Casparius ließ mir durch den Direktor zweihundert Mark an= bieten, falls ich sofort verschwände." 20

„So ein freches Frauenzimmer", meinte Fritz. „Du warst ihr im Wege. Menschenskind, die wird Augen gemacht haben, als ich weg war!" Er sah seinen Freund liebevoll an. „Daß ich dich erwischt habe! Nun fehlt mir nur noch Hilde. Dann ist das Dutzend voll. — Warum ist sie eigentlich auch getürmt? Hat sie dir ihre Adresse gegeben?" 25

Es klopfte. Die Tür zum Nebenzimmer öffnete sich. Der Diener er= schien und verschwand. Eduard stand auf und ging hinüber. Fritz folgte vorsichtig.

„Aha!" sagte er. „Der Arbeitsraum des Wirtschaftsführers. Da wird er wohl bald persönlich auftauchen. Eduard, mach keine Witze! Gleich setzt du dich auf einen anderen Stuhl!"

Eduard hatte sich nämlich hinter den Schreibtisch gesetzt.

Fritz war ärgerlich. „Wenn der olle Tobler keinen Spaß versteht, fliegen wir raus! Setze dich woanders hin! Ich will doch heiraten, Eduard!"

Aber der andere blieb hinterm Schreibtisch sitzen. „Nun höre, bitte, mal zu", bat er. „Ich habe dich in Bruckbeuren ein bißchen belogen. Es war mir gar nicht angenehm. Ich lüge ungern. Höchst ungern! Aber in dem verdammten Hotel hatte ich nicht die Courage zur Wahrheit. Ich hatte Angst, du könntest mich mißverstehen."

„Eduard", sagte der junge Mann. „Nun wirst du albern! Quatsch keine Opern! Heraus mit der Sprache*! Inwiefern hast du mich beschwindelt? Setze dich aber, ehe du antwortest, auf einen anderen Stuhl. Es macht mich nervös."

„Die Sache ist die*", fing Eduard an. „Mit dem Stuhl hängt es auch zusammen. Es fällt mir schrecklich schwer. Also . . ."

Da klopfte es wieder einmal. Der Diener trat ein, sagte: „Es ist serviert, Herr Geheimrat!" und ging.

„Was ist los?" fragte Hagedorn und stand auf. „Was hat der Lakai zu dir gesagt? Geheimrat?"

Eduard zuckte verlegen die Achseln. „Stell dir vor!" meinte er. „Ich kann's nicht ändern, Fritz. Sei mir nicht böse, ja? Ich bin der olle Tobler."

Der junge Mann faßte sich an den Kopf. „Du bist Tobler? Du warst der Millionär, für den man mich gehalten hat? Deinetwegen hatte ich drei Katzen im Zimmer und Ziegelsteine im Bett?"

Der Geheimrat nickte. „So ist es. Meine Tochter hatte hinter meinem Rücken telephoniert. Und als du und ich ankamen, wurden wir verwechselt. Ich konnte mein Inkognito nicht aufgeben. Ich hatte das Preisausschreiben doch unter dem Namen Schulze gewonnen! Siehst du das ein?"

Hagedorn machte eine steife Verbeugung. „Herr Geheimrat, unter diesen Umständen möchte ich Sie bitten . . ." 5

Tobler sagte: „Fritz, sprich jetzt nicht weiter! Ich bitte dich darum. Rede jetzt keinen Unsinn, ja? Ich verbiete es dir!" Er trat zu dem jungen Mann, der ein störrisches Gesicht machte. „Was fällt dir eigentlich ein? Ist dir unsere Freundschaft so wenig wert, daß du sie ganz einfach wegwerfen willst? Bloß weil ich Geld habe? Das ist doch keine 10 Schande!" Er packte den jungen Mann am Arm und ging mit ihm im Zimmer auf und ab. „Schau her! Daß ich mich als armer Mann verkleidete, das war wenig mehr als ein Scherz. Ich wollte einmal ohne den fatalen Nimbus des Millionärs unter Menschen gehen. Ich wollte ihnen näherkommen. Ich wollte erleben, wie sie sich zu einem armen 15 Mann benehmen. Nun, der kleine Scherz ist erledigt. Was ich erleben wollte, hat wenig zu bedeuten, wenn ich's mit dem vergleiche, was ich erlebt habe. Ich habe einen Freund gefunden. Endlich einen Freund, mein Junge! Komm, gib dem ollen Tobler die Hand!" Der Geheimrat streckte Fritz die Hand entgegen. „Donnerwetter noch einmal, du Dick- 20 schädel! Wird's bald?*"

Fritz ergriff die dargebotene Hand.

Als sie das Speisezimmer betraten, meinte der Geheimrat: „Wir sind natürlich die ersten. Daß die Frauen immer so lange klatschen müssen!"

„Ja, richtig", sagte Hagedorn. „Du hast eine Tochter. Wie alt ist 25 denn die Kleine?"

Tobler schmunzelte. „Sie befindet sich im heiratsfähigen Alter und ist seit ein paar Tagen verlobt."

„Fein", meinte Fritz. „Ich gratuliere. Nun aber ernsthaft: Weißt du wirklich nicht, wo Hilde wohnt?"

„Sie hat mir keine Adresse angegeben", erwiderte der Geheimrat diplomatisch. „Aber du wirst sie schon noch kriegen. Die Hilde und die
5 Adresse."

„Ich habe auch so das Gefühl", sagte der junge Mann. „Aber wenn ich sie erwische, kann sie was erleben! Sonst denkt sie womöglich, ich lasse mich in der Ehe auf den Arm nehmen. Da muß man rechtzeitig durchgreifen. Findest du nicht auch?"

10 Durch eine Tür, die sich öffnete, rollte ein Servierwagen. Ein grauhaariger Diener folgte. Er schob den mit Schüsseln beladenen Wagen vor sich her und hielt den Kopf gesenkt. Als das Fahrzeug stillstand, hob er das Gesicht und sagte: „Guten Abend, Herr Doktor."

„'n Abend", entgegnete Hagedorn. Dann aber sprang er hoch. „Herr
15 Kesselhuth!"

Der Diener nickte. „In der Tat, Herr Doktor."

„Und die Reederei?"

„War Reederei", erklärte der Geheimrat. „Johann ist mein alter Diener. Ich wollte nicht allein nach Bruckbeuren fahren. Deshalb
20 mußte er den Schiffahrtsbesitzer spielen. Er hat seine Rolle glänzend gespielt."

„Es war nicht leicht", sagte Johann bescheiden.

Fritz fragte: „Widerspricht es Ihrer Berufsauffassung, wenn ich Ihnen herzhaft die Hand schüttle?"

25 Johann sagte: „Im vorliegenden Falle darf ich, glaube ich, eine Ausnahme machen."

Fritz drückte ihm die Hand. „Jetzt begreife ich erst, warum Sie über Eduards Zimmer so entsetzt waren. Ihr habt mich ja schön angeschmiert!"

Johann sagte: „Es war kein Zimmer, sondern eine Zumutung."

Fritz setzte sich wieder. Der alte, vornehme Diener tat die Schüsseln auf den Tisch. Der junge Mann .meinte lachend: „Wenn ich bedenke, daß ich mich deinetwegen habe massieren lassen müssen, dann müßte ich von Rechts wegen unversöhnlich sein. Ach, ich habe dir übrigens 5 einen alten Zinnkrug gekauft. Und Ihnen, Johann, eine Kiste Havanna. Und für Hilde ein Paar Ohrgehänge. Die kann ich mir jetzt durch die Nase ziehen."

„Vielen Dank für die Zigarren, Herr Doktor", meinte Johann.

Hagedorn schlug auf den Tisch. „Ach, das wißt ihr ja noch gar nicht! 10 Bevor ich wegfuhr, habe ich doch dem Herrn Hoteldirektor und dem Portier mitgeteilt, daß ich gar kein verkleideter Millionär wäre! So lange Gesichter, wie es da zu sehen gab, sind selten."

Tobler fragte: „Johann, hat Generaldirektor Tiedemann an-
gerufen?"   15

„Noch nicht, Herr Geheimrat." Der Diener wandte sich an Hage-
dorn. „Der Toblerkonzern wird heute oder morgen das Grandhotel Bruckbeuren kaufen. Und dann fliegen die beiden Herren hinaus."

„Aber Eduard", sagte Fritz. „Du kannst doch zwei Angestellte nicht für den Hochmut der Gäste büßen lassen! Es waren zwei Kotzbrocken, 20 zugegeben. Doch dein Einfall, als eingebildeter Armer in einem Luxus-hotel aufzutreten, war auch reichlich schwachsinnig."

„Johann, hat er recht?" fragte der Geheimrat.

„So ziemlich", gab der Diener zu. „Der Ausdruck ,schwachsinnig' er-
scheint mir allerdings etwas hart."   25

Die Herren lachten.

Da kam Hagedorns Mutter hereinspaziert. „Wo man lacht, da laß dich ruhig nieder*", sagte sie. Fritz sah sie fragend an. „Ich weiß Bescheid, mein Junge. Fräulein Tobler hat mich eingeweiht. Sie hat

große Angst vor dir. Sie ist daran schuld, daß du ein paar Tage Millionär warst. Übrigens ein bezauberndes Mädchen, Herr Geheimrat!"

"Ich heiße Tobler", erwiderte er. "Sonst nenne ich Sie gnädige
Frau!"

5 "Ein bezauberndes Mädchen, Herr Tobler!" meinte die alte Dame.
"Schade, daß ihr beide schon verlobt seid, Fritz!"

"Wir können ja Doppelhochzeit feiern", schlug Hagedorn vor.

"Das wird sich schlecht machen lassen*", sagte der Geheimrat.

Plötzlich klatschte Fritzens Mutter dreimal in die Hände. Daraufhin
10 öffnete sich die Tür. Ein junges Mädchen und eine alte Dame traten ein.

Der junge Mann stieß unartikulierte Laute aus, riß einen Stuhl um,
rannte auf das Fräulein los und umarmte sie. "Endlich", flüsterte er
nach einer Weile.

"Mein Liebling", sagte Hildegard. "Bist du mir sehr böse?"

15 Er preßte sie noch fester an sich.

"Machen Sie Ihre Braut nicht kaputt", meinte die Dame neben
ihm. "Es nimmt sie Ihnen ja keiner weg."

Er trat einen Schritt zurück. "Tante Julchen? Wie kommt ihr denn
eigentlich hierher? Ach so, Eduard hat euch eingeladen, um mich zu
20 überraschen."

Das junge Mädchen sah ihn an. Mit ihrem kerzengeraden Blick.
"Es liegt anders*, Fritz. Erinnerst du dich, was ich dir in Bruckbeuren
antwortete, als du mich nach meinem Namen fragtest?"

"Klar", meinte er. "Du sagtest, du heißt Schulze."

25 "Du irrst dich. Ich sagte, ich hieße genau so wie dein Freund Eduard."

"Na ja! Eduard hieß doch Schulze!"

"Und wie heißt er jetzt?"

Fritz blickte von ihr zu dem Tisch hinüber. Dann sagte er: "Du bist
seine Tochter? Ach, du liebes Bißchen!"

Sie nickte. „Wir hatten solche Angst. Und da fuhr ich mit Frau Kunkel los. Wir wußten durch Johanns Briefe, wie sehr Vater schikaniert wurde."

„So ist das", meinte er. „Und Tante Julchen ist gar nicht deine Tante?"

„O nein", sagte die Kunkel. „Ich bin die Hausdame. Mir genügt's."

„Mir auch", meinte Hagedorn. „Keiner war der, der er schien. Und ich Riesenroß habe alles geglaubt. Ein Glück, daß ich nicht Detektiv geworden bin!" Er gab der Kunkel die Hand. „Ich bin sehr froh, daß Sie nicht die Tante sind. Die Übersicht könnte darunter leiden. Ich habe bereits einen Freund, der mein Schwiegervater wird. Und meine zukünftige Frau ist die Tochter meines Schwiegervaters, nein meines Freundes. Und außerdem ist mein Freund mein Chef."

„Vergiß nicht, dir deine Arbeiten wiedergeben zu lassen", mahnte die Mutter.

„Sie liegen schon in seinem Büro", sagte Tobler. „Ich kann dir nicht helfen, mein Junge. Du wirst Direktor unserer Propagandazentrale. Später mußt du dich auch in die übrige Materie einarbeiten. Ich brauche einen Nachfolger. Und zwar einen, der sich mehr um den Konzern kümmert, als ich es getan habe. Ich werde nur noch Briefmarken sammeln und mich mit deiner Mutter für unsere Enkelkinder interessieren."

„Nur nicht drängeln", sagte Hilde. „Wenn du Fritz mit dem Konzern verheiratest, gehe ich ins Kloster. Dann könnt ihr sehen, wo ihr bleibt."

Sie setzten sich alle. Hilde und Fritz rückten eng zusammen. Johann öffnete die dampfende Terrine.

„Was gibt's denn?" fragte Tobler.

Die Kunkel faltete die Hände überm Kleid und sagte: „Nudeln mit Rindfleisch."

Als sie nach dem Essen Kaffee und Kognak tranken, klingelte das Telephon. Johann ging an den Apparat. „Generaldirektor Tiedemann möchte Sie sprechen, Herr Geheimrat." Er hielt Tobler den Hörer entgegen. „Es ist sicher wegen des Hotelkaufs."

5 „Eduard!" rief Fritz. „Sei so lieb und schmeiße den Portier und den Direktor nicht hinaus!"

„Wozu hat er denn dann das Hotel kaufen lassen?" fragte Frau Kunkel. „Die Kerls fliegen. Wurst wider Wurst."

Der Geheimrat stand am Telephon. „'n Abend, Tiedemann. Ich 10 dachte mir's schon*. Ja, wegen des Hotels. Nun und? Was? Der Besitzer will es nicht verkaufen? Zu gar keinem Preis?"

Die anderen saßen am Tisch und lauschten gespannt.

Der Geheimrat zog ein erstauntes Gesicht. „Nur mir will er's nicht verkaufen? Ja warum denn nicht?" Eine Sekunde später begann 15 Tobler laut zu lachen. Er legte den Hörer auf die Gabel, kam lachend zum Tisch zurück, setzte sich und lachte weiter.

Die anderen wußten nicht, was sie davon halten sollten.

„Nun rede schon*!" bat Fritz. „Warum kannst du das Hotel nicht kaufen?"

20 Der Geheimrat sagte: „Weil es mir schon gehört*."

Notes

Page 1

2 **unter sich und untereinander** (tautology): among themselves and among one another.

6 **Sie schritt die Front ab** (military expression): She made an inspection, parading along the front line. She paced off the front.

14 das **getroffene Arrangement zu überprüfen**: in order to check the arrangement, i. e., the table setting (she had already) made.

20 **darf man sich etwas wünschen**: one may make a wish; cf. the bit of playful superstition in English: two who have chanced to say the same thing simultaneously, press thumbs together and make a wish, which is then supposed to come true.

Page 2

5 **an jener alten ... Allee**: the Königsallee.

5 **Halensee, Hundekehle,** fashionable suburbs of Berlin, West.

7 **wird ... aufgefallen sein.** The German futures are often used to indicate probability.

25 **Aber er ist kein Millionär,** that is, not one of the conventional type.

Page 3

10 **die Putzblank-Werke,** name of a Tobler factory (= Polish Bright Works). Its products are washing-powder and soap-flakes (cf. p. 10, line 22 f.).

Page 5

16 **zweiter Klasse,** adverbial genitive of manner.

21 **Endlich einmal ohne den üblichen Zinnober** (ohne das übliche Tamtam, ohne das übliche Brimborium; das heißt: Äußerlichkeiten, Schmeicheleien usw.): for once at last without the usual flummery.

25 **Das kann ins Auge gehen** (humorous play on words): (1) that (i. e. splinters of glass) can fly into your eye; (2) that can create a sensation (attract unpleasant attention, can turn out badly).

Page 6

17 **Ich wüßte nicht, was ich lieber täte** (wüßte, subjunctive of softened assertion): I would scarcely know what I'd rather do.

Page 8

7 **Ich will das nicht gehört haben, was Sie beinahe gesagt hätten** (potential subjunctive): I claim (shall pretend) not to have heard what you came near saying.

Page 9

1 **die Norddeutsche Seebäderreise,** the name of an organized vacation tour, including the bathing resorts on the German coast of the North Sea (such as Sylt, Norderney, Helgoland, etc.), as well as those of the Baltic Sea (Rügen, Swinemünde, etc.).

Page 10

13 **war es ... wieder Essig.** The figure behind the German phrase is that wine (upon which one has counted with pleasure) has turned to vinegar. Our corresponding English expression is: The grapes were sour.

Page 11

10 **Du zerbrichst dir ... den Kopf:** you break your head over your few pennies; you worry to death how to make both ends meet.

18 **Nicht arbeiten und nicht verzweifeln,** an expression typical of the period of depression and unemployment. The old adjuration, back in the days when work was plentiful even though the pay was small, was: "Work and despair not," of which the new, grimly humorous variant is: "No work, yet do not despair!"

The phrase "Work and despair not" originates with Thomas Carlyle. Translated into German and used as the title of Carlyle's selected works in German translation (**Arbeiten und nicht verzweifeln,** Auswahl aus Carlyles Werken, deutsch von M. Kühn und A. Kretzschmar, Düsseldorf, 1902), the expression has become widely known in Germany (Büchmann, **Geflügelte Worte,** Berlin, 1926, p. 329.)

Page 12

19 **nach dem Norden und Osten Berlins.** While West Berlin is the aristocratic section, North and East Berlin are devoted largely to stores, business houses ,factories, and the poorer dwellings.

22 **in der Landsberger Allee.** This and the following streets are located in the poorer sections of North and East Berlin. They may be found on the maps in Baedeker's guide-books.

Page 13

13 **Die Zeit vergeht** (passes); and with time, also the styles.

Page 15

24 **dem violett gewesenen Anzug:** (to) the suit that had once been violet.

Page 23

13 **Natura non facit saltus** (humorous application of the well-known scientific dictum): nature does not make a leap, i. e., there are no gaps in nature.

Page 28

11 **Der Mai ist gekommen,** a well-known German spring song, (written by Geibel, 1835).

Page 29

4 **das Anmeldeformular:** registration form,, required by the police, calling for complete data concerning one's identity, business, and travelling plans. The German police maintain a system of universal registration and identification of the population which is of tremendous assistance in the control of crime.

13 **mit mir ist das so eine Sache:** I'm a sort of a special (peculiar) case.

28 **Was es so alles gibt:** Of all things! or: What all doesn't a person come across in this world!

Page 30

21 **Aber vielleicht kriegt man welche** (= einige): But perhaps I might sometime get some.

Page 32

18 **Das wird ... sein,** see note. p. 2, line 7.

Page 33

17 **Graswander Toni,** i. e., Toni (= Anton) Graswander. Colloquially the surname is often put first (cf. p. 67, line 11).

Page 36

20 **jawoll,** colloquial for jawohl.

Page 37

9 **Als Goethe und Schiller.** The reference is to the famous monument (by Rietschel) to Goethe and Schiller in Weimar, which represents these two fast friends side by side, Goethe with his arm round Schiller.

Page 38

11 **Tiere.** The word is used humorously for bed-bugs.

Page 40

20 **Der Tritt kommt in die Sparbüchse:** The kick will be put in the savings bank, i. e., will be saved up for him.

23 **Dieser Abend hatte es in sich:** This evening had the devil in it; there was the mischief to pay on this evening.

Page 41

20 **als versuche er in sein Inneres zu blicken,** a humorous description of the expression of the eyes, caused by the straining over the cherry-stone.

Page 42

27 **in der dritten Etage.** Note that the first floor is das Erdgeschoß (ground floor); die dritte Etage (drei Treppen hoch) is the fourth floor.

Page 48

9 **ob der Herr Doktor schon schlafen gehen,** courtesy plural of the verb with the singular title.

Page 49

29 **Sie werden ... sein,** see note, p. 2, line 7.

Page 50

21 **Ich werde die Daumen halten.** To hold one's thumbs for a person is a half-jocular practice of folk-superstition, done supposedly to assist a friend or bring him good luck.

27 **Hagedorn** (dat.) **blieben Stockholm und die Schären im Halse stecken:** Stockholm and the Schären Islands remained sticking in Hagedorn's throat, i. e., he never got his intended remarks out about them.

Page 51

16 **das biblische Alter seiner Schuhe:** the biblical (high old) age of his shoes.

Page 52

4 **in drei Teufels Namen:** in the name of the three devils (analogy to the Holy Trinity).

22 **den Millionär glaubt man mir erst recht nicht:** the last thing that they'll believe is that I'm a millionaire.

Page 53

8 **fand sich brüskiert:** felt itself treated inconsiderately (flouted).

Page 54

4 **er hing auf seinem Barhocker:** he was (hanging) sitting in a negligent way on his bar stool.

Page 55

2 **Herr Ober** (= **Oberkellner**). In Germany one always addresses a waiter as "head-waiter", the flattery having originated as a means of securing good service.

Page 56

5 **Er kann's gebrauchen:** It needs it.

23 **die Weißwurst,** a pork sausage, typical of Munich; so called from its whitish skin.

Page 57

23 **Was es so alles gibt,** see p. 29, line 28.

Page 58

23 **krochen ihm in sämtliche Poren:** (crept into all his pores) fairly toadied to him; showed him every deference.

Page 61

4 **Hab' ich recht oder stimmt's?** (humorous, not allowing the expected negative): Am I right or is it correct? Similar, in logic, to English: "Heads I win, tails you lose."

Page 62

1 **Zum ersten! Zum zweiten! Zum — dritten!** (Mal). A common formula in toast-drinking. (I summon you) for the first time . . . etc.

Page 63

11 **hat einen Eierkopf:** has a head shaped like an egg, oval-shaped (cross-section from front to back). A playful reference to the scientific distinction between the longheaded scull (dolichocephalic) as contrasted to the roundheaded (brachycephalic). Dolichocephaly was the distinctive cranial feature of the aboriginal inhabitants of Europe, while the present inhabitants are roundheads.

13 **Kasimir,** a Slavic name. Several Polish princes and kings were named Casimir.

12

Page 67

11 der Graswander Toni, = Toni Graswander (see note, p. 33, line 17).
14 Danke der Nachfrage = für die Nachfrage.

Page 68

9 Sind Sie des Teufels (a possessive gen; supply Kind or Untertan): Are you possessed of the devil?
14 seine handgreiflichen Bemühungen (humorous play on words that is lost in English). Handgreiflich: (1) tangible, obvious; (2) manual. Translate: his manual efforts.
16 in Grund und Boden: to ruin, to pieces.

Page 69

1 vor sich hin dösend: (1) drowsing along (half dreaming, half sleeping); (2) (= stierend) staring vacantly into space.

Page 70

19 schmerzverzogenen Gesichts (adverbial genitive of manner): with pain-distorted face.

Page 72

22 der Graswander Toni, see note, p. 67, line 11.

Page 73

12 die Frauenkirche, standing in the heart of Munich, was built in 1468 —1488, in late Gothic style. With its uncompleted towers, capped with pear-shaped copper-green helmets, it is famed as the symbol of Munich.
16 der Hofgarten, a square in the heart of Munich, on which the great castle, the former royal residence, faces. S' = Sie.

Page 76

20 Ihnen ist wohl die Sicherung durchgebrannt? I guess your fuse has burned out, hasn't it?
28 Aber das gibt's doch gar nicht! But such a thing is simply impossible! (simply isn't done!)

Page 77

2 Es dürfte, = es könnte.
11 Das schon: oh yes! Sure enough!

Page 80

19 Hors d'oeuvres, appetite-stimulating dish, served at the beginning of the meal. Retain the French expression.

Page 83

5 **Vielleicht läßt er sich Unterricht....... geben:** Perhaps he is having them give him (is taking) lessons.

Page 86

20 **Wenn ich nicht Alexander wäre ...** Diogenes is the well-known Greek philosopher and teacher of asceticism. At a meeting with the great Alexander he is said to have asked of the latter but one boon, namely that he would not stand between him and the sun. Alexander is quoted as having commented: "If I were not Alexander, I should want to be Diogenes."

Page 88

12 **bekam ... in die Hand gedrückt:** had ... pressed into her hand.

Page 89

8 **Was machen die Schularbeiten:** How are your lessons (is your school work) getting along?

Page 90

9 **Schaut euch einmal den bösen Onkel an:** Just take a look at the bad uncle!

Page 92

2 **die Daumen halten,** see note, p. 50, line 21.

Page 93

9 **Entweder ist es nichts Genaues oder in festen Händen:** Either they are nothing worth while or in secure hands (not available for you).

Page 94

21 **Mit dem Geld ist das so eine Sache:** It's a peculiar thing about money. cf. note, p. 29, line 13.

22 **welches,** = etwas.

Page 95

2 **sahen den Bauern beim Eisschießen zu:** watched the peasants play ice-shooting; a game played in Alpine regions, consisting in the casting of disks on the ice.

6 **was an den letzten Schöpfungstag erinnert.** On the sixth and last day of creation God made man. Genesis 1, 26 ff.

12 **Machen Sie sich meinetwegen kein Kopfzerbrechen:** Dont break your head (rack your brains, give yourself concern) on my account.

Page 96

2 **in der Apotheke ... in der Drogerie.** The **Apotheke** is a licensed, carefully regulated and supervised store for the selling of chemicals and medicines and the filling of prescriptions. The **Drogerie** carries along with patent medicines and chemicals a varied line, such as soaps, toilet-articles, photographic wares, etc.

5 **es weit zu bringen:** to climb high.

13 **ich möchte für mein Leben gern:** I'd give my ears to.

Page 97

15 **Sie sind wohl nicht bei Troste!** I guess you're not in your right senses!

Page 99

26 **schon einmal gesehen zu haben,** cf. p. 20, line 16 ff.

Page 100

23 **Aber man war eben doch nicht mehr der Jüngste:** But one wasn't just exactly the youngest person (in the world) any more.

Page 101

11 **Höre schon endlich mit denen auf!** Forget them (dry up about them) at last, won't you?

18 **wen** = irgend jemand.

Page 104

3 **was hast du denn?** what's the matter with you?

7 **Das kann ja heiter werden** (ironical): that can turn out a pretty how-do-you-do.

14 **die Baldriantropfen:** valerian extract (drops); a gentle stimulant, with an especial direction to the nerves. Applied in cases of hysteria, epilepsy, etc.

Page 105

21 **Bei euch piept's wohl** (ist's nicht richtig im Kopf): I guess you two are weak in the upper story?

Page 106

5 **Es dreht sich einem das Herz im Leibe um:** One's heart turns upside down in one's body.

9 **macht den dummen August:** plays the rôle of the stupid Guss (clown)!

22 **Geheimrat Tobler,** dative case.

24 **ein großes Wort:** that's saying a lot!

Page 108

27 **für sein Leben gern,** see p. 96, line 13.

Page 110

10 **Das ist die reinste Pferdekur!** That is the sheerest horse-cure! That is enough to knock one over! That is the crassest course you could have resorted to!

Page 111

12 **einem auf die Bude rücken:** to advance (descend) on a person's shack; to call unexpectedly at a person's house; to catch a person on the hop. **dem ollen,** colloquial for: **dem alten.**

Page 112

13 **Du sagst es:** You're telling me! You said it!

Page 114

6 **Dann spielen wir drei Fragen hinter der Tür,** a widely played childhood game.

Page 115

7 **eine Partie machen,** (a play on words): (1) to make a match; (2) to go on a picnic (an outing).

9 **Wenn ich das schon höre:** The mere hearing of that is enough (to make me wild).

19 **Gehen Sie immer voraus:** Just go on ahead.

Page 118

9 **kriegte böse Augen:** took on an evil expression of the eyes.

Page 119

4 **Das ist ja allerhand!** That is a lot (plenty)!

Page 122

19 **Wir bissen** (subjunctive) **einander am liebsten die Nasenspitzen ab:** We would like best of all to bite off the tips of each other's noses.

Page 123

2 **à la suite.** The French phrase, as it stands, is ambiguous (1) in my retinue; (2) from now on.

13 **Ach, du grüne Neune!** (An expression doubtlessly derived from cards, the **Grün-Neun** being the nine of spades): Oh land of Goshen! Oh my stars!

23 **junges Gemüse** (play on words): (1) green vegetables; (2) a young girl in her teens.

Page 125

8 **man fällt sonst aus dem Rahmen:** otherwise one isn't in the picture.

Page 127

3 **Wir sprechen uns noch:** We'll see each other, have something further to say to each other, later.

25 **Nun ist der Bart ab!** A nonsensical exclamation indicative of his dazed surprise; as one might exclaim in English: By the cat's whiskers!

Page 128

1 **Haben der Herr Doktor,** courtesy plural of verb, cf. p. 48, line 9.

13 Note the style of the following telegram. In a German telegraph message separable prefixes are not separated, since this would make an additional word. In normal style this telegram would read: „Ich rufe Dienstag um zehn Uhr an. Ich bitte Mutter ans Telefon zu rufen. Bereitet sie auf freudige Mitteilung vor!"

22 **Mahlzeit!** a form of table greeting prevalent in Germany, abbreviated from: Ich wünsche Ihnen eine gesegnete Mahlzeit: I wish you an enjoyable dinner. As Shakespeare put it, "Let good digestion wait on appetite, and health on both!" Translate: Good appetite! or use the salutation untranslated.

25 **Ich habe heute einen Webefehler** (slang = a flaw in my weave): I'm not normal (I've got a bolt loose) to-day.

Page 131

10 **d'accord** (French, = in Einklang, Einverständnis): in agreement.

Page 132

15 **für den Weg:** for your errand (trouble).

26 **wie er sich hat** = wie er sich benimmt.

27 **Er tut gerade, als ob ich eine Zimttüte wäre** (= als ob ich so empfindlich wäre): He acts just as if I were as fragile (as likely to be upset) as a bag of ground cinnamon.

Page 133

1 **mag** = can.

21 **finge Fliegen** (literally): would catch flies; (figuratively): would die of ennui.

Page 138

28 **dem Lechner Leopold,** = dem Leopold Lechner; cf. note, p. 72, line 22.

Page 139

5 **waren sich nicht im Klaren:** did not understand; were befuddled; didn't know what to make of it (what to do).

Page 140

3 **Nicht daß ich wüßte,** (subjunctive of softened assertion): not that I know of.

Page 141

27 **Er trug der Bitte sofort Rechnung:** He acted at once in accordance with the request.

Page 143

22 **hat uns auf den Besen geladen** (= uns zum besten gehalten): has made fools of us.

Page 145

7 **um alles in der Welt:** in the name of everything in the world.

Page 146

1 **schlug die Hände überm Kopf zusammen** (vor Erstaunen): clapped her hands above her head in astonishment.

20 **ob an einem Menschen etwas dran ist:** whether there is something to (anything good about) a person.

Page 147

6 **Alles, was recht ist:** Everything that's fair; to be perfectly fair and square.

17 **mochte es noch angehen:** it would still do; it was not impossible.

Page 148

6 **Sie bleiben hübsch hier:** You just (see to it that you) stay here.

14 **Ich weiß nicht recht,** I scarcely know.

Page 149

10 **Er hatte noch gut fünf Tage zu tun:** He had a good five days' work still to do.

Page 150

7 **Die 176 und die 76 ...:** No. 176 and 76 trams have stopping-places close by.

Page 151

2 **das dicke Ende** (kommt noch): the worst is yet to come.

15 ein **Biedermeiersalon:** a drawing-room in "Biedermeier" style (Biedermeier = worthy citizen). The Biedermeier style was prevalent particularly during the period from 1815 to 1848. It was characterized by its informal intimacy, sincerity, and substantiality.

26 **auf Verdacht oder auf Vorschuß:** on suspicion or on payment in advance.

Page 152

5 **Einen hätten wir also** (subjunctive of softened assertion): So we've got one of them (I fancy)!

5 **das Fräulein Braut**: the fiancée; or: our fair lady, the betrothed.

7 **läßt fragen**: sends me to ask.

12 **gehen wir plaudern** (hortatory subjunctive): let us go and chat.

Page 153

13 **Heraus mit der Sprache**: Out with it!

16 **Die Sache ist die**: It's this way; it's like this.

Page 154

21 **Wird's bald?**: Are you going to get a move on?

Page 156

28 **da laß dich ruhig nieder**, an allusion to Seume's poem, **Die Gesänge**, which is popularly cited:

„Wo man singt, da laß dich ruhig nieder,
Böse Menschen haben keine Lieder."

David Kalische's parody of this quotation is also well known:

„Wo man raucht, da kannst du ruhig harren,
Böse Menschen haben nie Zigarren."

Page 157

8 **Das wird sich schlecht machen lassen**: that will be hard to do.

22 **es liegt anders**: the situation is different; that's not the way it is.

Page 159

10 **Ich dachte mir's schon**: I thought as much.

18 **Nun rede schon!** Well speak up!

20 **Weil es mir schon gehört.** Due to the wide business interests of the Geheimrat, his firm already owned the hotel without his having been aware of it.

VOCABULARY

Note

As far as the principle of alphabetical arrangement permits, words are arranged in family groups.

Words of high frequency, such as should have been learned in the first two years of a school course in German, are omitted from the vocabulary.

The accent is indicated only when it does not fall upon the first or root syllable.

The vowel changes of strong verbs are not indicated in compounds when the simple form of the verb is listed, nor in the case of the commoner verbs.

A

ab-bekommen to receive (come in for a share, etc.)

ab-biegen (o, o) (fein) to bend, turn (aside)

ab-dienen to serve off

der Abend; abendlich gekleidet wearing (formal) evening dress; der Abendschnellzug, –es, ⁿe, evening express

das Abenteuer, –s, –, adventure

abfällig disapprovingly

abgearbeitet worn from work

abgerissen shabby

abgeschabt worn, shabby

der Abgrund, –es, ⁿe, abyss, chasm

ab-hangen to depend

ab-heben (o, o) to lift off, withdraw

ab-helfen (dat.) to help to remedy

ab-holen to call for

ab-kommen (fein) to come away from, get off

ab-laden (u, a) to unload, take off

die Abmachung, –, –en, agreement, terms

die Abmagerungskur, –, –en, reducing cure (treatment)

ab-nehmen to take off, lose weight

ab-prallen (sein) **to bounce off**, rebound

ab-raten (ie, a) **to advise** against

ab-räumen to clear **(up)**

ab-rechnen to settle **(square)** accounts; die **Abrechnung**, –, –en, account

die **Abreise**, –, –n, departure

ab-reißen (i, i) to tear off

ab-riegeln to bolt

ab-rücken (haben or sein) to move away

ab-sagen to decline, renounce, excuse oneself; die **Absage**, –, –n, refusal

der **Absatz**, –es, ⁻e, demand, sale, market; reißenden – finden to find brisk demand (ready market)

das **Absatzheben**, –s, raising of the heel

abscheulich disgusting, hideous

der **Abschiedsbrief**, –es, –e, farewell letter

ab-schießen (o, o) to shoot, send (a look, etc.)

abschließend concluding, ending the conversation, with finality

ab-schreiten (i, i) to pace off; die Front — to make an inspection along the front line, to pace off the front

ab-seifen (= mit Seife waschen) to (wash with) soap

die **Absicht**, –, –en, intention, purpose; **absichtlich** intentionally, on purpose

absolut' absolutely

absolvie'ren finish; absolve, dismiss, acquit, finish examining

der **Abstand**, –es, ⁻e, interval, distance (between)

ab-statten to pay (a visit)

ab-stehen to stick out, protrude

ab-stürzen (sein) to fall down

das **Abteil**, –s, –e, section, coupé; die **Abteilung**, –, –en, division, department; der **Abteilungschef**, –s, –s, department head

ab-trocknen to dry off

abvermietet rented (out)

ab-warten wait (to the end), bide one's time

abwechselnd alternately, by turns; die **Abwechslung**, –, –en, change

ab-wehren to parry, avert, ward off; **abwehrend** protestingly

ab-weisen (ie, ie) to turn away, reject

ab-winken to give a gesture of dissent, deny by a shake of the head; motion to one to go

der **Abzug**, –es, ⁻e, deduction, discount

accord (*French*); d'accord (= einig, in Einverständnis) in agreement

ach was nothing of the kind, stuff and nonsense

die **Achsel**, –, –n, shoulder

das **Achtel**, –s, –, eighth (pound etc.)

achten (auf) to pay attention (to), notice

ächzen to groan

der **Adelsstand**, –es, ⁻e, (class of) nobility

adlig noble

abreſſie'ren (an) to address (to); **das Abreß'buch,** -es, ⁻er, directory; bie **Abreſ'ſe,** -, -n, address

bie **Affä're,** -, -n, affair

ahnen to guess, surmise, suspect, anticipate, have a foreboding (presentiment) of; bie **Ahnung,** -, -en, idea, notion, presentiment; blaſſe —, faint suspicion; **ahnungsvoll,** anticipatory, full of presentiment

ähnlich (dat.) like

ber **Akade'miker,** -s, -, academician, university graduate

aktiv' active

aku'ſtiſch acoustic

Alba'nien Albania

albern silly, foolish, ridiculous

ber **Alkohol,** -s, -e, alcohol; bem — zuſprechen to address (oneself to) the bottle; to drink freely

all; alle werden to be used up, come to an end; von **alledem** of all that; vor **allem** above all; **alles, was** recht iſt what is fair; to be fair and just

al'lerdings' to be sure

al'lerhand' all sorts of; bas iſt ja —, that is a lot!

al'lerliebſt' most delightful (charming)

al'lerſeits' on all sides; to (by) everybody

Allmäch'tiger Almighty (God)

allmäh'lich slowly, gradually, by degrees

ber **Almhof,** -es, ⁻e, Alpine pasture farm

bie **Alpen** Alps; bie **Alpenlandſchaft,** -, -en, Alpine landscape; bie **Alpenwanderung,** -, -en, trip through the Alps

bas **Alter,** -s, -, age; **älter** older, oldish, rather old, elderly; **altern** grow old; **altersſchwach** weak from age; **altertümlich** old fashioned, quaint; **altgewohnt** long-accustomed, old-time; **altvertraut** familiar from of old

bie **Altſtimme,** -, -n, (contr)alto voice

bas **Amt,** -es, ⁻er, office

amüſie'ren to amuse, entertain, oneself, have a good time

an-behalten to keep on

bie **Anbeterin,** -, -nen, (woman) worshipper

an-betreffen (a, o) to concern

an-bieten (o, o) to offer; ließ mir —, had offered to me

an-blicken to look at; ber **Anblick,** -es, -e, sight, view, appearance

an-bringen bring (forward), present, lodge, (pr)offer

andächtig reverently.

an-denken to think of; benke bir an! just think; bas **Andenken,** -s, -, keep-sake

ander; and(e)rerſeits on the other hand; **anderthalb** one and a half

ändern change

an-deuten to indicate, intimate, hint (to)

an-drehen to turn on; impose upon

an-erkennen acknowledge, approve

an-fahren (ſein) to start

anfangs at first

an-faſſen to take hold of

an-fechten (o, o) to disturb, trouble

an-fragen (bei) inquire (of)

ſich an-freunden to make (become) friends

an-füllen to fill

an-galoppie'ren (ſein) to gallop up

an-geben to give, indicate; angeblich to allege

an-gehen (ſein) to concern, be one's business; einem nichts —, not to concern one; es geht nicht an it won't do; möchte es noch angehen it would still do, was not impossible

der Angehörige, -n, -n, relative

der Angeklagte,-n,-n, accused person

rot angelaufen covered (tinged, suffused) with red

die Angelegenheit, -, -en, matter, affair

angenehm pleasant; ſehr —, very pleased to meet you (speak with you, etc.); mir war nicht —, I didn't like it

angeraten advised, counselled

angeſpannt strained, tensely

angeſtammt hereditary, native

der Angeſtellte, -n, -n, employee, appointee

an-gloßen to glare (stare) at

die Angſt, -, ᵘe, fear, anxiety, worry; — haben, to be afraid, be worried; ängſtlich anxiously, worried, frightened

der Angſthaſe, -n, -n, cowardly, custard, timid soul

an-gucken to look at, take a peek at

an-haben to have on

der Anhalter Bahnhof, -es, (proper name) a railway station in Berlin

anheimelnd homelike

ſich an-kleiden to dress oneself

an-kommen (ſein) to arrive; — (auf) to depend (upon); der Ankömmling, -s, -e, arrival, person arriving

an-kündigen to announce; die Ankündigung, -, -en, announcement

an-langen to concern; was der Schlaf anlangt as far as concerns sleep; — an, to arrive at

anläßlich upon the occasion of

(rot) an-laufen (ſein) to turn (become tinged, suffused with) (red)

der Anmarſch, -es, ᵘe, approach

an-melden to announce; ein Geſpräch —, to put in a call; das An'meldeformular' -s, -e, registration form

an-meſſen (a, e) to measure up, prepare to one's measure

an-nehmen to assume; accept, adopt, pass (a motion)

an-ordnen to arrange, order, give orders for

ſich an-paſſen to adapt oneself; das Anpaſſungsbedürfnis, -ſes, -ſe, need to adapt oneself; die Anpaſſungsfähigkeit, -, -en, adaptability

an-pumpen to borrow (from)

an-rücken (ſein) to advance, draw up, approach

an-rufen to call up, telephone (to), make a call; der **Anruf**, –es, –e, phone call

an-sausen (sein) to whiz (speed) up

an-schauen to (take 2) look at, view

anscheinend apparently, evidently, as it would seem

der **Anschlag**, –es, ⁻e, bulletin, poster, notice; durch — bekannt=machen to publish (make known) by means of a notice

an-schleppen to drag (carry) up

sich **an-schließen** (o, o) to join (someone); **anschließend** = gleich darauf

das **Anschmiegen**, –s, –, nestling close, snuggling

an-schmieren (= betrügen) to deceive, gull, dupe, take in

an-schreiben to write down on account, charge

an-sehen to look at, observe; schief —, to look askance at; sich —, to take a look at, take in; die **Ansicht**, –, –en, view; die **Ansichts=karte**, –, –n, picture postcard

an-sprechen to speak to, address; **anspruchsvoll** exacting, demanding

anständig decent

an-starren to stare at

an-stecken to infect

an-stellen to appoint, give a job to; der **Angestellte**, –n, –n, employee; die **Anstellung**, –, –en, appointment, job

an-stoßen (ie, o) to strike against,

to clink (touch) glasses; der **An=stoß**, –es, ⁻e, offence

sich **an-strengen** to exert oneself; **anstrengend** taxing, exhausting; die **Anstrengung**, –, –en, exertion

das **Antiquitä'tengeschäft**, –s, –e, antique shop

an-treten (sein) to enter upon

an-tun (dat.) to do to one

an-vertrauen to entrust to

die **Anweisung**, –, –en, order, direction, instruction

der **Anwesende**, –n, –n, one (person) present

die **Anwesenheit**, –, presence

an-ziehen to put (pull) on, to dress; der **Anzug**, –es, ⁻e, suit, dress; ein Anzug von der Stange a suit from the rack, clothes-hanger, i. e., ready made; die **Anzug=tasche**, –, –n, suit pocket

an-zünden to light, set on fire

der **Apa'che**, –n, –n, (Engl. pron.) Apache (Indian); Parisian robber or assassin

das **Apfelbäckchen**, –s, –, little cheek as red as an apple

die **Apothe'ke**, –, –n, chemist's shop

der **Apparat'**, –s, –e, apparatus (phone, etc.)

das **Appartement'**, –s, –s, (French pron.) apartment

der **Appetit'**, –s, –e, appetite

die **Arbeit**, –, –en, work(s), writings, files, drawings, etc.; das **Arbeits=gericht**, –s, –e, labour court; ar=beitslos without work, unemployed; der **Arbeitsraum**, –8, ⁿe, work room

fich ärgern be cross, vexed; **ärger=lich** cross, vexed

arm; das **Armenhaus**, –e8, ⁿer, poor-house; das **Armefün'berge=ficht**, –8, –er, poor wretch's face, face of a criminal condemned to death; **ärmlich** poorly; der **Arm=fte**, –n, –n, poor wretch; die **Ar=mut**, –, poverty

der **Arm**, –e8, –e, arm; auf den — nehmen, to take into one's arms, treat like a child; der **Ärmel**, –8, –, sleeve; die **Armbanduhr**, –, –en, wrist-watch

die **Armee'**, –, –n, army

arrangie'ren (*French pron.*) to ar-range; das **Arrangement'**, –8, –8, (*Fr.*) arrangement; das getroffene —, the arrangement made; der **Arrangeur'**, –8, –8, (*Fr.*) arranger

die **Arte'rienverkal'fung**, –, –en, hardening of the arteries

artig good, nice, well-behaved

der **Arzt**, –e8, ⁿe, doctor

der **Aschenbecher**, –8, –, ash tray

der **Aft**, –e8, ⁿe, limb

atmen to breathe; der **Atem**, –8, breath, breathing; — **holen**, to draw one's breath; die **Atem=paufe**, –, –en, breathing pause

ätfch! (expression of mockery or malicious pleasure) serves you right!

auch nur even; **auch wer** even he who

auf-atmen to give a sigh of relief

auf-bewahren to preserve, keep

auf-bliden to look up

auf-blühen (fein) to blossom, take on life, perk up

auf-brechen (haben *and* fein) to break up, start out

aufbringlich obtrusive

aufeinander-treffen to collide, en-counter each other

der **Aufenthalt**, –e8, –e, stop, stay, wait, sojourn

auf-fallen (fein) to strike (attract, arrest, fall upon) one's attention

auf-fordern summon, bid, invite, call upon; die **Aufforderung**, –, –en, invitation

auf-freffen (a, e) to eat up

fich auf-führen to conduct oneself, behave

auf-geben to give up; assign; die **Aufgabe**, –, –n, task; giving up, closing out

auf-gehen (fein) to open; to (a)rise; ihm ging ein großes Licht auf a big light dawned in his mind; he un-derstood; **aufgehend** rising

aufgelöft disintegrated, dissolved

aufgeregt excited

auf-halten to hold back, detain, restrain, stop; fich —, stay, pass the time

auf-hängen to hang up

auf-hören to stop; da hört fich doch alles auf there I don't know what to say; well if that doesn't beat all!

auf-klappen to open, unclasp

auf-klären to clear up

auf-lachen to laugh aloud

auf-legen to lay up; den Hörer —, to hang up (the receiver)

auf-lösen to dissolve

aufmerksam attentive; — machen (auf) to call attention (to the fact)

auf-möbeln to put in order

die **Aufnahme**, -, -n, photo, picture

auf-passen to pay attention, watch out, listen, be on one's guard, take heed (auf, to, for); kolossal auf ihn —, to keep monstrously careful watch over him; passen Sie auf! pay attention! You'll see!

auf-räumen to clear (tidy) up, put in order

aufrecht upright; **aufrecht-halten** to hold upright

auf-regen to stir up, rile, excite; **aufregend** exciting, stirring; die **Aufregung**, -, -en, excitement, agitation, irritation, emotion

auf-reißen to tear (jerk) open

auf-rollen to roll up (back)

auf-schließen to unlock, open up

auf-schluchzen to sob aloud

auf-schreiben to write down

auf-setzen to put on (hat)

der **Aufsichtsrat**, -es, ⁻e, board of directors

auf-spannen to stretch out, open

auf-sperren to undo, open up

auf-stampfen to stamp

auf-stapeln to pile (store) up

auf-stellen to arrange, set in order; set up, make

auf-stöhnen to groan aloud, utter a groan

auf-tauchen (sein) to emerge, put in an appearance, heave into sight

auf-tauen (sein) to thaw out

auf-tragen to assign, give (to do); der **Auftrag**, -es, ⁻e, order, task, commission

auf-treten (sein) to step out, appear, play the rôle of; der **Auftritt**, -es, -e, scene

auf-wachen (sein) to wake up

die **Aufwartefrau**, -, -en, maid, attendant

auf-wecken to waken

auf-zählen to enumerate, recite

auf-ziehen to (pull) open

augenblicklich instantly

aus; nicht — noch ein wissen not know which way to turn

aus-breiten to lay (spread) out, display

aus-denken to think out, conceive; es war nicht auszudenken it was beyond conception

aus-dienen to serve out (it's time), become superannuated

aus-drücken to express, press (put) out; der **Ausdruck**, -es, ⁻e, expression; **ausdrück'lich** expressly

der **Ausflug**, -es, ⁻e, excursion, picnic, trip

aus-fragen to (thoroughly) question

aus-führen to carry out; **ausführ'lich** in detail, detailed

aus-füllen to fill (out), occupy

aus-geben spend

ausgebreitet outspread, extensive

ausgefüllt filled (out)

ausgenommen excepted

ausgeschlossen shut out, excluded, impossible, out of the question

ausgesprochen decidedly

ausgestorben dead, deserted

aus'gezeich'net excellent

die Aus'gleichsgymna'stik, –, corrective exercise (gymnastics)

aus-gleiten (sein) to slip

aus-halten to stand, hold out, endure; zum Aushalten to be endured

aus-händigen to hand out

sich aus-kennen to see one's way clearly, know where one is, get one's bearings

aus-kommen (sein) to get along with, get by with, manage, make ends meet

aus-kramen to empty

aus-kühlen to become cold

die Auskunft, –, –en, information

aus-lachen to laugh at

ausländisch foreign

aus-löschen to put out (a light)

die Ausnahme, –, –n, exception

aus-packen to unpack

aus-reichen to be sufficient, adequate

aus-reißen to run away; tear off or out

aus-richten to carry out, deliver a message (to)

die Ausrüstung, –, –en, equipment, outfit

die Aussage, –, –en, statement, declaration

aus-schauen to look

das Ausschreiben, –s, (prize) competition

ausschweifend extravagantly

aus-sehen to look, appear

außer sich beside oneself

außerdem besides, moreover

außergewöhn'lich unusual

außeror'dentlich extraordinary, exceptional, extremely, exceedingly

äußern to utter, say; sich —, to express oneself

äußerst utmost, furthest; exceedingly; der –e Preis, the lowest possible price

aus-spucken to spit out

aus-statten to equip, furnish, adorn

aus-steigen (ie, ie) (sein) to get out, dismount

aus-stoßen (ie, o) to ejaculate, emit

aus-suchen to seek out, select

sich aus-toben to give vent to one's wildness, get it out of one's system

aus-üben to exercise, expend, give out

zum Auswachsen (= langweilig) boring

die Auswahl, –, –en, choice, selection

auswärtig foreign, from outside

der Ausweg, –s, –e, way out, avenue of escape

aus-weichen (i, i) (sein, dat.) to dodge, go out of the way

die Aus'weispapie're (pl.) identification papers

aus-werfen to throw out; put up, allow (a sum of money)

auſ-zanken to rebuke, scold

auſ-ziehen to take off, undress

automa'tiſch automatic, mechanical

die Autorität', –, –en, authority

B

die Backe, –, –n, cheek; **das Bäckchen,** –s, –, little cheek

backen, buk, gebacken to bake

baden to bathe; **das Bad,** –es, ⁿer, bath; **das Badezimmer,** –s, –, bath-room

bahnen to open (prepare) a way; ſie bahnten ſich ihren Weg they forced (made) their way; **die Bahn,** –, –en, railway; course, rink; railway station; **der Bahn= hof,** –es, ⁿe, railway station; **der Anhalter** —, (proper name) station in Berlin; **der Bahnhofs= platz,** –es, ⁿe, station court (square, yard); **der Bahnſteig,** –s, –e, station platform

balancie'ren (*Fr. pron.*) to balance

bald; wird's —, are you going to get a move on (shake hands) soon; bald — bald now — now; auf baldiges Wiederſehen good-bye till I see you again soon

der Bal'driantropfen, –s, –, valerian extract (drops)

ſich **balgen** to fight, wrestle, romp

der Balkon', –s, –e or –s, balcony

der Ballbeſucher, –s, –, ball-visitor, ball-guest (participant)

der Ballon', –s, –s, (*Fr.*) balloon

Bal paré (*French*) ball in gala attire

die Bange, –, (= Angſt) anxiety; haben Sie keine —, never fear, don't worry

die Bank; das Bankkonto, –s, –ten, bank account; **bankrott'** bankrupt

bar cash; **die Barvergütung,** –, –en, cash compensation

die Bar, –, –s, bar, bar-room; **der Barbeſucher,** –s, –, bar guest; **der Barhocker,** –s, –, bar stool

Barbados Barbados Island (West Indies)

bärtig bearded

baſta! an end of it, enough, stop, no more!

der Bauch, –es, ⁿe, stomach

der Bauernburſche, –n, –n, peasant lad, young peasant

das Bau'material', –s, –ien, building material

die Baumrinde, –, –n, tree-bark

beacht'lich noteworthy, considerable, estimable, remarkable

der Beam'te, –n, –n, official

bear'beiten to belabour, ply

beauf'ſichtigen to take charge of, supervise; **die Beauf'ſichtigung,** –, –en, supervision

bedacht' bent upon

ſich **bedan'ken** to express one's thanks

bedau'ern to regret, be sorry; **be= dauernd** with regret, regretfully; **bedauerlich** regrettable

bedeckt' covered

beden'ken to think, consider

bedeu'ten; hat wenig zu —, means little, is of little significance

bedroh'lich threatening, menacing

bedrückt' oppressed, depressed, downcast

bedürf'tig needy

sich beei'len to hurry, get a move on

beein'flussen to influence

been'den to end

befeh'len (a, o) to order, command; **der Befehl,** -s, -e, command

sich befin'den to be, be located; **das Befinden,** -s, condition, health

beflis'sen zealously

beför'dern to transport

befrem'det astonished, amazed, surprised

befrie'digt contentedly

befüh'len to feel

befürch'ten to fear

sich bege'ben (in) to betake oneself (to), set out, start, go

begei'stert inspired, enthusiastic; **die Begei'sterung,** -, -en, enthusiasm

beglei'ten to accompany, escort

beglück'wünschen to congratulate

begrei'fen to grasp, comprehend, understand; **begreif'licherwei'se** as one can easily understand; **der Begriff',** -s, -e, concept

begrü'ßen, to greet; **der Begrü'ßungsschluck,** -s, -e, swallow of greeting (welcome)

behal'ten to keep; **recht** —, to prove to be right

behan'deln to treat; **die Behand'lung,** -, -en, treatment

behaup'ten to assert, declare; **die Behaup'tung,** -, -en, assertion

beher'bergen to harbour, shelter

sich beherr'schen to control oneself

behilf'lich sein, be of assistance

behin'dern to hinder, interfere with

behut'sam cautiously, prudently, circumspectly

beifällig approvingly

das Beileid, -es, -e, condolence

das Bein; auf die -e kommen to get on one's feet; **das Beinkleid,** -es, -er, trousers

beina'he almost

bei-pflichten (*dat.*) agree (concur) with

beisam'men together

beisei'te-legen to lay aside

beisei'te-schieben to push (thrust) aside

beispiellos without example; **beispielsweise** by way of example

bei-springen (sein) (*dat.*) to spring to one's aid

bekannt' known, acquainted; — **machen,** make known, announce; introduce; **der Bekann'te,** -n, -n, acquaintance; **bekannt'lich** notoriously, as is well known

beklom'men oppressed

beklop'fen to pound, tap

beküm'mert concerned, worried, heavy-hearted

bela'den (u, a) to load; **bela'den** (*past. p.*) laden

belei'digen to insult, offend

die Beleuch'tung, -, -en, illumination

bellen to bark

belo'gen, *see* belügen

beloh'nen to reward; die Beloh's
nung, –, –en, reward

belü'gen (o, o) to lie to, deceive

belu'ſtigt amused, filled with merriment

bemer'ten remark, notice; die Be=
mer'tung, –, –en, remark, obser-
vation

ſich bemü'hen to end avour

bench'men to take away (one's
breath, senses, etc.); ſich —, act,
behave, conduct oneself (zu, to-
ward); benimm dich (gut) behave
yourself; das Benehmen, –s, conduct, behaviour, benom'men, rob-
bed of one's breath, dizzy, dazed

benei'den to envy

der Bengel, –s, – or –s, boy, young
rascal, urchin, chap

benom'men, see benehmen

benut'zen to use

beob'achten to observe, watch

bequem' comfortable, convenient

die Bera'tung, –, –en, conference

bereits' already

bereu'en to rue, regret

bergab' down hill; bergan' uphill;
der Berggipfel, –s, –, mountain
peak; der Bergpfad, –es, –e,
mountain path; das Bergwert,
–es, –e, mine

berich'ten to report; der Bericht',
–s, –e, report

berüd'ſichtigen to take into consideration

der Beruf', –s, –e, calling, profes-
sion; beruf'lich occupational; from
the business (professional) stand-

point; die Berufs'auffaſſung, –,
–en, conception of (one's) calling

beru'hen to rest; auf ſich — laſſen
to let the matter rest (be as it is)

berühmt' famous

berüh'ren to move, affect

ſich beſau'fen (o, o) to become
drunk; beſoffen drunk

beſchäf'tigen to occupy, busy, em-
ploy; die Beſchäf'tigung, –, –en,
occupation

der Beſcheid', –s, –e, information,
answer; — wiſſen be informed,
be „wise"

beſchei'den modest

beſchei'nen to shine on

die Beſche'rung, –, –en, presentation of gifts; nun haben wir die —,
now we are in for it

beſchim'pfen to scold, berate

beſchla'gen to nail; (perf. part.) me-
tal trimmed, hob-nailed

beſchlie'ßen to resolve

beſchnup'pern to sniff (at)

beſchrän'ten to limit

beſchrei'ben to describe; die Be=
ſchrei'bung, –, –en, description

ſich beſchwe'ren to lodge complaint
(über, against); die Beſchwer'de,
–, –n, complaint

beſchwin'deln to swindle, dupe

beſchwö'ren (o, o), to adjure, im-
plore, beseech

beſe'hen to look at

der Beſen, –s, –, broom; auf den —
laden to fool

beſeſ'ſen (perf. part. of beſitzen)
possessed

beſet′zen adorn, embellish, stud; occupy; ſchwach beſetzt scantily occupied

beſie′gen to conquer, overcome

beſit′zen to own, possess; ber Be= ſitz′, -es, -e, possession; ber Be= ſit′zer, -s, -, owner

beſof′fen, see beſau′fen

beſon′bers particularly

beſor′gen to care for, attend to, procure, provide, get; beſorgt′ worried, anxious, concerned (um, about); bie Beſorg′nis, -, -ſe, care, worry; bie Beſor′gung, -, -en, errand, thing to attend to

bie **Beſſerung**, -, -en, improvement; ich wünſche ihr gute —, good improvement to her!

beſtä′tigen to confirm

beſte′hen (auf) to insist upon; — (aus or in) to consist (of)

beſtei′gen (ie, ie) to mount, board

beſtel′len to order

beſtim′men to determine; beſtimmt′ definitely, positively, certainly, surely, without doubt, dead sure; bie Beſtim′mung, -, -en, regulation, requirement

beſtricken′ to ensnare; engage

ſich **betä′tigen** to occupy oneself, participate

ſich **betei′ligen** (an) to take part in, interest oneself in; compete (in)

betrach′ten to observe, regard, contemplate, study, examine; be= trächt′lich considerable, important, heavy

betre′ten to step (enter) upon, start up (stairs)

betre′ten (*perf. part.*) taken aback, startled

ber **Betrieb′**, -s, -e, activity, operation; in — ſetzen set working

ſich **betrin′ken** to get drunk

betrof′fen surprised, taken aback

betrü′ben to grieve, trouble

bas **Bett**; bie **Bettbecke**, -, -en, bedcover; **bettlägerig** bed-ridden

ber **Bettler**, -s, -, beggar

betup′fen to dab, powder

beugen to bend, lean

bevor′ before, ere

bewa′chen to watch (over), guard

bewaff′nen to arm, equip

bewah′ren to preserve, forfend, forbid

bewe′gen to move, influence, persuade; bie Bewe′gungsfrei′heit, -, freedom of action

bewoh′nen to occupy

bewun′bern to admire; bewun′= bernswert worthy of admiration

bezah′len to pay for; bie Bezah′= lung, -, -en, payment

bezau′bernb enchanting, charming

bezie′hen move into; obtain; bie Be= zie′hung, -, -en, connection, relationship, regard, respect, reference; **bezie′hungsvoll** full of implication

bie **Bibliothek′**, -, -en, the library

biblijch biblical

bieber trustworthy, upright, good; ber Bie′bermei′erſalon′, -s, -s, living room furnished in "Biedermeier" style (*see note*) der **Bierkeller**, -s, -, beer-cellar

das **Biest**, -es, -er, (or die **Bestie**, -, -n) beast

bieten (o, o) to offer; sich — lassen to put up with; take (from anyone)

das **Bild**; ich bin im -e I'm in the picture (running); das gewagte —, the daring figure of speech; die **Bildfläche**, -, -n, scene, picture; **bildschön**, very handsome, pretty as a picture

bilden to form; educate; die **Bildung**, -, -en, formation, training, culture, education

das **Billett'**, -s, -e, (ll=lj) ticket

billig cheap

billigen to approve

der **Biolo'ge**, -n, -n, biologist

ein **bißchen**; ein — plötzlich pretty quick ; ein **Bißchen**, -s, -, little bite, morsel

bitt(e) schön pray, please; **bitte sehr** please don't mention it

blaß pale; -e Ahnung faint suspicion

blättern to turn the pages; das **Blatt**, -es, ᵘer, page, newspaper; an dem — vorbeischauen to peer past the newspaper

blinzeln to blink

der **Blitz**, -es, -e, lightning; der **Blitzableiter**, -s, -, lightning-rod; die **Blitzlichtaufnahme**, -, -n, flashlight photograph

der **Block**, -es, ᵘe, block, lump, ball

blöd stupid; der **Blödsinn**, -s, -e, (piece of) nonsense, stupidity;

blödsinnig, silly, stupid, weak-minded; zum **Blödsinnigwerden** enough (fit) to make one crazy (with pleasure, etc.)

die **Blondi'ne**, -, -en, blonde

bloß bare, naked; merely, just, only, solely; — vor Schreck from fright alone (sheer fright)

blühen to blossom; **blühend** blooming, in one's prime

der **Blumenladen**, -s, ᵘ, flower shop

blütenweiß blossom-white, snow-white

der **Blutdruck**, -s, -e or ᵘe, blood-pressure

die **Bockleiter**, -, -n, step-ladder

der **Boden**, -s, - or ᵘ, ground; attic; in Grund und — (= ganz und gar) thoroughly, entirely, to pieces; die **Bodenkammer**, -, -n, attic chamber; **bodenlos** bottomless, abysmal; **bodenständig** native

der **Bogen**, -s, - or ᵘ, curve; einen — fahren, to make a curve

böhmisch Bohemian

die **Bohne**, -, -n, bean

borgen to loan

bot, see bieten

die **Botenfrau**, -, -en, errand woman

der **Botschafter**, -s, -, ambassador

Brasi'lien Brazil

die **Bratkartoffel**, -, -n, fried potato(es)

brauchen to need, use; der **Brauch**, -es, ᵘe, custom, practice

das **Bräu**, -es, -e, beer restaurant; das **Bräustübl**, -s, -, beer restaurant, lunch-room die **Braut**, –, ⁻e, betrothed, fiancée; der **Bräutigam**, –s, –e, bridegroom, fiancé

brei'ten to spread

breitschultrig broad-shouldered

Bremen, city, on North German coast; **Bremer** of (from) Bremen; die **Bremerin**, –, –nen, woman from Bremen

bremsen to put on the brakes

das **Brett**, –es, –er, board; ski; das **Schwarze Brett** bulletin board; das **Brettel**, –s, –, (little) board, snowshoe, ski; **Bretteln** (*dialect plural form*)

der **Briefbogen**, –s, –, sheet of notepaper; der **Briefkasten**, –s, –, letter (post) box; die **Briefmarke**, –, –n, postage stamp; das **Briefmarkensammeln**, –s, stamp collecting; die **Brieftasche**, –, –n, lettercase, pocket-book; der **Briefwechsel**, –s, –, exchange of letters, correspondence

das **Brikett'**, –s, –s *or* –e, briquette

der **Brillant'splitter**, –s, –, diamond splinter

bringen; zur **Post** —, to take to the post office, to post unter einen **Hut** —, to unite

die **Brokat'tasche**, –, –n, brocade handbag (purse)

die **Bronze**, –, bronze

das **Brötchen**, –s, –, roll

die **Bruchbude**, –, –n, ramshackle booth, miserable room

Bruckbeuren, fictitious village in the Bavarian Alps

die **Brüderschaft**, –, brotherhood; — **trinken**, to drink the pledge of brotherhood (fraternal friendship)

brummen to growl

brüskiert' treated rudely, inconsiderately, flouted

die **Brüstung**, –, –en, parapet

der **Buchhalter**, –s, –, book-keeper

der **Buckel**, –s, –, back; **rutschen Sie** mir den — **runter** go plumb to hell; go and be hanged!

sich bücken, to bend (over)

die **Bude**, –, –n, booth, stall; (humorous for) room; shack, hovel

bügeln, to iron, press; der **Bügel**, –s, –, bent (bowed) iron, coathanger; das **Bügeleisen**, –s, –, iron

bugsie'ren to tug, pull, haul

buken *see* **backen**

das **Bukett'**, –s, –e, bouquet

bummeln to loaf, saunter

bums! bang!

bündeln to bundle, do up in bundles; das (der) **Bündel**, –s, –, bundle, pack

bunt gay, lively, bright-coloured, variegated; nun wird mir's zu —, now it's getting too much for me (going too far)

bürgerlich as with a common citizen; -e **Küche** plain cooking

das **Büro'**, –s, –s, office

der **Bur'sche**, –n, –n, fellow; **burschikos'** studentlike, in a free and easy manner

bürsten to brush; die **Bürste**, –, –n, brush

der **Busch**, –es, ⁻e, bush
büßen to atone for

C

Canai'lle (*French*) wretch, base dog, scoundrel
der **Champagn'er**, –s, –, (ſampan'-jər) champagne
Charlot'tenburg, suburb of Berlin
Château Neuf town in France
Chemnitzer (ch = k) (from the town) Chemnitz in Saxony
der **Chor**, –s, ⁻e, chorus
chronisch chronic
die **Circe** Circe, enchantress
die **Coura'ge**, –, courage, bravery
der **Cutaway** (*or* **Cut**) cutaway coat

D

das **Dach**; das **Dachfenster**, –s, –, dormer (garret) window; die **Dachkammer**, –, –n, attic room; das **Dachstübchen**, –s, –, little attic room
daheim' at home
dahin'ter-stecken to be behind (something), lie at the back of, be at the bottom of
die **Damenwahl**, –, ladies' choice; ladies choose partners
dämlich senseless, stupid, "nutty"
dämmern to turn dusk, dawn; die **Dämmerung**, –, –en, dusk, dawn
dampfend steaming
Danziger Goldwasser, –s, Danzig gold cordial

einem **daran-liegen** to be a matter of importance (consequence) to one
daraufhin' upon that, at that
dargeboten offered
dar-legen to disclose, display
dar-stellen to represent
dauern to last, take (time); **dauernd** continually, constantly, all the time; die **Dauer** duration; auf die —, in the long run; **dauerhaft** permanent, unshifting; das **Dauerlächeln**, –s, –, fixed smile
der **Daumen**, –s, –, thumb
zum **Davon'laufen** enough to make one take to one's heels, to bowl one over
davon'-rauschen (ſein) to rustle (storm) away
davon'-rennen (ſein) to run away
(noch) **dazu** in addition, moreover, what's more
dazu'-kommen (ſein) come to; "get that way"; ich kam gerade dazu I came just as that was happening
dazu'-schreiben to add (in writing)
dazu'-stecken add to, lay (away) with
dazwisch'en-kommen (ſein) to intervene
decken to cover; den Tiſch —, to set the table; die **Decke**, –, –n, cover, blanket, ceiling
deformie'ren to deform
deinetwegen on your account
dekorie'ren to decorate; die **Dekoration'**, –, –en, decoration; **dekorativ'** decorative, ornamental

delifat' delicate; bie **Delifatef'fe**, –, –n, delicacy, tid-bit

demolie'ren to demolish

denfen; **denfbar** thinkable; bas **Denfmal**, –s, ⁻er, monument

bepefdie'ren to telegraph; bie **Depe'fde**, –, –n, dispatch, telegram

berartig such, of such a kind, so (much), in such a manner (fashion)

berb coarse

befpettier'lid disrespectfully

beswegen on that account, for that reason

beutlid clear, plain, explicit

bezent' decent

bid thick, stout, close; bas –e Enbe (fommt nod) the worst is yet to come; ber **Didtopf**, –es, ⁻e, thick-headed donkey, obstinate fellow; ber **Didfdäbel**, –s, –, obstinate person, stupid (block) head

ber **Dienft**, –es, –e, service; ber **Dienftbote**, –n, –n, servant; bie **Dienftbotentreppe**, –, –n, servants' stairs; ber **Dienftmann**, –es, –leute, servant, errand-man

dies'bezüg'lid with reference to this, on this score

bieferhalb on this account, for this purpose

biffus' diffused, attenuated

bas **Diftat'**, –s, –e, dictation; bas **Diftat'heft**, –s, –e, notebook for dictations

bilettan'tifd amateurish, dilettante

bas **Diner'**, –s, –s, (*French*) dinner

bie **Direftion'**, –, –en, management

ber **Diref'tor**, –s, –tor'en, manager

bie **Doftorarbeit**, –, –en, work (thesis) for the Ph. D.

Donnerwetter nod einmal! confound it!

bie **Doppelhodzeit**, –, –en, double wedding; **boppelfeitig** on both sides; **boppelt** twice (double) as much

börflid village, rustic, local

bortig at that place, living there

bas **Drahtgitter**, –s, –, wire fence, wire coil; bie **Drahtfeilbahn**, –, –en, aerial (cable) tramway

brängen to press, crowd; **brängeln** to press, urge

bran-fommen (fein) to come, be in turn

braußen outside, out-of-doors, out there (in the suburbs)

ber **Dredfler**, –s, –, turner (in wood)

brehen to turn; fid — (um) to turn, revolve (about); ber **Drehfeffel**, –s, –, (revolving) piano stool

breißigjährig thirty year old

bie **Dreizimmerwohnung**, –, –en, three room apartment

bringen (a, u) (in) to penetrate (into); **bringenb** urgent, pressing, earnest

ju **britt** in threes; the three of us

broben up above, up there

bie **Drogerie'**, –, –n, drug-store

brohen to threaten; mit bem Finger —, to shake one's finger

brüben over there

bruden to print; bu lügft wie gebrudt you lie like a book; ber

Drud, –es, ¹e, print, pressure; **drüden** to press, squeeze, pinch

die **Duellforderung,** –, –en, challenge to a duel

die **Dummheit,** –, –en, folly, stupid thing

dumpf dull

dünn thin

durchaus' absolutely, under all circumstances

der **Durchblick,** –es, –e, vista

die **Durchblutung,** –, –en, circulation of the blood

durch-brennen (sein) to burn through (out); (= flüchten) to run away, abscond

durchdacht' (durchden'ken) thought out

durcheinander in a muddle, topsy-turvy, turned inside out

durchfro'ren chilled (frozen) through

durch-führen to carry out, set through

durch-füttern to feed through (a season, period of time) (of cattle)

durch'gebrannt, see durch'brennen

durch-gehen (sein) to run away

durch-greifen (i, i) reach through; take decisive (energetic) measures

durch-kommen (sein) to pass through

durchnäßt' wet (soaked) through

durchque'ren to cross through

durch-setzen to put through, carry out; sich —, to prevail

durch-stöbern to rummage through

durch-wühlen to rummage through

duzen to address with (the intimate) du

der **D-Zug** (Durchgangszug) –es, ¹e, (corridor) through express train

E

ebenfalls likewise, also

echt real, genuine

die **Ecke,** –, –n, edge, corner; das **Eckzimmer,** –s, –, corner room

der **Effekt',** –s, –e, (= Wirkung) effect

egal' (= gleich, einerlei) equal, all the same, a matter of indifference

die **Ehe,** –, –n, marriage; das **Ehepaar,** –es, –e, wedded (married) couple

eher rather; sooner, earlier; nicht —, not until

die **Ehre,** –, –n, honour; in allen –n, all due honour to; **ehrfürchtig = ehrfurchtsvoll** full of reverence (awe), reverentially, respectfully; **ehrwürdig** venerable

der **Eierkopf,** –es, ¹e, eggshaped (oval) head; longhead

der **Eifer,** –s, –, zeal, ardour; **eifrig** zealously, eagerly

die **Eifersucht,** –, jealousy; **eifersüchtig** jealous

eigen (one's) own; **eigentlich** really, anyway; sich **eignen** to be suited

eilen to hurry; **eilends** hastily; **eiligst** most hastily, with great haste; die **Eilkarte,** –, –n, special delivery card

der **Eimer,** –s, –, pail

ein; in **einem fort** continuously

sich **ein-arbeiten** to work one's way into

ſich **ein-bilden** to imagine

ein-brechen (ſein) to break in (through); der **Einbrecher**, -s, -, burglar

ein-brocken to break bread into; ſich eine Suppe einbrocken (*fig.*) to get oneself into a fine mess

der **Eindringling**, -s, -e, intruder

der **Eindruck**, -s, ᵘe, impression

einen to unite, make one

einerſeits on the one hand

einfach simple, just, simply

ein-fallen (ſein) (*dat.*) to fall into (one's head), occur to one; der **Einfall**, -s, ᵘe, idea, notion

ein-fangen to catch

ein-führen to introduce; begin (a practice)

eingebildet imaginary, fanciful; conceited

eingehend minutely, in detail

eingerichtet furnished

ein-gießen (o, o) to fill (the glasses)

ein-gipſen to put in a plaster cast

ein-greifen (i, i) to reach in, intervene

einheimiſch native; der **Einheimiſche**, -n, -n, native, local inhabitant

ein-holen to overtake

einig some; one, in agreement; **einiges** something; **einigermaßen** to a certain extent, to some degree

ein-kaufen to buy (in); der **Einkauf**, -s, ᵘe, purchase

der **Einklang**, -es, ᵘe, harmony

das **Einkommen**, -s, -, income

ein-laden (u, a) to invite; die **Einladung**, -, -en, invitation

ein-löſen to cash

nicht **einmal'** not even

ein-nehmen to take (medicine, etc.)

ein-prägen to impress (on one's memory)

einſam lonely

ein-ſchalten to switch (turn) on

ein-ſchenken to pour out; fill (a glass, cup)

ein-ſchlafen (ſein), **ein-ſchlummern** to fall asleep

ein-ſchlagen to strike; **einſchlägig** pertinent

der **Einſchreibebrief**, -es, -e, registered letter

ein-ſehen to see, realize, comprehend, understand

ein-ſetzen to set in, begin; install, appoint

ein-ſtecken to stick (put) into one's pocket

ein-ſteigen (ſein) to get in, board

einſtimmig with one voice, unanimous

ein-ſtudieren to study, rehearse

einträchtig harmoniously

ein-tragen to enter (in a book, etc.); die **Eintragung**, -, -en, entry

ein-treffen (ſein) to arrive; eben erſt eingetroffen only just arrived

ein-treten (ſein) to enter; (= ſich ereignen) to happen, occur, turn up, take place; der **Eintritt**, -es, -e, admission

einverſtanden agreed; das **Einverſtändnis**, -ſes, -ſe, agreement ein-weichen to (put to) soak

ein-weihen to initiate, "let in" (on a matter); eingeweiht initiated, in the secret, knowingly

ein-wenden wandte (or wendete) ein, eingewandt to object

ein-werfen to throw (cast) in, interpose

ein-zahlen to pay (in)

einzeln single, individual; die Einzelheit, –, –en, detail; einzig single, sole, only

das Eis, –es, –e, ice; eisig icy; die Eisbahn, –, –en, skating course (rink); das Eisbahnkehren, –s, sweeping of the skating course; der Eisbär, –en, –en, polar bear; der Eisbuckel, –s, –, ice hump; die Eisbude, –, –n, ice room; die Eisfläche, –, –n, ice surface; der Eiskasten, –s, –, ice-box; der Eiskübel, –s, –, ice-pail; die Eissäule, –, –n, pillar of ice; das Eisschießen, –s, –, ice shooting (alpine game, see note); der Eiszapfen, –s, –, icicle

eitel vain, proud

elektrisiert' electrified

elend wretched

der Ell(en)bogen, –s, –, elbow

der Empfang', –s, ⸗e, reception; in — nehmen, to receive; der Empfangs'chef, –s, –s, receiving clerk

empfeh'len (a, o) to recommend; die Empfeh'lung, –, –en, recommendation, regards, greeting

empfin'den (a, u) to feel

empor'-heben to raise, lift up

empor'-lächeln to smile up (to)

empor'-ranken to climb (entwine) upward

empor'-schweben (sein) to float up

empor'-stiefeln (sein) to climb (foot it) up

empört' enraged, angered; die Empö'rung, –, –en, insurrection, indignation, anger

empor'-werfen to throw up

emsig industriously

endgültig definitively, finally

ener'gisch energetically, sharply

eng, narrow, tight, close

engagie'ren (Fr.) to engage, hire

der Enkel, –s, –, grandson; das Enkelkind, –es, –er, grandchild

enorm' enormously

sich entäu'ßern (gen.) to give up

entbeh'ren to do without, deprive, deny; entbehr'lich dispensable, unnecessary

entdeck'en to discover

sich entfer'nen to go away, withdraw, retire, take one's leave; entfernt' distant

entge'gen-gehen (sein) (dat.) to go towards (to meet)

entge'gen-halten (dat.) to hold towards

entge'gen-kommen (sein) to come towards (to meet)

entge'gen-laufen (sein) to run towards (to meet)

entge'gen-strecken to stretch towards

entgeg'nen (dat.) to answer, reply, respond; die Entgeg'nung, –, –en, reply entge′hen (ſein) (*dat.*) to escape

entgei′ſtert dispiritedly, lifelessly, dully

enthal′ten to contain

entlang′ along

entlang′-ſchreiten (i, i) (ſein) to stride (walk) along

entlang′-wandern (ſein) to wander along

entlaſ′ſen to dismiss, fire

entmu′tigen to discourage

enträt′ſeln to unriddle, explain, unravel

entrü′ſtet enraged

die Entſchä′digung, –, –en, recompense, indemnification

entſchei′den (ie, ie) to decide; entſchie′den decidedly, definitely, positively

ſich entſchlie′ßen (o, o) (ʒu) to resolve (upon); entſchloſ′ſen resolute, determined, resolved; kurʒ —, abruptly resolved, with prompt decision

entſchul′digen to excuse, pardon; die Entſchul′digung, –, –en, excuse

entſchwin′den (a, u) (ſein) to disappear, vanish

entſetz′lich terrible, frightful; entſetzt′ horrified

ſich entſin′nen (a, o) (*gen.*) to remember, recall

entſpre′chen (*dat.*) to correspond

entſte′hen (ſein) to arise

entwi′ſchen (ſein) (*dat.*) to escape from, give the slip to

der Entwurf′, –eſ, ⁼e, plan

entʒück′end charming, delightful

erbit′ten (a, e) to request

erb′lich hereditary

erblick′en to catch sight of, spy, see

erboſt′ angered, exasperated

das Ereig′niſ, –eſ, –ſe, event

erfin′den to invent

der Erfolg′, –eſ, –e, success; erfolg′reich successful

erfreut′ delighted

erfrie′ren (o, o) (ſein) to freeze to death; erfro′ren frozen (over), ice-covered

erfül′len to fill

ergän′ʒen to supplement, complete

ſich erge′ben to surrender

erge′hen (ſein) to go; über ſich — laſſen to suffer (bear) patiently

erglü′hen to glow

ergraut′ (turned) gray

ergrei′fen (i, i) to grasp, seize; ergrei′fend gripping, affecting, moving, stirring; ergrif′fen deeply struck, moved

erha′ben exalted

erhal′ten to keep; bei Laune —, to keep in a good humour

erhe′ben (o, o) to raise, lift, elevate; ſich —, to stand (get) up, arise, rear

ſich erhel′len brighten (light) up

erhitzt′ heated

ſich erho′len to recover, recuperate, have a good time; ſich beſtenſ —, to have an exceptionally good time; die Erho′lung, –, –en, recovery, recreation

erin′nern (an) to remind (of); ſich —, to remember

ſich **erkäl'ten** to catch cold; ſich zu Tode —, to catch one's death

erken'nen to recognize; ſich zu — geben to make one's identity known

erklä'ren to explain, declare; ſich —, to declare oneself (one's intentions); die **Erklä'rung**, -, -en, explanation, declaration

erklin'gen (a, u) to resound, sound

ſich **erkun'digen** to inquire, ask after

erlau'ben to allow, permit; erlaube mal! with your kind permission! excuse me! ſich —, to allow oneself, take the liberty; das **Erlaub=te** the permissible

erläu'tern to explain, make clear

erle'ben to experience, learn, find out; das **Erleb'nis**, -ſes, -ſe, experience

erle'digen to see to, finish, dispose of, accomplish; Poſt —, to write letters, attend to correspondence; **erle'digt** attended to, ended, done for

erle'gen to slay, „finish"

erleich'tern to make easy

erlei'den (i, i) to suffer, permit, endure

erleuch'tet illuminated

die **Ermah'nung**, -, -en, caution, admonition

ernen'nen (zu) to name, appoint

erneut' renewed, anew

der **Ernſt**, -es, earnest(ness); iſt das Ihr —, are you in earnest, do you mean it; **ernſthaft** serious

ernten to earn, reap

ero'berungsluſtig with a passion for making conquests, flirtatious

erra'ten (ie, a) to guess

erreg'bar excitable, irritable; **erregt'** excited

errei'chen to reach, accomplish

errich'ten to erect, build

die **Erſchaf'fung**, -, -en, creation

erſchal'len, erſchallte or erſcholl, erſchallt or erſchollen (ſein) to sound

erſchei'nen (ie, ie) (ſein) to appear

erſchla'gen to kill

erſcholl', see erſchallen

erſchöp'fen to exhaust

erſchoſ'ſen shot to death, done for

erſchrec'en, erſchrak, erſchrocken to start, take fright, become alarmed; **erſchreck'end** terribly, alarmingly, awfully; **erſchrock'en** startled, frightened

erſpa'ren to spare

erſt first, not until; erſt recht nicht all the less; not at all; erſt richtig for the first time, more than ever, really; am nächſten Erſten on the first of next month; fürs erſte for the moment, at first; erſtens in the first place; zum erſten! zum zweiten! zum dritten (Mal) *see note*

erſtar'ren (ſein) to petrify, turn rigid, congeal, freeze

erſtau'nen to (be) astonish(ed), amaze(d); erſtaunt astonished, amazed, surprised

erſte'hen, erſtand, erſtanden to buy, purchase, acquire

erſtic'en to smother to death; der

Erſtiď'ungѕan'fall, –ѕ, ꝙe, choking (smothering) attack

erſtrah'len to radiate, beam, light up

erſu'ĉen to request, petition

ertra'gen to bear, endure

erwa'ĉen (ſein) to awake, wake up

erwaĉ'ſen (ſein) grown (up)

erwäh'nen to mention

erwar'ten to await, wait for, expect; **erwar'tungѕvoll** expectantly

erwer'ben (a, o) acquire

erwi'dern to answer, reply, respond, return

erwi'ſĉen to catch, seize, get hold of

daѕ Erzeug'niѕ, –ſeѕ, –ſe, product

daѕ Eſĉenholz, –eѕ, ꝙer, ash(-wood)

die Eѕplana'de, –, –n, (freier Vorplaẞ) park with walks and drives; **daѕ Eѕplana'de,** –ѕ, a hotel in Bruckbeuren

der Eſſig, –ѕ, –e, vinegar; damit iſt eѕ —, the grapes are sour; we have no chance; it's no go; that's all „washed out'' (the wine has become vinegar)

die Eta'ge, –, –n, (*French*) story

etliĉe several

daѕ Etui', –ѕ, –ѕ, case (for powder, cigars, cigarettes, etc.)

etwa perhaps; **etwaѕ** some; **ſo etwaѕ** the like (of that)

der Euro'paur'laub, –eѕ, leave for Europe

eventuell' eventually, in the last instance

die Ewigkeit, –, –en, eternity

exiſtie'ren to exist

expedie'ren to expedite, help forward

die Expeditionѕ'auѕ'rüſtung, –, –en, equipment for one's trip

experimentie'ren to experiment

expreẞ' by express

extra extra, especially

F

die Fabrik', –, –en, factory; **der Fabrikant',** –en, –en, manufacturer

der Faĉmann, –eѕ, –leute, specialist; **faĉmänniſĉ** professionally, like an expert (professional); **die Faĉ'ſimpelei',** –, –en, shop-talk; **keine —,** cut the shop-talk!

fahren (ſein) auѕ der Haut —, to jump out of one's skin; ſiĉ über die Augen —, to pass one's hands over one's eyes; ſie fuhr ihm überѕ Haar she stroked his hair; Sĉi —, to ski, go skiing; fahr wohl farewell; **der Fahrgaſt,** –eѕ, ꝙe, passenger; **die Fahrkarte,** –, –n, (railway) ticket; **der Fahrplan,** –eѕ, ꝙe, time table; **der Fahrſtuhl,** –eѕ, ꝙe, elevator; **der Fahrweg,** –eѕ, –e, driveway; **daѕ Fahrzeug,** –eѕ, –e, vehicle; **die Fahrtverbindung,** –, –en, car (train) connection

fallen (ſein) to fall; occur; **der Fall,** –eѕ, ꝙe, case; auf keinen —, in no case, under no circumstances; **fallѕ** in case

falten to fold; **die Falte, –, –n**, fold, wrinkle

der Fami'lienvorstand, –s, ⁻e, head of the family

fana'tisch fanatically, with fanatic zeal

fangen; Fliegen —, to catch flies, die of ennui

farblos colourless

faseln to rave, talk nonsense

fassen to grasp, seize, take hold of; comprehend (**an**, by); **zu — kriegen** to get hold of; **sehr weit —**, to take in a broad sense; **fassungslos** disconcerted, dashed, beside oneself; **das Fassungsvermögen, –s, –**, (holding) capacity, ability to understand

fatal' fatal, deadly

faul lazy

die Faust, –, ⁻e, fist; **bekam Fäuste** clenched his fists

die Fee, –, –n, fay, fairy

fegen to sweep

fehlen to be lacking, missing; be wrong with; **das fehlte gerade noch** that was (would be) the last straw, all that was needed to cap the climax

feiern to celebrate; **feierlich** solemnly, ceremoniously

fein fine, refined, nice, ,,tony''; subtle, sly

der Feldherr, –n, –en, general

der Felsschroffen, –s, –, rocky cliff; **der Felszacken, –s, –**, jagged rock

die großen Ferien summer vacation

das Ferkel, –s, –, young pig

fertig ready, finished, done; **—bringen** to succeed; **—machen** to make ready, complete, prepare

fesch fashionable, smart, stylish, dashing

fest-halten to hold (fast), catch hold of, detain; **sich —** to hold on to, support oneself

fest-knoten to knot, tie fast, fasten

sich fest-krallen to hold fast by its claws

festlich festive

fest-schnallen to strap fast, buckle tight

fest-stehen to stand firm, be (dead) sure

fest-stellen to determine, confirm, establish (a fact), verify, state

der Fettfleck, –es, –e, grease spot

der Fetzen, –s, –, tatter, shred, rag

feudal' feudal, suited for a liege lord

das Feuer; — geben to give a light (match); **feurig** fiery, flaming; **der Feuerschlucker, –s, –**, fire-swallower; **die Feuerwehr, –s, –e**, fire brigade, fireman

fidel' jovial

das Fieber, –s, –, fever

figür'lich in figure

das Filmlustspiel, –s, –e, film comedy

die Firma, –, Firmen, firm, company

das Fischbeinkorsett, –s, –e, whalebone corset

flach flat

das **Flanell'hemd**, –es, –en, flannel shirt

flankie'ren to flank

die **Flasche**, –, –n, bottle

der **Flauschmantel**, –s, ⸚, heavy woollen coat

flechten to braid, tie

der **Fleck**, –s, –e, spot

flehen to plead, beseech

der **Fleischer**, –s, –, b u t c h e r ; die **Fleischerei'**, –, –en, meat-market; der **Fleischermeister**, –s, –, master butcher

fliehen (o, o) (sein) to flee, make one's escape; **flüchtig** (see below)

fliegen (o, o) (sein) to fly; der **Flug**, –es, ⸚e, flight

der **Flirt**, –s, –s, flirt, flirtation

der **Fluch**, –es, ⸚e, oath, curse

flüchtig fleeting, hasty, superficial

flüstern to whisper

folgen (sein) (*dat.*) to follow, obey; die **Folge**, –, –n, result; gut gefolgt behaved (obeyed) well; **folgendermaßen** as follows

fördern to further, help

förmlich fairly; formally

die **Formulie'rung**, –, –en, formulation

in einem **fort** continually, without interruption, unceasingly

fort-fahren (sein) to continue, go on

fort-haben to have gone (out of the way)

fort-kommen (sein) to leave, clear out, go away, get along

das **Fortleben**, –s, –, continued existence

fort-müssen to have to go

fort-sein to be gone

fort-setzen to continue

der **Frack**, –es, –s or ⸚e, dress coat; full dress

franzö'sisch French

das **Frauenzimmer**, –s, –, woman, female

Fräuleins disparaging plural for **Fräulein**

frech fresh, impudent, pert, saucy; die **Frechheit**, –, –en, (piece of) impudence

frei; ich bin so —, I take the liberty; ins **Freie** into the open, out-of-doors; die **Freifahrkarte**, –, –n, or der **Freifahrschein**, –s, –e, free railway ticket; **freilich** to be sure, of course; die **Freitreppe**, –, –n, open flight of stairs; **freiwillig** voluntary

sich **freuen** (auf) take pleasure in, anticipate with pleasure

die **Freundschaft**, –, –en, friendship

friedlich peaceable

frieren to freeze, be cold

der **Friseur'**, –s, –e, hair dresser

die **Front**, –, –en, front

das **Frottier'handtuch**, –s, ⸚er, Turkish bath towel

die **Fruchtstraße**, –, street in a poor section of Berlin

heute **früh** this morning; das **Frühjahr** = der **Frühling**; die **Frühpost**, –, early post; der **Frühstückssaal**, –es, –säle, breakfast hall

fügen to fit, join, plug in

führen to lead, conduct; — gegen, lodge against

der Fuhrhalter, –s, –, livery keeper, car hirer

das Fünfpfennigstück, –es, –e, five pfennig piece

der Fünfuhrtee, –s, –s *or* –e, five o'clock tea

funktionie'ren to function

fürchten to fear; **zum Fürchten aus= sehen** to look a fright; **furchtbar** frightful; **etwas Fürchterliches** something frightful

die Fürsorge, –, –n, care, solicitude

fürstlich regal, in princely fashion

der Fußboden, –s, – *or* ⁼, floor

die Fussel, –, –n, (= Fädchen) fuzz, little thread

G

die Gabe, –, –n, gift

die Gabel, –, –n, fork; hook

gähnen to yawn

die Galle, –, gall; **die — trat ihm ins Blut** his blood became stirred up, he became furious

die Gans, –, ⁼se, goose; **die Gänse= haut,** –, ⁼e, goose-flesh; **der Gänsemarsch,** –es, ⁼e, single file

der Gar'dehusar', –en, –en, soldier of the hussar guards

die Gardi'ne, –, –n, curtain

Garmisch a famous resort in the Bavarian Alps

der Gartenzaun, –es, ⁼e, garden fence

die Gärtnersleute (*pl.*) gardener's gardener and his helpers

das Gasthaus, –es, ⁼er, *or* **der Gast= hof,** –es, ⁼e, inn, hotel

der Gatte, –n, –n, husband; **die Gattin,** –, –nen, wife

gebä'ren (a, o) to bear, bring forth, give birth to

geben; **das soll es —,** that is said to happen; **Feuer —,** to give a light; **so etwas gibt's wirklich** such a thing really exists; **ließ sich —,** had himself supplied with, purchased; **von sich —,** to give out, utter; **was es so alles gibt** what all doesn't one find (in this world)

gebe'ten, see bitten

das Gebiet', –es, –e, territory; **der Gebie'ter,** –s, –, commander, master

gebil'det educated, cultured

der Gebirgs'bach, –es, ⁼e, mountain stream; **der Gebirgs'bewohner,** –s, –, mountain inhabitant; **das Gebirgs'haus,** –es, ⁼er, mountain house; **die Gebirgs'luft,** –, ⁼e, mountain air; **der Gebirgs'see,** –s, –n, mountain lake

gebo'ren (gebä'ren) born, née

gebrau'chen to use; **der Gebrauch',** –es, ⁼e, usage, custom; **die Ge= brauchs'anwei'sung,** –, –en, directions for use

das Gedächt'nis, –ses, –se, memory

der Gedan'ke, —ns, —n, thought; **auf andere —n kommen** get one's mind on other things; **der Ge= dan'kenkreis,** –es, –e, realm of thought, mind

geehrt' honoured; ſehr —er Herr my dear Sir

geeig'net suited, suitable

die **Gefahr'**, –, –en, danger; auf die — hin at the risk; **gefähr'lich** dangerous

gefal'len to please; der **Gefal'len**, –s, –, favour; **gefäl'ligſt** very kindly, most obligingly; die **Ge= fäl'ligkeit**, –, –en, favour, service, courtesy

das **Gefühl'**, –s, –e, feeling; **gefühl'= voll** feelingly

die **Gegend**, –, –en, region, vicinity

gegeneinander-ſchlagen (u, a) to strike together, chatter

der **Gegenſtand**, –es, ⁻e, object

das **Gegenteil**, –s, –e, opposite, contrary

gegenü'ber opposite, in the presence of; das **Gegenü'ber**, –s, –, opposite, vis-à-vis

die **Gegenwart**, –, –en, presence, present

das **Gehalt'**, –es, –e or ⁻er, pay, salary

geheim' secret; das **Geheim'nis**, –ſes, –ſe, secret; **geheim'nisvoll** mysterious, secret; der **Geheim'= rat**, –s, ⁻te, (honorary title, best untranslated) privy councillor

geheizt' heated, warmed

gehen; in Knie'beuge —, to bend one's knees; es geht (I am getting on) tolerably; fair to middling; geht das? is that possible? das gehe keinesfalls that that would

by no means (under no circumstances) do; einem gut gehen go well with one, have it easy

geho'ben, see heben

das **Gehör'**, –s, –e, hearing

gehor'chen (*dat.*) to obey

gehö'ren (*dat.*) to belong to; ſich —, to be proper

der **Gehpelz**, –es, –e, fur overcoat

der **Gehrock**, –s, ⁻e, frock, (Prince Albert) coat

die **Geige**, –, –n, violin; die erſte — ſpielen, to play the leading rôle

geiſtesabweſend absentminded; **geiſtesgegenwärtig** with presence of mind

geka'chelt tiled

gekehrt' swept

gekränkt' offended

das **Geläch'ter**, –s, –, laughter

das **Gelän'de**, –s, –, land, lot

die **Gelbſucht**, –, (yellow) jaundice

der **Geldſchein**, –s, –e, bank-note; der **Geldſchrank**, –es, ⁻e, money drawer, cash-box, safe

gele'gen located, situated; möglichſt einſam —, in as isolated a location as (at all) possible

die **Gele'genheit**, –, –en, opportunity; der **Gele'genheitskauf'**, –es, ⁻e, incidental purchase, chance bargain; **gele'gentlich** occasionally, upon occasion

gelit'ten, see leiden

gelten (a, o) be worth, count; es gilt it is a matter of, the thing to do is; — für count, rate (as)

gelun'gen (gelingen) successful, excellent, capital; ſehr —, capital, very funny

das **Gemach'**, -s, ⁱⁱer, room

der (Herr) **Gemahl'**, -s, -e, husband; die **Gemah'lin**, -, -nen, wife

gemein'ſam (in) common, together; —e Sache, common cause

das **Gemü'ſe**, -s, -, vegetable(s); junges —, green vegetables; a young girl in her teens

das **Gemüt'**, -es, -e, spirit, heart, feeling, soul

geneh'migen to grant

geneigt' (neigen) inclined

der **General'**, -s, ⁱⁱe, general; der **General'direk'tor**, -s, -en, general manager

der **Gene'ber**, -s, -, gin

das **Genick'**, -s, -e, (nape, back, of the) neck

genie'ßeriſch with enjoyment, relish

genü'gen (dat.) to satisfy, content; **genü'gend** in sufficiency; die **Genug'tuung**, -, -en, satisfaction

das **Gepäck'**, -s, -e, luggage; der **Gepäck'träger**, -s, -, porter, luggage-carrier; der **Gepäck'wagen**, -s, -, luggage van

die **Gepflo'genheit**, -, -en, habits, customs

gepreßt' depressed; under pressure, tensely

gera'de dazu just as that was happening; **gera'dezu'** directly, simply, positively, out and out

gerad'linig directly, straight

gerahmt' framed

gera'ten (ie, a) (ſein) to get (come) into, chance (come) (auf, upon)

das **Gerät'**, -s, -e, apparatus

gerän'mig roomy, spacious

geräuſch'los noiselessly; **geräuſch'voll** noisily

gerecht' just; das **Gerech'tigkeits'gefühl'**, -s, -e, sense of justice

gereizt' irritated

gering' small, scanty, (s)light; das **gering'ſte** the least (bit, thing, etc.)

gern; für mein Leben —, as I value my life, I'd give my ears, be passionately happy (to), I'd dote on, like awfully well to

gerührt' touched, moved, with emotion

geſam'melt collected, complete

geſamt' entire

das **Geſchäft'**, -s, -e, business; **geſchäft'lich** business, in a business way; das **Geſchäft'liche**, -n, -n, business matter(s); der **Geſchäfts'brief**, -es, -e, business letter; der **Geſchäfts'freund**, -es, -e, business friend; der **Geſchäfts'führer**, -s, -, manager

geſche'hen (ſein) to happen; es iſt gerne —, it was a pleasure; you are welcome

geſcheit' sensible, bright, clever

das **Geſchenk'**, -s, -e, gift, present

die **Geſchich'te**, -, -n, story; affair

das **Geſchick'**, -es, -e, fitness; ins — (= in Ordnung) in order; **geſchickt'** skilled

der **Geſchmack'**, -s, ⁱⁱe, taste; der

Geſchmacks'nerv, –es, –en, gustatory nerve; die **Geſchmacks'ſache**, –, –n, matter of taste

geſchmei'chelt flattered

die **Geſchwin'digkeit**, –, –en, speed, rapidity

die **Geſell'ſchaft**, –, –en, company, society; der **Geſellſchaftsraum**, –es, ⁔e, social hall

das **Geſetz'**, –es, –e, law

das **Geſicht'**, –es, –er, face; ein — ziehen to make a face; die **Geſichts'farbe**, –, –n, colour of the face; braune —, facial tan

das **Geſin'dehaus**, –es, ⁔er, servants' lodge

geſpannt' attentive, with keen (tense) interest, tensely, in suspense

geſpornt' spurred

das **Geſpräch'**, –s, –e, conversation; ein dringendes — anmelden to put in an urgent (phone) call; ſobald das — da iſt as soon as I get my connection (long distance, etc.); die **Geſprächs'ſtelle**, –, –n, place (point) in the conversation; der **Geſprächs'ſtoff**, –es, –e, subject matter (object) of conversation

die **Geſtalt'**, –, –en, form, figure

geſtärkt' starched

geſtat'ten to permit

geſte'hen to confess, admit

geſtie'felt booted

geſtirnt' star-lit

geſtobt' (or geſtobt' or geſtowt' = gedämpft) stewed

geſtreift' striped

geſucht' wanted

geſund' healthy; good for the health; — und munter sound and well, hale and hearty, alive and well; die **Geſund'heit**, –, –en, health

das **Getränk'**, –es, –e, drink, beverage

getrof'fen (treffen) hit (upon)

gewäh'ren to grant, afford

die **Gewalt'**, –, –en, power, force; **gewal'tig** tremendously

das **Gewand'**, –es, ⁔er (or –e) garment

gewin'nen (a, o) to win; der **Gewinn'**, –es, –e, profit; prize; winning number; der **Gewin'ner**, –s, –, winner

gewiſ'ſerma'ßen to a certain degree

gewiſ'ſenhaft conscientious

das **Gewit'ter**, –s, –, thunderstorm

gewöh'nen to be used to; die **Gewohn'heit**, custom, habit; das **Gewohn'heitsrecht**, –es, –e, custom, right of habit

das **Gewühl'**, –es, –e, crowd, throng

ſich **gezie'men** be fitting, proper

gießen (o, o) to pour

giftig poisonous, venomous

die **Gip'felſtation'**, –, –en, summit station

der **Gips**, –es, –e, plaster (cast)

das **Gitter**, –s, –, wire fence, screen, lattice

glänzen to shine, gleam; der **Glanz**, –es, gleam, shine; **glänzend** gleaming, shining, brilliant

die **Glastür**, -, -en, glass (*French*)
door

glatt smooth, slippery; clean, neat

gleichen (i, i) (*dat.*) to look like, resemble; **glei′cherma′ßen** in like degree, equally; **gleichfalls** likewise; **gleichgültig** indifferent, a matter of indifference; **gleichmütig** indifferently; **der Gleichschritt**, -es, -e, keeping step; **gleichzeitig** at the same time, simultaneous

gleiten (i, i) (ſein) glide, slide, slip

der **Gletſcher**, -s, -, glacier

die **Gliedmaßen** (*pl.*) limbs

glitzern to glisten, shine

das **Glöckchen**, -s, -, little bell

ſich **glücklich ſchätzen** to consider oneself fortunate; das **Glücklichſein**, -s, being happy, happiness; **glücklicherweiſe** fortunately, as luck would have it; **glückſelig** happy, blissful; der **Glückwunſch**, -es, ⁿe, wishes for (your) happiness, congratulations

glühen to glow

gnä′ = gnädig

gnädig gracious; —e Frau madam; —es Fräulein, -s, -, (do not translate literally) Miss Tobler; das —e Fräulein the young lady; —er Herr Sir

der **Gobelin′ſeſſel**, -s, -, (-lin, *French pron.*) Gobelin chair

gondeln to ride in a gondola; go gallivanting about

der (das) **Gong**, -s, -s, gong

der **Gönner**, -s, -, well-wisher, benefactor

goß, see gießen

das **Grab**, -es, ⁿer, grave; die **Grabesſtimme**, -, -n, voice of the grave, sepulchral voice

der **Grad**, -es, -e, grade, degree

die **Gräfin**, -, -nen, countess

grandios′ grandiose

gräßlich horrible, terrible, frightful

gratis gratis, free of charge; die **Gratiskur**, -, -en, free treatment (cure); vacation; die **Gratisreiſe**, -, -n, free trip

gratulie′ren (*dat.*) to congratulate

grauenhaft frightful, awful, terrible

grauhaarig gray-haired; **grau′kariert′** gray-checkered

greifen (i, i) to grasp, seize, take hold of; in ſeinen Bart —, to grasp his beard; (an by); — zu turn to, take

der **Greis**, -ſes, -ſe, gray-beard, old man

grenzen (an) to border (on); die **Grenze**, -, -n, boundary, border, limit; in —n within bounds

grimmig grimly

grinſen to grin

Grönland, -s, Greenland

der **Groſchen**, -s, -, (colloquial for Zehnpfennigſtück) groschen, a few pennies

groß; das —e Gepäck large baggage, trunks; die **Größe**, -, -n, greatness; = berühmte Perſon notability, star; **großartig** magnificent, grand, splendid; die **Großartigkeit**, -, -en, greatness, nobleness, lordliness, magnificence;

der **Größenwahn**, –ß, insanity of conceit; **größenwahnsinnig** insane over one's greatness, suffering from megalomania; der **Großherzog**, –ß, ⁿe, grand duke; die **Groß'spinnerei'**, –, –en, spinning mill; **großzügig** on a grand scale: wir sind ein —es Hotel our hotel does things in a big way

das **Grübchen**, –ß, –, dimple

grübeln to brood, fall into a brown study

der **Grund**, –eß, ⁿe, ground, bottom, basis, reason; im —e, at the bottom, in truth; in — und Boden (= ganz und gar) thoroughly; in — und Boden quatschen to talk to pieces, to talk a leg off; **gründlich** thoroughly, heartily; **grundverkehrt** fundamentally wrong

Grunewald, fashionable suburb of Berlin, West

die **Gruppe**, –, –n, group; —n stellen to pose groups, arrange tableaux

schön **grüßen** to give one's best greetings; einen schönen **Gruß** my kind greetings

die **Gummiwärmflasche**, –, –n, rubber hot water bottle

günstig favourable, convenient

das **Gut**, –eß, ⁿer, farm, estate; die **Güt**⸗ kindness; **gütig** kind

gutge⸗ flourishing

gutmü⸗ good-natured

guttural guttural

das **Gymna'sium**, –ß, –ien, secondary school, "gymnasium"

H

hach = ach

der **Hackblock**, –ß, ⁿe, chopping block

der **Hacken**, –ß, –, heel; sich die — schiefrennen to wear one's heels off [crooked] (from much running about)

der **Hagestolz** (proper name); (as a common noun) bachelor

halb; **halber** (gen.) for the sake of; der **Halbe'delstein'**, –ß, –e, semiprecious stone; **halbleer** half empty; der **Halbschlummer**, –ß, –, half slumber; **halbseitig** filling half a page; **halbwüchsig** halfgrown; die **Hälfte**, –, –n, half

Halensee, fashionable suburb of Berlin

die **Halle**, –, –n, hall, vestibule, lobby

Halle a town on the River Saale

halluzinie'ren to be imagining things

der **Hals**, –jeß, ⁿje, neck, throat; bleib mir vom —e let me alone, don't pester me; zum — heraushängen to have one's fill of, be sick of

halten; sich —, to keep (confine) themselves; eine Strafrede —, to give a sermon (dressing down); zum Narren —, to fool, bamboozle; der **Halt**, –eß, –e, hold, stopping

der **Halun'ke**, –n, –n, rascal, lowdown fellow

hämmern to hammer; der **Hammer**, –ß, –, hammer

die Hand; der Händedruck, -s, ¤e, squeeze of the hand, hand-shake; der Hand'gepäckschal'ter, -s, -, hand-luggage window (counter); handgestrickt hand-knit; handgreiflich concrete; manual; der Handrücken, -s, -, back of the hand; der Handschuh, -s, -e, glove; das Handwerkszeug, -es, -e, implement

sich handeln (um) to be about (concerned with), deal with, be a matter of

der Hang, -es, ¤e, hill, slope

hangen, er hängt; hing, gehangen to hang, be suspended

hängen (= hangen machen) er hängt; hängte, gehängt to hang, hang up; — an be fastened to

harmlos harmless, innocent; harmloserweise innocently, harmlessly

der Harsch, -es, hard-frozen snow

der Harz, -es, a mountain group in central Germany; cf. Heine's Harzreise

haschen to grab (nach, for, after); das Haschen, -s, catch, tag

hastig hasty

häßlich ugly

sich häufen to heap up, accumulate, become frequent; häufig frequent

das Haupt, -es, ¤er, head; der Hauptberuf, -es, -e, chief occupation; die Hauptsache, -, -en, chief (main, important) thing

das Haus; aus dem Häuschen sein, be off one's nut, crazy; der Hausbursche, -n, -n, hotel ser-

vant (boy), bell-boy; die Hausdame, -, -n, house matron; der Hausdiener, -s, -, servant, bell-boy; hausie'ren to peddle (from house to house); der Hausie'rer, -s, -, pedlar; die Hausmannskost, -, homely fare, plain food

die Haut, -, ¤e, skin; aus der — fahren to jump out of one's skin

Havan'na town in Cuba; cigar

heben (o, o) to raise, lift; einen Schnaps —, (= trinken) to drink a brandy (whiskey); wir haben einiges gehoben we drank a little bit, had a few glasses; sich —, rise, stand up; (= beseitigen) to do away with, correct

sich heften to fix themselves (auf, upon)

heftig violent

heilfroh jolly glad; heilig holy, sacred; hoch und —, by everything sacred; die Heilung, -, -en, healing, curing

heim-fahren (sein) to go (ride) home

heim-kehren (sein) to return home; die Heimkehr, -, -en, return home

heimlich secretly

heimtückisch tricky, treacherous

heiratsfähig marriageable

heiser hoarse

heiter cheerful, gay; das kann ja — werden (ironic) that can turn out a pretty how-do-you-do!

heizen to heat; heizbar heatable; die Heizsonne, -, -n, electric heater

die Heldenbrust, -, ¤e, heroic breast

hell; ein Helles a glass of light beer

der Helm, –es, –e, helmet

das Hemd, –s, –en, shirt; der Hemdkragen, –s, –, shirt collar; der Hemdsärmel, –s, –, shirt-sleeve; hemdsärmelig in shirt-sleeves

der Henkel, –s, –, handle

Heppner name of a firm

herab'-hängend hanging down, pendulous

herab'-stäuben to fall down (like dust)

heran'-können to be able to approach

heran'-treten (sein) to step up

herauf'-kommen (sein) to come up

heraus' mit der Sprache! out with it!

heraus'-finden to find out

heraus'-hängen to hang out; zum Hals —, to have one's fill of, be sick of

heraus'-holen to fetch (take, bring) out

heraus'-kriegen to get out; find out

heraus'-reichen to hand out

heraus'-rutschen (sein) to slip out

heraus'-steigen (sein) to get out, dismount (from)

sich heraus'-stellen to prove, turn out to be

heraus'-treten (sein) to step out

heraus'-ziehen to pull out

herbei'-schaffen to bring here

herbei'-schleppen to drag (carry) up

das Herbstmäntelchen, –s, –, (light) autumn overcoat

herein'-spazieren (sein) to walk in

herein'-tropfen (sein) to drip in

her-haben to get, obtain

her-hören to listen here

her-kommen (sein) to come here (come from)

die Herrschaften people of higher station (of rank), ladies and gentlemen

herrschaftlich belonging to an aristocrat

herrschen to rule, prevail, hold sway

her-schauen to look here (this way)

her-schicken to send here

her-trippeln (sein) to trip along

herü'ber-blicken to look over

herü'ber-schauen to look over

herü'ber-starren to stare over

herum'-bürsten to brush around

sich herum'-drehen to turn round

herum'-drucksen to dawdle round hesitate, beat about the bush

herum'-hacken to hack about

herum'-hämmern to hammer about

herum'-klatschen to clap (slap) about

herum'-laufen (sein) to run round

herum'-rennen (a, a) (sein) to run round

herum'-sausen (sein) whizz about (among)

herum'-stehen to stand round

herun'ter-blicken (an) to let one's glance run down, look down

herun'ter-fahren (sein) to travel (coast) down

herun'ter-klettern (sein) to climb down

herun'ter-nehmen to take down

herun'ter-ſteigen (ie, ie) (ſein) to get (climb) down

herun'ter-ſtürzen (ſein) to fall down

hervor'-holen to fetch out

hervor'-kommen (ſein) to come forth

hervor'ragend outstanding, prominent

hervor'-ſtoßen (ie, o) to burst out, exclaim, ejaculate

das Herz; das Herzbad, -es, ̈er, watering place for the cure of the heart; die Herzensbildung, -, -en, refinement of heart; herzhaft courageous, valorous, resolute; heartily, cordially

her-zählen to count out, enumerate

die Herzogin, -, -nen, Duchess

hetzen to chase; gehetzt' madly

heulen to howl, bawl, weep; das war zum Heulen that was a scream; die Heulerei' howling

hierbei' with that, in doing so (this), meanwhile

hieſig local

hinab'-praſſeln (ſein) to rattle down

hinauf'-heben (o, o) to lift up

hinauf'-klettern (ſein) to climb up

hinauf'-laſſen to allow to get up

hinauf'-reichen to hand up

hinauf'-wollen to want (to climb) up

hinaus'-ekeln to disgust one to the point of leaving; to drive out by unpleasantness; freeze out

hinaus'-fliegen (o, o) (ſein) to fly (go flying) out

hinaus'-graulen to frighten out

hinaus'-gucken to look out

hinaus'-kommen (ſein) (über) to get beyond

hinaus'-ſchleppen to drag out

hinaus'-ſchmeißen (i, i) to throw out

hinaus'-wandern (ſein) to wander out

hinaus'-werfen to throw out

hin-blicken to look (over there)

hindern to hinder; der Hinderungs= grund, -es, ̈e, cause of hindrance, obstacle

hin-döſen to dream along, stare into space

hindurch'-ſehen to look through

hinein'-beißen (i, i) to bite into

hinein'-fahren (ſein) to run into

hinein'-fallen (ſein) to fall in; to be taken in, sold

hinein'-legen to take a person in; sell, do, a person

ſich hinein'-miſchen to mix (butt) in, intervene

die Hinfahrt, -, -en, journey there; Hin= und Rückfahrt trip there and back, round trip

hin-hängen to hang up

hinken to limp

hin-reißen (i, i) to carry away, enchant; hingeriſſen carried away, enthusiastic

hin-ſchlagen (ſein) to fall down; lang —, to fall one's full length

hin-ſein to be done for, gone

hin-ſtellen to place (there), set down

hintenrum behind one's back, round-about

hinter etwas kommen to get behind, discover something

hinterher' afterwards, behind

hinterher'-laufen (sein) to run along behind (after)

hinterher'-rufen to call after

hinterher'-stapfen (sein) to stamp along behind

die Hintertreppe, –, –n, back stairs

das Hinterzimmer, –s, –, back room

hinü'ber-blicken to look across (over) at

hinü'ber-blinzeln to blink (wink) over (to)

hinü'ber-deuten to point over

hinü'ber-humpeln (sein) to limp over

hinü'ber-rennen (rannte, gerannt) (sein) to run over

hinü'ber-schauen to look over (to)

hinü'ber-sein to be gone (beyond), be drunk

hinü'ber-starren to stare across

sich hinun'ter-begeben to go down

hinun'ter-führen to lead down

hinun'ter-gehen (sein) to go down, descend

hinun'ter-klettern (sein) to climb down

hinun'ter-kriegen to get down

hinun'ter-rasen (sein) to tear (rush) down

hinweg' away

der Hinweis, –es, –e, reference, hint

hinzu'-fügen to add

hoch; die Höhe, –, –n, height; amount; die Höhenluft, –, ⁿe, high mountain air; der Höhen= rausch, –es, ⁿe, intoxication (stimulation) from the high altitude

die Hoch'achtung, –, respect, esteem, high regard; hoch'achtungsvoll with high regard

hoch-beinig long-legged

hoch-blicken to look up

hochentwickelt highly developed

hoch-fahren (sein) to start up

das Hochgebirge, –s, –, high mountains; der Hochgebirgsfilm, –s, –e, film of the high mountains

hochgelegen (situated) at a high altitude

hochgradig high-grade, of high degree

hoch-halten to hold up, lift

hoch-heben (o, o) to raise high, lift up

hochkantig haughty, high-handed

hoch-klappen to turn up

der Hochmut, –s, pride, haughtiness; hochmütig haughty

hoch-nehmen to pick up

der Hochofen, –s, ⁿ, blast-furnace

die Hochrippe, –, –n, high (upper) rib (a cut of meat)

hoch-sehen to look up, raise one's eyes

hoch-springen (sein) to leap (bounce) high, spring up

hoch-stemmen to prop open

höchst'wahrschein'lich most probable

hoch-ziehen to turn (draw) up

hocken to cower, squat, sit

hoffentlich I hope, it is to be hoped; die Hoffnung, –, –en, hope

höflich polite; der Hofknicks, –es, –e, court bow, curtsey

die Höhe, see hoch

höhnisch scornful, derisive

holen; Atem —, to draw breath; sich den Schnupfen —, to take a cold

der Holländer, -s, -, Dutchman; holländisch Dutch; in Dutch

die Holztreppe, -, -n, wooden stairs

horchen to listen

hören (auf) to answer (to); der Hörer, -s, -, receiver; den — auflegen to hang up (the receiver)

der Horizont', -s, -e, horizon

Hors=d'œuvres (ordö'wr, French, — side-dish, appetite stimulator; *see note*). Retain the French expression

die Hose, -, -n, hose, trousers; der Hosenbandorden, -s, -, Order of the Garter; das Hosenbein, -s, -e, trouser leg; die Hosentasche, -, -n, trouser pocket

das Hotel'; der —angestellte, -n, -n, hotel employee; der —beruf, -s, -e, hotel calling (occupation); der —betrieb, -s, -e, hotel management (conduct); die —betriebs= gesellschaft, -, -en, hotel company; die —direktion', -, -en, hotel management; der —direk'= tor, -s, -to'ren, hotel manager; der —eingang, -s, ⁿe, hotel entrance; die —halle, -, -en, hotel hall, lobby; der —kauf, -es, ⁿe, hotel purchase; die —küche, -, -n, hotel kitchen; der —plan, -es, ⁿe, hotel plan; die —terras'se, -, -n, hotel terrace; das —tor, -es, -e, hotel entrance; die — zentra'le, - -n, hotel central

hübsch pretty, nice

die Hüfte, -, -n, hip; (*pl.*) waist

der Hügel, -s, -, hill; hügelwärts uphill

hüllen to wrap (up), cover

der Humor', -s, humour

die Hundehütte, -, -n, dog-kennel

hundekalt beastly cold

der Hundsfott, -s, ⁿer, rascal, rogue, knave, coward

die Hupe, -, -n, motor-horn

hüpfen to hop, leap

der Husar', -en, -en, hussar; der Husa'renschneemann, -es, ⁿer, hussar snow-man; snow soldier

husten to cough; hüsteln to cough (nervously, slightly)

der Hut, -es, ⁿe, hat; unter einen — bringen to unite; bring under one heading; die Hutschachtel, -, -n, hat-box

hypnotisie'ren to hypnotise; hypno'= tisch hypnotically

J

die Idee', -, -n, idea

iden'tisch identical

der Idiot', -en, -en, idiot; idio'tisch idiotic

der Igel, -s, -, porcupine, hedge-hog

ignorie'ren to ignore

im'merhin' anyhow, still, after all

im'merzu' continually

imposant' imposing

die India'nerin, -, -nen, Indian woman

infol'ge (*gen.*) in consequence of

informie′ren to inform

der Inhalt, –s, –e, contents

influsiv′ inclusive

das Inkog′nito, –s, –s, incognito, disguise

inne-haben to have, fill (a place), hold (an office)

inne-halten to pause, stop

das Innenleben, –s, –, inner life

sein Inneres his inner being

innerhalb (gen.) within, inside of

innerlich inwardly

das Inserat′, –s, –e, advertisement

insofern′ insofar

der Intrigant′, –en, –en, intriguer

inwiefern′ how so; in what way, to what extent

inzwischen meanwhile

irdisch earthly

irgend; wenn es sich — machen läßt if it can be done in any way, is in any way possible; — jemand someone (or other); —ein some (or other); —welche any; —wer someone; —wo somewhere (or other), anywhere; irgendwoan′ders somewhere else

sich irren to err, be mistaken, make a mistake; der Irre, –n, –n, lost soul; mad-man; das Irrenhaus, –es, ⁻er, mad-house, insane asylum; der Irrtum, –s, ⁻er, error, mistake

J

das Jackett′, –s, –e, (*French;* = die Jacke) coat, jacket; der Jackett′anzug, –s, ⁻e, lounge suit; der

Jackett′knopf, –es, ⁻e, coat-button; der Jackett′kragen, –s, –, jacket (coat) collar; die Jackett′schulter, –, –n, coat shoulder

der Jade, –, jade

die Jagd, –, –en, chase, hunt; — machen auf be in pursuit of; der Jäger, –s, –, hunter

jähzornig choleric, subject to sudden bursts of anger

jammern to wail

jausen to take a snack (between meals); gehen S′(ie) — go and take a snack, afternoon coffee

jawoll′ colloquial for jawohl

jederzeit (zu jeder Zeit) at all times

jeglich each (and every)

jemals ever

jenseits (*gen.*) the other side of, beyond

jeweils for the time being; from time to time

der Jugendfreund, –es, –e, childhood friend

der Junge, –n, –n, boy

der Junggeselle, –n, –n, bachelor, single man

der Jüngling, –s, –e, youth

jüngst youngest; latest

K

lacheln to tile

die Kaffeebohne, –, –n, coffee-bean; der Kaffeelöffel, –s, –, coffee (tea) spoon

der Käfig, –s, –e, cage

kahl bare, barren, bald

ſchön **kalt** nice and cold

die **Kamel'haarbecke**, –, –n, camel-hair blanket

kämmen to comb; der **Kamm**, –es, ⁻e, comb

die **Kammer**, –, –n, chamber, room; die **Kammerzofe**, –, –n, lady in waiting

der **Kana'rienvogel**, –s, ⁻, canary-bird

der **Kandela'ber**, –s, –, chandelier

die **Kapel'le**, –, –n, orchestra

kapern to capture

kapie'ren (= begrei'fen, verſte'hen) to understand, "get"

Kapſtadt Cape Town

kaputt' broken; — machen to ruin, break, hug to death

das **Karo**, –s, –s, diamond check

der **Karton'**, –s, –s, (French pron.) carton, (pasteboard) box

der **Kaſchem'menwirt**, –es, –e, host (keeper) of a thieves' den

Ka'ſimir Casimir

katego'riſch categoric(ally)

der **Kaufmann**, –es, –leute, merchant

der **Kavallerie'general**, –s, ⁻e, general of cavalry

die **Kegelbahn**, –, –en, bowling alley

kehren to sweep

das **Kehren**, –s, –, turn

kehrt-machen to turn about, about-face

die **Kehrſeite**, –, –n, rear (reverse) side

kehrt marſch! about-face, march!

keinesfalls in no case, by no means,

under no circumstances; **keines-wegs** by no means

der **Kellermeiſter**, –s, –, butler

der **Kellner**, –s, –, waiter

kennen-lernen to learn to know, become acquainted with, meet

der **Kerl**, –s, –e, fellow; ruffian

der **Kern**, –es, –e, kernel, core, parent germ

kerzengerade straight as a (candle) die (dart, arrow, ram-rod)

die **Kette**, –, –n, chain

der **Keuchhuſten**, –s, whooping cough

kichern to giggle, titter

das **Kilo**, –s (= **Kilogramm**, –s, –e) kilogram

das **Kind**; die **Kinderei'**, –, –en, childishness; die **Kinderfrau**, –, –en, nurse-woman; das **Kinder-fräulein**, –s, –, nurse-maid; **kin-diſch** childish; **kindlich** childlike; **kinderleicht** easy as child's play

die **Kinnkette**, –, –n, chin-strap

das **Kino**, –s, –s, movie (theatre)

kippen to tip over, tilt, overturn, dump, roll on edge, fall over

das **Kirchendach**, –es, ⁻er, church roof

der **Kirſchkern**, –s, –e, cherry stone

die **Kiſte**, –, –n, box, chest

kitzeln to tickle

klagen to complain, lodge a complaint; **kläglich** pitiable

ſich **klammern** (an) seize, grasp, hold (cling) fast (to)

klappen to clap, fold; tally, work out well, run true to form, "click"

klappern to chatter, rattle

der **Klapprost**, -es, -e, folding luggage-rack

klatschen to gossip, blab, tittle-tattle; clap, applaud; in die Hände —, to clap one's hands

das **Klavier'**, -s, -e, piano; der **Klavier'spieler**, -s, -, pianist

kleben to paste, to give a blow (colloquial)

das **Kleeblatt**, -es, ⁻er, clover-leaf; **kleeblättrig** clover-leaf patterned

kleidsam becoming

klein-kriegen to reduce to humility, tame

klettern to climb

klingeln to ring, tingle

klingen to sound

die **Klinik**, -, -en, clinic

die **Klinke**, -, -n, latch

klopfen to knock, tap, beat

das **Kloster**, -s, ⁻, cloister, convent; monastery

der **Klubsessel**, -s, -, club-chair, easy-chair

knabbern to gnaw, chew

knallen to resound, bang, smack, pop

knallrot a loud (fiery, violent) red, scarlet

knapp scant; — werden to run short

knarren to creak

der **Knäuel**, -s, -, tangle

kneifen (i, i) to pinch shut; klein —, to close to slits; see zukneifen

kneten to knead

knicksen to curtsey; der **Knicks**, -es, -e, curtsey

knien (sein) to kneel; das **Knie**, -s,

—(e), knee; die **Kniebeuge**, -, -n bending of the knees; in — gehen to bend one's knees, kneel

knirschen to grind (gnash, grate) one's teeth

knistern to rustle

knittern to become wrinkled, crumpled

knobeln (*colloquial for* würfeln) to play dice

der **Knochen**, -s, -, bone; der **Knochenbruch**, -s, ⁻e, broken bone

der **Knopf**, -es, ⁻e, button; das **Knopfloch**, -s, ⁻er, button-hole

knurren to growl

knusperig crisp, snappy

der **Koffer**, -s, -, trunk; hand-bag, suitcase

der **Kognak**, -s, -e or -s, (*Fr.*) cognac

der **Kohl**, -es, -e, cabbage; (= Unsinn) nonsense

der **Kohlenmagnat'**, -en, -en, coal magnate

kollegial' fellow-like, as befits good colleagues

Köln Cologne; **Kölner** of (from) Cologne; das **Kölnischwasser**, -s, ⁻, eau-de-Cologne

der **Kolonial'offizier'**, -s, -e, colonial officer

die **Kolon'ne**, -, -n, column

koloffal' colossal, gigantic, monstrous

die **Ko'mik**, -, comic; **komisch** comical, funny

kommen (auf) (sein) to come (upon), think of, hit, guess

komplett' complete

fomplizie'ren to complicate

der Kompot'teller, -s, -, dish for stewed fruit, sauce-dish

das Konfekt', -s, -e, confectionery, candy

die Konfet'ti (*pl.*) confetti

der Konfitü'reneimer, -s, -, j a m (marmalade) pail

königlich royal, regal

Königsberg German city, on Baltic coast

die Konkurrenz', -, -en, competition

die Konser'venbüchse, -, -n, (preserve) tin

der Kontakt', -s, -e, contact box, socket, base plug, outlet

der Kontinent', -s, -e, continent

das Konzept', -es, -e, plan

der Konzern', -s, -e, concern, firm

das Konzert', -s, -e, concert

der Kopf; vor den — schlagen to strike on the head; **das Kopfkissen,** -s, -, pillow; **die Kopfschmerzen** (*pl.*) headache; **kopfü'ber** head over heels; **das Kopfzerbrechen,** -s, -, breaking of the head, concern, hard thinking

der Korb, -es, ᵘe, basket; **der Korbriemen,** -s, -, basket-strap

fordial' cordial

das Korn, -es, -e, grain; der - (*colloquial for* Schnaps) brandy, gin

die Körperverletzung, -, -en, injury (damage) of the body

der Kor'ridor, -s, -e, corridor

korrigie'ren to correct

die Kost, -, food, board

kosten to cost; **kostbar** expensive, precious; **die Kosten** (*pl.*) costs, expense; **kostenlos** without cost, free of charge

kostümie'ren to dress up in costume (masquerade); **das Kostüm',** -s, -e, costume, garb; **der Kostüm'-ball,** -s, ᵘe, costume ball; **das Kostüm'fest,** -es, -e, costume (masquerade) festival (ball); **das Kostüm'jackett,** -s, -e, outing jacket; **kostümiert',** in costume, dressed up, disguised; **der Kostüm'preis,** -es, -e, costume prize

das Kotelett', -s, -e, cutlet, chop

der Kotzbrocken, -s, -, (kotzen = vomit; der Brocken = morsel, piece, crumb) emetic, nauseating fellow

der Krach, -es, -e, crash, noise; einen — machen to raise a row

die Kraft, -, ᵘe, force, power

der Kram, -es, ᵘe, stuff, rubbish

krampfhaft convulsive, spasmodic

kränken to hurt, wound, offend

kratzen to scratch

kraus curly, crooked; **die Stirn —** ziehen to knit one's brow

das Kraut, -es, ᵘer, cabbage

die Krawat'te, -, -n, cravat, tie

der Kreis, -es, -e, circle

kreuzen to cross; **kreuz und quer** criss-cross, hither and thither; **der Kreuzzug,** -es, ᵘe, crusade

kriechen (o, o) to creep; einem in die Poren —, to fawn upon, show devotion (servility) to

der Krieg, -es, -e, war; **der Krieger,** -s, -, warrior

kriegen to get, win, receive; böſe Augen —, to take on an evil expression of the eyes; ben Rappel —, to get a rattle, go off one's nut; einen Schreck —, to have a fright

die **Kriminal'geſchichte,** -, -n, criminal (detective) story

der **Kriſtal'lüſter,** -ß, -, crystal-lustre, crystal chandelier

der **Krug,** -eß, ꭎe, pitcher

krumm crooked, curved; stooped (over); —e Beine bowlegs; — machen to crook, bend

die **Küche,** -, -n, kitchen; bürger-liche —, plain cooking

Kuchenbuch proper name

der **Kuduck,** -ß, -e, cuckoo

die **Kugel,** -, -n, bullet, ball

das **Kuhdorf,** -eß, ꭎer, cow village

kühn bold

ſich **kümmern** (um) to concern one-self about, look after, have an eye out for; der **Kummer,** -ß, -, care, grief, sorrow

der **Kunde,** -n, -n, customer

künftig future, in the future

die **Kunkel** = Frau Kunkel

die **Kunſt;** die **Kunſtdruckſache,** -, -n, art print; der **Kunſthändler,** -ß, -, art-dealer; der **Künſtler,** -ß, -, artist; die **Kunſtpauſe,** -, -n, pause for effect; das **Kunſtſtück,** -eß, -e, work of art

das **Kupee',** -ß, -ß coupé, compart-ment

der **Kurſus,** -, -e; im großen —, in the large course (class)

kurz; — und gut in short; der **Kurz-warenhändler,** -ß, -, dealer in fancy goods

ſich **tuſcheln** to pet

kutſchie'ren to go coaching

das **Kuvert',** -ß, -e, envelope

Ꮮ

lächerlich laughable, ludicrous

der **Lack,** -eß, -e, varnish, finish; fertig iſt der —, things are (the outfit is) ready

der **Ladenbeſitzer,** -ß, -, shop-keep-er; die **Ladentafel,** -, -n, coun-ter; der **Ladentiſch,** -eß, -e, coun-ter; **lädiert'** shop-worn, damaged

der **Lakai',** -en, -en, lackey

die **Lamberger Au** place name (Au[e] = meadow)

das **Lamm,** -eß, ꭎer, lamb

landen to land; die **Landkarte,** -, -n, map; **ländlich** country, rural; der **Landsmann,** -eß, -leute, countryman; der **Landſtreicher,** -ß, -, vagabond, tramp; der **Landwirt,** -ß, -e, farmer, peas-ant

die **Landsberger Allee** street in NE Berlin (poor section)

Landshut town, north of Munich

lang; die **Länge,** length; der — nach (one's) full length; **länger(er)** rather (fairly) long; **längſt** long (a very long time) ago; for a very long time; ſich **lang-legen** to lie down at full length; **langſam** slowly; ſich **langweilen** to be bored; der **Längsstreifen**, -s, -, stripe up and down

lärmen to make a din, carry on boisterously; **lärmend** noisy, riotous; der **Lärm**, -es, -e, noise, racket, din

lassen; etwas —, to stop; es läßt sich nicht immer vermeiden it can't always be avoided; wenn es sich irgend machen läßt if it can be done in any way (is in any way possible); putzen lassen to have polished

lasten (auf) to rest (upon); die **Last**, -, -en, load, burden

der **Laufschritt**, -es, -e, double-quick time, trot

die **Laune**, -, -n, mood; guter — (*adv. gen.*) in a good mood (humour); bei — erhalten to keep in a good humour

lauschen to listen

der **Lausejunge**, -n, -n, (lousy urchin), ragamuffin, good-for-nothing, scamp

lauten to sound, run, read; der **Laut**, -es, -e, sound; **lautlos** noiseless

lauter sheer, nothing but

lautlos noiseless

die **Lawi'ne**, -, -n, avalanche

leben; er soll —, (may he live), here's to him; für sein Leben gern, *see* gern; die **Lebensaufgabe**, -, -n, life task; der **Lebensweg**, -s, -e, life course; **leben'dig** werden to take on life; das **Lebewesen**, -s, -, creature, being; **lebhaft** animatedly, lively

lediglich solely

leer empty; **leerstehend** vacant; **leertrinken** to (drink) empty, drain

lehnen (an) to lean (against); der **Lehnstuhl**, -es, ⁻e, easy chair

lehren; **lehrhaft** instructingly, didactically, moralistically, like a teacher; der **Lehrling**, -s, -e, apprentice; die **Lehrstunde**, -, -n, lesson (coaching) hour

der **Leib**, -es, -er, body; das **Leibchen**, -s, -, bodice, corset; die **Leibeskräfte** (*pl.*) strength (of body); aus —n, with all his might

die **Leiche**, -, -n, dead body, corpse

die **Leidenschaft**, -, -en, passion; **leidenschaftlich** passionately

leidig miserable, cursed

der **Leierkastenmann**, -es, ⁻er, organ-grinder

leihen (ie, ie) to lend, loan; das **Leihauto**, -s, -s, car for hire, taxi

die **Leine**, -, -n, line, cord, rope

leisten do, perform, render, afford, accomplish; er kann sich's —, he can afford it

leiten to lead, conduct, escort; der **Leit'arti'kel**, -s, -, leading article, editorial

die **Leiter**, -, -n, ladder

der **Lesesaal**, -es, -säle, (das Lesezimmer) reading-room

letzt; das **Letzte** last thing (straw); zu guter Letzt finally, in conclusion, to wind up with

die **Leuchtziffer**, -, -n, luminous figure

der **Leutnant**, -ß, -ß, lieutenant

das **Lid**, -eß, -er, (eye) lid

lieb; **liebevoll** lovingly, affectionately; **lieblich** charmingly, sweetly; die **Lie'besaffä're**, -, -n, love-affair; der **Liebling**, -ß, ‑e, darling; das **Lie'beskonzert'**, -ß, -e, love-concert; das **Liebespaar**, -eß, -e, couple of lovers; der **Liebha=ber**, -ß, -, lover

liegen (a, e) to lie, rest, be situated; **gut** —, lie comfortably; **in den letzten Zügen** —, to lie at one's last gasp; **mir liegt daran** I am interested, it is a matter of importance to me; **woran es liegt** what the cause is, what it is due to (the fault of); **es liegt anders** the situation is different; der **Liegestuhl**, -eß, ⁻e, reclining-chair

der **Lift**, -ß, -e or -ß, elevator; die **Liftanlage**, -, -n, elevator system; der **Liftboy**, -ß, -ß, elevator-boy

die **Linie**, -, -n, line

die **Liste**, -, -n, list

die **Livree'**, -, -n, livery; die **Livree'= jacke**, -, -n, livery jacket, uniform coat

locker loose

lockig curly-headed

der **Löffel**, -ß, -, spoon

das **Logis'**, -, -, (*Fr.*) lodging, room

sich lohnen to pay, be worth while; **lohnend** rewarding, worth while

das **Los**, -eß, -e, lot, lottery ticket

los; **etwas ist los** something is up (wrong, going on)

los-fahren (sein) to start off

los-gehen (sein) to begin

los-lassen to let go (loose)

los-legen to let go, launch out

los-rennen (sein) (auf) to rush (upon)

los-reißen (i, i) to tear away from; **sich** —, to tear (jerk) oneself free (away)

los-schießen (o, o) to (go ahead and) shoot, shoot away

los sein to be up (wrong, doing)

los-steuern (auf) (sein) to steer (for)

los-stürzen (auf) (sein) to rush up (to), pounce (upon), dart (at)

los-werden (sein) to get rid of

lösen to buy, loosen, free; die **Lö= sung**, -, -en, solution

los-ziehen (sein) to go (start) off

gelötet soldered; —e **Schlipse** (humorous) ready-made ties (mounted on a back of tin)

die **Lotterie'**, -, -n, lottery

lud *see* **laden**, **einladen**

das **Luder**, -ß, -, bunch of flesh, wretch

die **Luft**; **dicke** — (= gespannte Stimmung) heavy atmosphere (portentous of a storm), "something doing"; **luftig** airy; die **Luftschlange**, -, -n, paper streamer, serpentine; der **Luftsprung**, -ß ⁻e, leap into the air; die **Luftver= änderung**, -, -en, change of air

lügen to lie; **wie gedruckt** —, to lie like a book

der **Lump**, −es *or* −en, −en, rag; ragged man; scoundrel, knave, lazy loafer, scallawag, rapscallion; der **Lumpenball**, −s, ⁻e, (poverty) masquerade ball, rag ball; das **Lum'penkostüm'**, −es, −e, rag (masquerade) costume

das **Lunch'paket'**, −s, −e, lunch package

die **Lun'genentzün'dung**, −, −en, inflammation of the lungs, pneumonia

die **Lupe**, −, −n, microscope, magnifying-glass

die **Luft**; nicht übel — haben to be half a mind to; lustig gay, merry; die **Lustigkeit**, −, −en, merriment, gaiety

das **Luxushotel**, −s, −s, hotel of luxury, hotel de luxe

M

machen; da kann man nichts —, there's nothing one can do about that; das macht nichts that makes no difference; das würde sich schon — lassen that could be done all right; große Augen —, to look astonished; mach ich = das werde ich machen; machte kehrt faced about; — Sie, daß see to it that; was — , how are ... getting along

die **Macht**, −, ⁻e, might, power; **mächtig** mightily; — hinter hot after (on the trail of)

der **Mädchenhändler**, −s, −, dealer in (panderer of) women; die **Mädchenkammer**, −, −n, maid's room

Magdeburg, German city, southwest of Berlin

die **Magenschmerzen** (*pl.*) stomachache

mager thin, emaciated

die **Mahlzeit**, −, −en, meal; **Mahlzeit!** (table greeting) good appetite!

mahnen to admonish, caution, remind

die **Majestät'**, −, −en, (your) majesty

das **Mako'hemd**, −es, −en, Egyptian cotton shirt

mit einem **Mal** all at once

mancherlei all sorts of things

Mandschuko' new Japanese-created state

der **Mangel**, −s, ⁻, lack

die **Manier'**, −, −en, manner

der **Mann**; der **Männerfang**, −es, ⁻e, man-catching expedition, manhunt; **mannstoll** man-mad, crazy after men

die **Manschet'te**, −, −n, cuff; der **Manschet'tenknopf**, −es, ⁻e, cuff-button

die **Manteltasche**, −, −n, overcoat pocket

das **Märchen**, −s, −, fairy-tale; **märchenhaft** fairy(tale) like

der **Maren'go**, −s, Oxford gray (a woollen cloth. Derived from the place-name Marengo, near Alexandria)

marionet'tenhaft marionette (doll) like

marfant' (= auffallenb, from Fr. marquer) striking

bie **Marfe**, -, -n, postage stamp

ber **Marmela'beneimer**, -$, -, marmalade pail

marmorn marble

bie **Marot'te**, -, -n, whim, caprice, fancy

marfch! march!

marfchie'ren (fein) to march

ber **Martinstogel**, -$, Martin's Peak, St. Martin's Cowl

bie **Mafern** measles

maffie'ren to massage; bie **Maffa'ge**, -, -n, massage; ber **Maffeur'**, -$, -e, masseur

bie **Mate'rie**, -, -n, (ma·te'riə) stuff, matter, material

matt dull

ba$ **Matterhorn**, -$, mountain peak in the Alps

ba$ **Meerfchweinchen**, -$, -, guineapig

meinen to think, say, express an opinion; ba$ will ich —, I should think so!

meinerfeits as for me, for my part; **meinetwegen** for all I care; for all of me

bie **Meistersfrau**, -, -en, (meat) proprietor's wife

melancho'lifch melancholy

fich **melben** to announce oneself; to answer (a knock); (phone) to be on the line

ber **Menfch**; ber **Menfchenfreffer**, -$, -, cannibal; ba$ **Menfchens-finb**, -e$, -er, man, mortal, child;

bie **Menfchentunbe**, -, -n, knowledge (study) of mankind

merfwürbig curious, remarkable, strange

ber **Metall'bügel**, -$, -, semi-circular metal band

ba$ (ber) **Meter**, -$, -, metre

miauen to mew, miaow

bie **Miene**, -, -n, expression; er ver-zog feine —, he didn't move a muscle of his face

bie **Militär'station'**, -, -en, military post

bie **Mimifrh** mimicry; (zool.) protective resemblance assumed by animals

ba$ **minbeste** the least (thing); min-beftens at least; das **Minbestmaß**, -e$, -e, minimum amount

minu'tenlang (lasting) for (some) minutes

miß'billigen to disapprove

mißfal'len (dat.) to displease

mißlin'gen (a, u) (fein) to fail

mißmutig out of sorts

ber **Miß'ton**, -e$, ⁺e, discord, jar, dissonance

mißtrauifch distrustfully, suspectingly

miß'verstehen to misunderstand; ba$ **Mißverständnis**, -ffe$, -ffe, misunderstanding

ber **Mitarbeiter**, -$, -, co-worker, assistant

mit-geben to give to take along

mitleibig sympathetically, condolingly; charitably

mitfamt (dat.) together with

mit-teilen to tell, inform, communicate, disclose

die **Mittelmeerreise**, –, –n, Mediterranean Sea trip

mittels by means of

mittlerweile meanwhile

mitun'ter now and then

das **Modell'**, –s, –e, model

möglich; die **Möglichkeit**, –, –en, possibility; **möglichst** einsam gelegen in as isolated a location as (at all) possible

die **Mokkatasse**, –, –n, Mocha (coffee) cup

Moment' mal just a minute

der **Monopol'arti'kel**, –s, –, article of monopoly

Monte Carlo famous resort in Monaco

die **Moral'**, –, –en, morals, ethics

der **Mordskerl**, –s, –e, brick, trump, capital fellow

ab **morgen** beginning tomorrow; from — on; **morgendlich** morning; das **Morgengrauen**, –s, –, break of day, dawn; die **Morgenzeitung**, –, –en, morning newspaper

muh! moo!

die **Mühe**, –, –n, difficulty, trouble, pains; **mühsam** laboriously, with effort

München Munich; ab —, from — on

münden (in) lead, empty in

das **Mundtuch**, –es, ⁻er, napkin

munter lively, animated, vivacious, well

die **Münzstraße** street in central Berlin

murmeln to murmur

mürrisch grouchy, cross, testy, grumpy

der **Musiker**, –s, –, musician

die **Muskulatur'**, –, musculature, muscles

mustern to inspect, review, scrutinize, examine, study; die **Musterung**, –, –en, inspection, scrutiny

der **Mustopf**, –es, ⁻e, jam jar (pot); er kommt aus dem —, he's been off wool-gathering; he doesn't know what it's all about!

der **Mut**, –es, courage; **mutig** brave, courageous, stout-hearted, bold

das **Muttchen** (= das Mütterchen) mummy, little mother

mütterlich motherly

die **Mutterstelle**, –, –n, place of (a) mother

die **Mystifikation'**, –, –en, mystification

N

na (= nun) well, now

die **Nachbarschaft**, –, –en, neighbourhood; der **Nachbartisch**, –es, –e, neighbouring table

nach-blicken (dat.) to look after

nach-denken to ponder, consider; **nachdenklich** thoughtfully

der **Nachfolger**, –s, –, successor

die **Nachfrage**, –, –n, inquiry

nach-helfen (dat.) to help on, coach

nachher afterwards, later

die **Nachhilfestunde**, –, –n, private (supplementary or coaching) lesson

nach-kommen (sein) (*dat.*) to come after; follow, accept

nach-lassen to desist, abate, lessen, calm down

nach-legen to put on, replenish, the fire

das **Nachmittagsschläfchen**, -s, -, afternoon nap; sein — halten to take his —

die **Nachricht**, -, -en, news

nach-schauen (*dat.*) to look after

nach-sehen (*dat.*) to look after; to take a look and see

die **Nachsicht**, -, indulgence, forbearance; **nachsichtig** indulgently, leniently

die **Nachspeise**, -, -n, dessert

nächstens the first thing, very soon (shortly)

die **Nacht**; **nächtlich** nightly; die **Nachttischplatte**, -, -n, top of the night table (stand); der **Nachtzug**, -es, ⁻e, night train

nackt naked; um aus der —en Haut zu fahren enough to make one jump out of one's skin, to knock one over, to make a saint swear

die **Nadel**, -, -n, needle

der **Nagel**, -s, ⁻, nail; der **Nagelschuh**, -es, -e, hobnailed shoe

nagen (an) to chew, gnaw (at, on)

in meiner **Nähe** close at hand

einem **nahe-gehen** (sein) to affect deeply

nahe-legen (*dat.*) to put it up to

nahen (sein) (*dat.*) to near, approach

näher-kommen (sein) (*dat.*) to get (come) closer to

sich **nähern** (*dat.*) to approach

näher-treten (a, e) (sein) (*dat.*) to approach, step nearer (closer); enter, come in

na'hezu' almost, nearly

namens by the name of

nämlich namely, as you must know

das **Namensschild**, -es, -er, name-plate

nanu! well now! hello!

der **Narr**, -en, -en, fool; zum —en halten to make a fool of, fool, bamboozle

die **Nase**; sich die — putzen to blow one's nose; durch die — ziehen to pass (put) through one's nose; die **Nasenspitze**, -, -n, tip of the nose

naß wet

die **Natur'**; von — aus by (very) nature; die **Natur'bega'bung**, -, -en, natural gift, talent; der **Natur'freund**, -es, -e, nature-lover; **natur'widrig** contrary to nature, unnatural

neben; **neben ... her** along beside; **nebenan** next door, in the adjoining room; die **Nebenbeschäftigung**, -, -en, side-occupation; **nebeneinander** beside each other; der **Nebeneingang**, -s, ⁻e, side-entrance; der **Nebenraum**, -es, ⁻e, adjoining room; die **Nebensache**, -, -n, side issue, secondary item; der **Nebentisch**, -es, -e, side (neighbouring) table; die **Nebenwand**, -, ⁻e, side wall; das **Nebenzimmer**, -s, -, adjoining room nebſt together with

neckiſch teasingly, roguishly mockingly

der Neger, -s, -, negro

neigen to bend, incline, be inclined to

nennenswert worth mentioning

der Nerv, -s or -en, -en, nerve; einem auf die —en gehen to get on one's nerve; nervös' nervous

der Nerz, -es, -e, mink (fur)

nett nice, kind, decent, charming, likeable

neu; die Neuanſchaffung, -, -en, new acquisition; neueingetroffen newly arrived; neugeboren newborn; neugierig curious; die Neue Königsſtraße street in NE Berlin; die Neuigkeit, -, -en, (piece of) news; der Neuſchnee, -s, newfallen snow

die Nichte, -, -n, niece

nickelglänzend nickel plated, shining nickel

nicken to nod

niedergeſchlagen cast down, dejected; die Niedergeſchlagenheit, -, dejection

ſich nieder-laſſen to lower oneself, settle, stay

nieder-ſetzen to set (put) down

niedlich nice, neat, pretty, smart, trim

niedrig low

die Niere, -, -n, kidney; see prüfen

nieſen to sneeze

der Nimbus, -, -buſſe, nimbus, gloriole, halo

nirgends nowhere

nobel noble, generous

nordindiſch North Indian

der Nor'wegeranzug, -s, ᵘe, Norwegian suit (costume); die Nor'wegerjacke, -, -n, Norwegian jacket (coat)

die Nothilfe, -, -n, emergency help

notie'ren to note, jot down, make a note of; die Notiz', -, -en, note; der Notiz'block, -s, ᵘe, note-pad; das Notiz'buch, -es, ᵘer, notebook

nötig haben to need (to do)

noto'riſch notorious

nüchtern sober

die Nudel, -, -n, noodle; die Nudelſuppe, -, noodle-soup

nun'mehr' now

nichts nützen to be of no avail, be good for nothing; der Nutzen, -s, -, use, service

O

ob whether; over, because of, at; obwohl although

o'benauf' atop, uppish, buoyant, in good spirits

o'benhin' lightly, in a cursory manner

der Ober, -s, -, (= Oberkellner) (head) waiter; der Oberboden, -s, - or ᵘ, attic; oberflächlich superficial, shallow, frivolous; die Oberflächlichkeit, -, -en, superficiality, frivolity; das Oberhemd, -es, -en, outside shirt, day-shirt;

der O'berpoſt'inſpek'tor, –s,-to'-
ren, head inspector of mails
der Ochſe, –n, –n, ox
offenbar apparent, evident
offen-laſſen to leave open
offenſichtig or offenſichtlich obvious, apparent, manifest
offiziell' official
öfter fairly often; des öfteren rather
often
bie Ohnmacht, –, en, (fit of) uncon-
sciousness
das Ohr; ohrenbetäubend deafen-
ing, ear-splitting; dieOhrenklappe,
–, –n, ear-tab (muff); ohrfeigen
to box one's ears; das Ohrge=
hänge, –s, –, ear-drop, pendant
das Öl, –es, –e, oil; der Ölmaler, –s,
–, oil painter; ölgemalt oilpainted
olle = alte
die Oper, –, –n, opera
das Opfer, –s, –, sacrifice
die Ordnung, –, –en, order; — ma=
chen to bring things to order,
tidy up
orientiert' oriented
originell' original; queer, unique
der Ort, –es, –e, place, village
der Otterkragen, –s, –, otter-skin
collar

P

ein paar a couple (few); ein Paar,
–es, –e, a pair, couple; noch ein
— dazu a couple more in addition
packen to pack; seize (am by); das
Pack'papier', –s, –e, wrapping-
paper

der Page, –n, –n, (French) page
das Paket', –s, –e, package, parcel
der Pantof'fel, –s, – or –n, slipper
die Papier'ſchlange, –, –n, paper
streamer
parabie'ren to parade
das Parfüm', –s, –s, perfume
das Parkett', –s, –e, dancing floor;
a certain seating space in the
theatre, translate: reserved seats
das Parktor, –es, –e, park gate
(entrance)
die Partie', –, –n, party, excursion,
picnic; match; eine — Wollſocken
a lot (pile, batch) of woollen socks
der Paſſagier', –s, –e, passenger
paſſen to suit, fit, be suited for;
paſſend fitting, suitable
paſſie'ren (ſein) (dat.) to happen;
pass
patent' (= großartig, ausgezeichnet)
great, smart, hard to beat
pathe'tiſch pathetically, with (full
of) pathos; — rufen to spout
der Patient', –en, –en, patient
die Pedanterie', –, –n, pedantry
peinlich painful
die Peitſche, –, –n, whip
pekuniär', pecuniarily, financially
der Pelz, –es, –e, fur, fur coat; pelz=
beſetzt fur-trimmed
penſioniert' pensioned
Perſien Persia; der Perſerteppich,
–s, –e, Persian rug
das Perſonal', –s, personnel; der
Perſonal'chef, –s, –s, head of the
personnel department; die Per=
ſona'lien (pl.) data pertaining

to one's personal affairs, personalities; der **Perſonal'mangel**, –s, deficiency (shortage) of personnel

das **Pfänderſpiel**, –es, –e, game of forfeits

pfeifen (i, i) to whistle

der **Pfeiler**, –s, –, post, pillar, pier; der **Pfeilerſpiegel**, –s, –, pierglass

das **Pferd**; die **Pferdekur**, –, –en, horse cure; desperate remedy (resort); der **Pferdeſchlitten**, –s, –, horse-sleigh

pfiff, *see* pfeifen

die **Pfingſten** (*pl.*) (*or* das Pfingſten, –s) Whitsuntide

pflegen to be accustomed (used) to

pfundweiſe by the pound

die **Phantaſie'**, –, –n, imagination

die **Photographie'**, –, –en, photograph

piepen to chirp, peep. *See note*

der **Pierrot'**, –s, –s, (= das Peterchen) clown

Pi'ſtyan small watering-place in Czechoslovakia, with mineral baths

das **Plakat'**, –s –e, placard

planen to plan; der **Plan**, –es, ⁻e, plan

plato'niſch platonic

der **Plattfuß**, –es, ⁻e, flat-foot

der **Platz**, –es, ⁻e, place, square, court; seat

plaudern to chat

plötzlich suddenly; ein bißchen —, quickly, smartly

der **Plüſchſeſſel**, –s, –, plush (easy) chair

der **Podeſt'**, –es, –e, landing, platform

Polen Poland

poltern to make a noise, come clattering; **polternd** noisily, clattering, stamping

pompös' pompous

die **Pore**, –, –n, pore

das **Portal'**, –s, –e, portal, main entrance

der **Portier'**, –s, –s, (*French pron.*) porter; die **Portier'loge**, –, –n, porter's lodge (box, office); der **Portier'tiſch**, –es, –e, porter's counter (desk)

die **Poſt**, –, post, mail; post-office; das **Poſtamt**, –es, ⁻er, post-office; der **Poſtbote**, –n, –n, mail carrier; die **Poſtkarte**, –, –n, postcard; **poſtlagernd** poste restante

der **Poſten**, –s, –, post, position, job; entry, item

die **Pracht**, –, –en, splendour, display; **prächtig** splendid, magnificent

die **Prämiie'rung**, –, –en, awarding of prizes

der **Preis**, –es, –e, price; prize; das **Preisausſchreiben**, –s, –en, offering of a prize; prize competition; der **Preisträger**, –s, –, prize winner; die **Preisverteilung**, –, –en, distribution of prizes

preſſen to press, compress, depress; **gepreßt** depressed, tensely

prima first quality

privat' private; **priva'tim** in private; die **Privat'kli'nik**, –, –en, private clinic; der **Privat'mann**, –es, ᵁer or –leute, private citizen; die **Privat'stunde**, –,–n, private lesson

probie'ren to try (on)

profund' profound

die **Propagan'dazentra'le**, –, –n, head advertising office; der **Propagandist'**, –en, –en, propagandist, advertiser; **propagandi'stisch** in the way of propaganda (advertising)

der **Prophet'**, –en, –en, prophet; die Kleinen Propheten the Minor Prophets

Prost! (**Prosit!**) (Latin) (may it be to) your health!

prüfen to test, examine, scrutinize; auf Herz und Nieren —, to test to the very core; **prüfend** critically, searchingly

prusten to blow, puff, sneeze, snort

das **Publikum**, –s, public, patrons

die **Pudelmütze**, –, –n, round, visorless, shaggy cap of fur or knit wool, topped by a tassel; stocking-cap

der **Puder**, –s, –, powder; die **Puderdose**, –, –n, powder-case, compact

der **Pullover**, –s, –s, (= Schlupfjacke) pullover

der **Pulsschlag**, –es, ᵁe, pulse-beat; der **Pulswärmer**, –s, –, wrist warmer (protector)

der **Pulverschnee**, –s, fine (powdered, loose) snow

der **Punkt**, –es, –e, point, dot; — neun Uhr on the dot of nine, (on the stroke, punctually . . .)

die **Pupil'le**, –, –n, pupil of the eye

pur pure, "straight"

pusten to blow, puff

das **Putzblank=Ausschreiben**, –s, prize competition of the Putzblank Works

die **Putzblankwerke** (*pl.*) name of a factory (Polish-Bright Works)

putzen to polish; sich die Nase —, to blow one's nose

das (der) **Pyja'ma**, –s, –s, pyjamas

die **Pyrami'denform**, –,–en, pyramid (form)

Q

die **Qual**, –, –en, torture

die **Quaste**, –, –n, tassel; (= die Puderquaste) powder-puff

quatschen to talk, chatter; quatsch keine Opern don't pull any operatic stuff; der **Quatsch**, –es, –e, foolish talk, nonsense; –machen to talk nonsense, retail foolish talk, blab

quellwärts towards the source, upstream

quer diagonal, slanting; **querfeldein** across-fields; quer über (straight) across

quieken to squeak, squeal

quittie'ren to sign a receipt

R

das **Rad**, –es, ᵁer, wheel

die **Radikal'kur**, –, –en, radical cure

der **Rahmen**, -s, -, frame; aus dem — fallen to get out of the picture

rammdösig (= schafsdumm) stupid as a sheep

der **Rand**, -es, ⸗er, edge, margin; mit etwas zu —e sein to be finished with something

randalieren to kick up a shindy (rumpus)

der **Ranzen**, -s, -, school-bag, knapsack

der **Rappel**, -s, -, rattle; den — kriegen to get a rattle, go crazy (off one's nut)

rasch quick, fast

rasieren to shave; die **Rasier⸗klinge**, -, -n, razor-blade

rassig smart-looking, "classy"

raten (ie, a) to advise; guess; der **Rat**, -es, ⸗e, counsel, advice; wissen Sie keinen —, don't you know what should be done? (any help for it); wußte sich keinen — mehr was at a loss; was at his wit's end; **ratsam** advisable; das **Rätsel**, -s, -, riddle

die **Raubvogelfeder**, -, -n, feather of a bird of prey

rauchen to smoke; sonst raucht's or there will be smoke (sparks will fly); or there'll be something doing; der **Rauchtisch**, -es, -e, smoking table (stand)

rauh rough, coarse

der **Raum**, -es, ⸗e, room; die **Räum⸗lichkeit**, -, -en, (= Raum) room

räumen to vacate, leave

rauschen to rustle

raus-fliegen (o, o) (sein) to go flying out (of the door)

rausgeschmissen thrown out

sich **räuspern** to clear one's throat

realistisch realistic

das **Rebhuhn**, -es, ⸗er, partridge

die **Rechnung**, -, -en, account, bill; einer Sache — tragen to take something into account, to make allowance for something

recht; — haben to be right; einem — geben to admit that one is right; von Rechts wegen by rights; **rechtwinklig** at right angles; **rechtzeitig** in good time, at the right moment

recken to stretch; sich — to stretch, straighten up

reden; die **Rede**, -, -n, talk, speech; die **Rederei'**, -, -en, (empty) talk

der **Reeder**, -s, -, ship-owner; die **Reederei'**, -, -en shipping line, (business)

rege lively, brisk, bustling

regelmäßig regular

die **Regie'rungstat**, -, -en, official act (of government)

das **Regi'na** hotel in Munich

reiben (ie, ie) to rub

reichen to reach, hand, hold out; be sufficient, make do with

reichhaltig abundantly, diversified

reichlich abundantly, amply, plenty

der **Reichtum**, -s, ⸗er, riches, wealth

reiflich ripe, mature

die **Reihe**; er kam an die —, his turn came

reimen to rhyme

der **Reingewinn**, -es, -s, net profit

sich **reinigen** to clean up, wash oneself

reisen (sein); das **Reiseandenken**, -s, -, souvenir of the trip; die **Reisemütze**, -, -n, travelling cap; der **Reisestaub**, -es, dust from travel

reißen (i, i) to tear, break; wenn alle Stränge —, if all moorings break; if worst comes to worst; **reißend** tearing, impetuous, ravenous; —er Absatz brisk demand (market)

reizen to charm; irritate; **reizend** charming, delightful; irritating; der **Reiz**, -es, -e, charm; irritation

die **Rekla'me**, -, -n, advertising, (-ment); die **Rekla'mearbeit**, -, -en, advertising study; treatise on advertising; der **Rekla'meetat'**, -s, -s, advertising budget; der **Rekla'mefach'mann**, -es, ⁻er, advertising specialist; der **Rekla'mefeld'zug**, -es, ⁻e, advertising campaign

rennen, rannte, gerannt (sein) to run; der **Rennfahrer**, -s, -, c a r racer

die **Rente**, -, -n, rent, income, revenue

reservie'ren to reserve, set aside; die **Reser've**, -, -n, reserve; das **Reser'veseil**, -s, -e, reserve cable

resigniert' resigned(ly)

der **Rest**, -es, -e, rest, remainder, remnant, remains; butt; einem

den — geben to give one his finish; **restlos** completely, totally

retten to save, rescue

die **Reunion'**, -, -en, reunion, dance

die **Revan'che**, -, -n, (*French pron.*) revenge; return invitation

der **Rheinländer**, -s, -, Rhinelander

richten (an) to put (direct) (to); zugrunde —, to ruin

richtig; **richtiggehend** real, genuine; **richtig-stellen** to set right, correct

rieb, *see* reiben

der **Riese**, -n, -n, giant; **riesengroß** gigantic; die **Riesenkuppel**, -, -n, gigantic dome; das **Riesenroß**, -es, -e, gigantic horse; (= Dummkopf) great blockhead; der **Riesenschritt**, -es, -e, gigantic stride; die **Riesenwelle**, -, -n, giant swing; **riesig** gigantic, enormous

das **Rindfleisch**, -es, -e, beef; **rindsledern** (of) cow-hide; das **Rindvieh**, -s, -, ox; duffer

ringen (a, u) to struggle

ringsum' round about

die **Riva'lin**, -, -nen, rival

die **Rivie'ra** famous coast region on the Gulf of Genoa

roch, *see* riechen

roh raw, rough, brutal

die **Rolle**, -, -n, roll; rôle

rollen to roll; das **Röllchen**, -s, -, (detachable) cuff

roman'tisch romantic

römisch Roman

rosa rose-coloured, pink

das **Rostwürstchen**, -s, -, grilled wurst (sausage)

rot; bas Rotangeſtrichene, (article) marked in red; **bie Rotblonde, –n, –n,** reddish blonde; **rotfleckig** covered with red spots; **rotge= brannt** (sun) burned red; **rötlich** reddish; **rotwangig** red-cheeked

bie **Rubrik', –, –en,** rubric, heading

ber **Ruck, –es, –e,** jerk

rücken to advance

ber **Rücken, –s, –,** back; bie **Rück= fahrt, –, –en,** return trip, (see **Hinfahrt**); bie **Rückfahrkarte, –, –n,** return ticket; ber **Rucksack, –es, ⁻e,** knapsack; bie **Rückſicht, –, –en,** consideration (auf for); **keine — nehmen auf** to pay no heed to; bie **Rückſichtnahme, –,** considerateness; **rückwärts** backwards

ber **Ruf, –es, –e,** reputation

bie **Ruhr** mining and manufacturing district in Western Germany

bie **Rührung, –, –en,** emotion

bie **Rumpelkammer, –, –n,** attic (lumber) room

ber **Rumpf, –es, ⁻e,** trunk (of body)

rümpfen to wrinkle, curl up

rund; ber Rundblick, –s, –e, view (all) around, panorama; bie **Run= be, –, –n,** round, circle; in bie — **blicken** to look all around, scan the horizon

eine **runter-hauen** (hieb, gehauen) to give a blow, slap, in the face; **mir ſelber —** "kick myself"

runter-rutſchen (ſein) to slide down; **rutſchen Sie mir ben Buckel runter** go plumb to hell! go and be hanged!

runzeln to wrinkle

rutſchen (ſein) to slide, slip (down)

rütteln to shake, rouse

S

ber **Saal, –es,** Säle hall, (large) room; bie **Saalſeite, –, –n,** side of the hall

bie **Saale** river in central Germany

bie **Sache, –, –n,** thing, matter, affair; bie — **iſt bie** it's like this; **gemeinſame —,** common cause; **mit bem Gelb iſt bas ſo eine —,** it's a peculiar thing about money; **mit mir iſt bas ſo eine —,** it's a special case with me; **tun nichts zur —,** have nothing to do with, do not matter

ſächſiſch Saxon, from Saxony

bie **Saiſon', –, –s,** (French) season

bie **Sala'miwurſt, –, ⁻e,** salami sausage

ber **Salon', –s, –s,** (French) salon, drawing- room, parlour

ſalutie'ren to salute

bie **Salzſäule, –, –n,** pillar of salt

ſammeln to gather, collect

ſämtlich all, every

ſanft soft, gentle

ber **Sanität's'rat, –es, ⁻e,** public health doctor; (honorary title, do not translate)

Sankt Moritz Swiss mountain resort

Sankt Veit place name

ſatt satisfied, full

bie **Saubande, –, –n,** gang (bunch) of rascals, ragamuffins ſauber neat, clean

das Saufen, -ß, drinking

die Säule, -, -n, pillar

ſauſen (haben and ſein) to whiz, swish, speed, rush like a whirlwind

ſchäbig shabby

die Schachtel, -, -n, (cardboard) box

ſchaden (dat.) to (do) harm; ſchade too bad, a pity; ſchadenfroh malicious; ſchädlich harmful, bad for one

ſchaffen make, do (work), accomplish

der Schaffner, -ß, -, conductor

der Schah von Perſien Shah of Persia

ſchäkern to joke, flirt, dally

der Schal, -ß, -ß or -e, shawl, scarf

die Schale, -, -n, shell, covering

ſchälen to pare, peel

der Schalter, -ß, -, (counter) window

ſich ſchämen to be ashamed

die Schande, -, -n, shame, disgrace; der Schandfleck, -ß, -e, blemish, disgrace

die Schankkonzeſſion', -, -en, concession for serving drinks

die Schar, -, -en, group, crowd

die Schären, group of little islands off the coasts of Scandinavia and Finland

der Scharſſinn, -eß, -e, subtlety; ſcharfſinnig acute, perspicacious, subtle

ſcharmant' charming

ſchätzen to treasure, esteem; ſich glücklich —, to count oneself for-

tunate; der Schatz, -eß, ⁿe, treasure

ſchaudern to shudder; ſchauderhaft frightful, awful

ſchauen to look, gaze

ſchaukeln to rock

der Scheck, -ß, -ß or -e, cheque(über for)

ſich ſcheiden laſſen to get a divorce

ſcheinen (i, i) to shine; der Schein, -ß, -e, shine, appearance; banknote; um einen — bläſſer paler by a shade

ſchelmiſch roguish, mischievous

ſchenken to present; fill (a glass); geſchenkt nehmen to accept as a gift; der Schenktiſch, -eß, -e, drinking counter, bar

der Scherz, -eß, -e, joke

ſcheuern to scrub

ſcheußlich hideous, revolting, abominable

der Schi, -ß, -e or -er, ski; die Schi= ausrüſtung, -, -en, ski outfit; das Schibrett, -eß, -er, ski(board); Schi fahren to ski, go skiing; das Schifahren, -ß, -, skiing; der Schifahrer, -ß, -, skier, skirunner; die Schihalle, -, -n, skiroom; der Schihallenhüter, -ß, -, caretaker of the ski-room; der Schihallenwächter, -ß, -, skiroom watchman (custodian); Schi Heil! (The skier's form of greeting) Good luck to you! ski luck! die Schijoppe, -, -n, skiing jacket; der Schikurs, -ſeß, -ſe, ski course; der Schilehrer, -ß, -, skiing teacher; die Schi'partie', –, –n, ski party; die Schitour, –, –en, skiing trip; der Schi'tourist', –en, –en, ski tourist; die Schistunde, –, –n, skiing lesson; der Schiunterricht, –s, skiing instruction; die Schiwiese, –, –n, skiing field

das Schicksal, –s, –e, fate

schieben (o, o) to shove, thrust, push; — auf to attribute to

schief crooked, slanting, sloping; — ansehen to look askance at

schielen to look (be) cross-eyed, squint

der Schiffahrtei'besitzer or Schiffahrtsbesitzer, –s, –, ship-line owner; die Schiffahrtslinie, –, –n, ship-line; der Schiffahrtslinienbesitzer, –s, –, ship-line owner

schikanie'ren to chicane, treat unfairly, vex; die Schika'ne, –, –n, piece of chicanery, unfair dealing

Schildhorn village, a short distance west of Berlin

schillern to change colour, glitter, irridesce

schimmern to shimmer, shine

schimpfen to scold, curse, vituperate, sputter

der Schinken, –s, –, ham; das Schinkenbrot, –s, –e, ham sandwich

schippen to shovel; die Schippe, –, –n, shovel

der Schirm, –es, –e, umbrella; screen, protection

die Schlacht, –, –en, battle

schlafen; das Schläfchen, –s, –, nap; der Schläfer, –s, –, sleeper; die

Schlafstelle, –, –n, sleeping place; der Schlafwandler, –s, –, sleepwalker, somnambulist

schlagen; sich vor die Stirn —, to strike one's forehead; vor den Kopf —, to strike on the head; gab sich geschlagen admitted herself beaten; der Schlag, –es, "e, stroke; car (carriage) door; der — trifft mich I get (suffer) a stroke

der Schlaumeier, –s, –, clever fellow

einem schlecht werden to turn sick at the stomach

schleichen (i, i) (sein) to creep, slip

die Schleife, –, –n, bow

schleppen to drag, carry

Schlesien Silesia; schlesisch Silesian

schleunig hastily

schließen (o, o) to close; — aus to infer from; schließlich finally, eventually, after all, in the last analysis (instance, resort) in the end

schlimmstenfalls in the worst event

der Schlips, –es, –e, (four-in-hand) tie; gelötete —e, (humorous) ready-made ties (soldered, i. e., mounted on a back of tin)

die Schlit'tenpartie', –, –n, sleighing party; der Schlittschuh, –es, –e, skate; — laufen to skate

das Schloß, –sses, "sser, castle

der Schluck, –es, –e, swallow

der Schlummer, –s, –, slumber

schlürfen to sip

der Schluß, –es, "e, end; zum —, finally; also —! so finis!

der Schlüssel, –s, –, key; das Schlüs-

felfach, -es, ⁿer, mail-box, pigeon-
hole

ſchmal narrow; ſchmalhüftig slender-
hipped (waisted)

ſchmecken to taste (good) (nach of)

ſchmeicheln (dat.) to flatter

ſchmeißen (i, i) to throw

der Schmerz, -es, -en, pain; ſchmerz=
verzogen pain-distorted

der Schmetterling, -s, -e, butterfly

ſchmieden to forge, make; das
Schmiedegitter, -s, -, wrought-
iron fence

ſich ſchmiegen (an) to snuggle (up
to), press (against)

ſchminken to paint one's face,
make up

ſchmücken to decorate, adorn; der
Schmuck, -es, -e, decoration,
adornment; ſchmucklos plain, un-
pretentious

ſchmunzeln to smirk, smile

ſchmutzig dirty, soiled

der Schnabel, -s, ⁿ, bill, beak; mug

ſchnappen (nach) to snap (for)

der Schnaps, -es, ⁿe, brandy,
whiskey; a nip, a drop of something wet; — heben = trinken

ſchnarchen to snore

der Schnee; der Schneebauch, -es,
ⁿe, snow belly; das Schneefeld,
-es, -er, snow-field; die Schnee=
flocke, -, -n, snowflake; die
Schneelaſt, -, -en, burden (load)
of snow; die Schneemütze, -, -n,
snow-cap; die Schneepfütze, -, -n,
snow-puddle; das Schneeſchippen,
-s, snow-shovelling; der Schnee=

ſchuh, -es, -e, snow-shoe; der
Schneeſockel, -s, -, snow base
(socket, pedestal); die Schnee=
wehe, -, -n, snow-drift

ſchneiden; ein Geſicht —, to make
a face

der Schneider, -s, -, tailor

ſchneien to snow

der Schnupfen, -s, -, cold; ſich einen
— holen to take a cold

der Schnurrbart, -s, ⁿe, moustache

ſchnurren to purr

ſchob, see ſchieben

das Schock, -s, -e, heap, lot

ſchon gut all right; good enough;
that will do

der Schöpfungstag, -es, -e, day of
creation

der Schornſtein, -es, -e, chimney;
der Schornſteinfeger, -s, -, chim-
ney-sweep

der Schoß, -es, ⁿe, lap; Abrahams
—, A's bosom

der Schrank, -es, ⁿe, wardrobe,
closet, chest of drawers, com-
mode; der Schrankkoffer, -s, -,
wardrobe-trunk; die Schranktür,
closet door

das Schräubchen, -s, -, little screw

der Schreck, -es, -e, shock, fright,
alarm; bloß vor —, from sheer
fright; ſchreckhaft terrified, timid;
ſchrecklich frightful, awful, terrible

ſchreiben; die Schreibtiſchuhr, -,
-en, desk clock; das Schreibwa=
rengeſchäft, -s, -e, stationery store

ſchreiten (i, i) (ſein) to pace, walk,
stride, march; der Schritt, -es, -e,

step, pace; — halten to keep pace with (in step with); — für —, step by step

der Schubkasten, -s, -, or die Schublade, -, -n, drawer

schüchtern timid

der Schuft, -es, -e, rogue

der Schuhplattler, -s, -, a famous Upper Bavarian folk dance

schuld (an) to blame (for); die Schuld, -, -en, fault, guilt, debt; schuldbewußt guilty, conscious of guilt; schuldig geblieben remain owing, still owed; schuldig sein to owe, be in debt

das Schulterrollen, -s, -, rolling of the shoulders

schumm(e)rig dusky, dark, obscure

die Schüssel, -, -n, dish

das Schußfahren, -s, (skiing) doing the straightaway, straight descent; die Schußfahrt, -, -en, straightaway, straight shot (descent)

schütteln to shake

der Schützengraben, -s, ⁿ, trench(es)

der Schutzmann, -es, - leute, policeman

schwach besetzt scantily occupied; schwachsinnig weak-minded, stupid

der Schwamm, -es, ⁿe, sponge; — drüber (wipe it off the slate) no more of that; forget it; let bygones be bygones

schwanken to sway, reel

der Schwanz, -es, ⁿe, tail

schwärmen (für) to swarm; to dote (on), be an enthusiast (about), be passionately fond (of), rave over; der Schwarm, -es, ⁿe, swarm

die Schwarte, -, -n, skin, rind (of bacon, etc.); arbeiten, bis die — knackt to work like a horse

schwarz; schwarzmaskiert' blackmasked; schwarzsamten blackvelvet; das Schwarzseidene black silk (dress)

schweben (haben and sein) to float, hover

schweigen (ie, ie) to be (become, keep) silent; schweigsam silent

das Schwein, -es, -e, pig, hog; die Schweinerei', -, -en, dirty mess

die Schwelle, -, -n, threshold

schwenken to swing, wave

schwer; schwer-fallen to cause difficulty, find hard; schwerfällig clumsy, awkward; schwerhörig hard of hearing

der Schwiegervater, -s, ⁿ, father-in-law

schwierig difficult; die Schwierigkeit, -, -en, difficulty, obstacle

schwindeln to be dizzy

schwirren (haben and sein) to whir, buzz

schwitzen to sweat, perspire

schwören (o, o) to swear

schwungvoll stylish, pretentious, ornamental

der Sechser, -s, -, (six pfennig piece, older coinage; now familiar for) Fünfpfennigstück;

die Seebäderreise, -, -n, trip to the sea-coast bathing resorts der Seelöwe, -, -n, seal, sea-lion

segeln (haben *and* sein) to sail

der Segen, -s, -, blessing

sehnsüchtig longing

die Sehweite, -, -n, seeing distance, sight

die Seife, -, -n, soap; die Seifen= flocke, -, -n, soap-flake

das Seil, -s, -e, cable

sei'nerzeit (= früher) formerly; in his day

seinetwegen for his sake, on his account

der Sekundant', -en, -en, second (in a duel)

die Sekun'de, -, -n, second; sekun'= denlang for several seconds

die Selbst'beherr'schung, -, -en, self control

selbst'verständ'lich (as a matter) of course, self-understood

selig happy, blessed, deceased; Gott hab ihn —, God rest his soul!

selten rare; die Seltenheit, -, -en, rarity; seltsam strange, unusual, rare

die Sendung, -, -en, missive, communication

senken to lower

sensi'bel sensitive

servie'ren to serve (dinner, etc.); der Servier'wagen, -s, -, tea wagon

servus (Austrian greeting, = Ihr Diener) your servant! good day!

die Sessellehne, -, -n, back of the easy chair

siame'sisch Siamese

Sibi'rien Siberia

sicher certainly, surely, of course; — vor safe (from); die Sicherung, -, -en, assurance, safety; fuse

der Siedepunkt, -es, -e, boiling point

siezen to address with (the formal) Sie

silbern silver(y); die Silbertanne, -, -n, silver fir

(das) Silen'tium, -s, (= Schweigen! Ruhe!) silence!

der Sinn, -es, -e, sense, meaning

die Sitte, -, -n, custom; sittenstreng austere, puritanical

die Situation', -, -en, situation

sitzen lassen to leave one sitting (in the lurch)

skandalös' scandalous

skeptisch skeptical

der Smoking, -s, -s, dinner jacket, Tuxedo

so etwas the like (of that)

die Socke, -, -n, sock

soe'ben just (now), but now

sofort' at once

sogar' even

soigniert' (*Fr. pron.*) well-groomed

solang'e as long as

solo solo, alone; der Solist', -en -en, soloist

somit' therewith, hence

die Son'dergratifika'tion', -, -en, special gratuity, bonus

der Sonderling, -s ,-e, queer person ("bird", "duck")

sich sonnen to sun oneself; das Son= nenbad, -es, ⁺er, sun-bath; die Sonnenfinsternis, -, -sse, eclipse of the sun; der Sonnenschein, –s, sunshine; der Sonnenschirm, –es, –e, sun-shade, parasol; der Sonnenstich, –es, –e, sun-stroke; sonnig, sunny, radiant

sonst otherwise, or else, besides, in other respects too; usual, on all other occasions

die Sorge, –, –n, care, worry; (haben Sie) keine Sorge! don't worry! (um about); die Sorgfalt, –, care; sorgfältig carefully

sortie'ren to sort

die Soße, –, –n, (Fr. sauce), sauce, gravy

soweit so far

so'wieso' anyhow

spähen to spy, peer

spalten to split, divide; der Spalt, –es, –e, crack

die Spa'nierin, –, –nen Spanish woman

der Spankorb, –es, ᵘe, splint basket

spannen to stretch; spannend interesting, exciting

sparen to spare, save money; die Sparbüchse, –, –n, savings-box; die Sparkasse, –, –n, savings-bank; die Sparsamkeit, –, –en, economy, parsimony

der Spaß, –es, ᵘe, fun, jest, joke, amusement; einem — machen to entertain one, give one fun; keinen — verstehen not to know how to take a joke; der Spaßmacher, –s, –, joker, trickster

der Spätsommer, –s, –, late summer

spazie'ren (sein) to walk, go walking; er kam spaziert he came walking; — gehen to go for a walk; der Spazier'gang, –s, ᵘe, walk; der Spazier'gänger, –s, –, walker, hiker

die Speckschwarte, –, –n, bacon-rind

der Speisesaal, –es, –säle, or Speisezimmer, –s, –, dining hall (room)

sperren to block (pen, shut) up

der Spiegel, –s, –, mirror; spiegelglatt smooth as glass

das Spiel; auf dem —e stehen to be at stake; das Spielzimmer, –s, –, card-room

spitzen to point, sharpen

der Spleen, –s, –e, (pron. as in Eng.) spleen; keinen — haben to have no eccentricity

der Sportanzug, –es, ᵘe, sport suit (costume); die Sportgröße, –, –n, sport star (champion); sportlich sporting

spotten to jest, mock, deride; jeder Beschreibung (gen.) —, to defy every description; spöttisch mocking, jesting, derisive

die Sprache; heraus mit der —! out with it! die Sprachkenntnis, –, –sse, knowledge of (acquaintance-ship with) language

sprachlos speechless

spreizbeinig with legs spread wide

spritzen to squirt, splash

das Spritzenhaus, –es, ᵘer, fire-house (used in small villages as jail, "pen")

der Sprung, –es, ᵘe, leap; auf dem —e, on the jump

ſpuᵏen to spit

ſpüren to feel, detect, sense, scent

der Staats'ſekretär', -s, -e, secretary of state

ſtachen, *see* ſtechen

die Stadtbahn, -, -en, local (suburban) railway system

die Städtiſche Sparkaſſe (proper name) local savings-bank

der Stallgeruch, -s, ꭟe, smell of the stable

ſtammen to descend (come, originate) from; der Stammgaſt, -es, ꭟe, regular (habitual) guest, habitué; das Stamm'perſonal', -s, -e, habitual personnel

ſtampfend pitching

ſtandhaft steadfast, resolute, unwavering

der Standpunkt, -es, -e, viewpoint

die Stange, -, -n, stick; eine — Geld (= ſehr viel Geld) a lot (stack) of money; ein Anzug von der —, a suit from the rack (clothes-hanger), i. e., ready-made

ſtapfen to stamp

ſtärken to strengthen; starch

der Starnberger Bahnhof, -es, railway station in Munich

ſtarren to stare

die Startnummer, -, -n, entry number

die Station', -, -en, station

ſtatt deſſen instead of this

ſtatt-finden to take place

ſtattlich stately, handsome; goodly, considerable

der Staub, -es, dust; ſich aus dem —e machen to hurry away, "beat it"; — wiſchen to dust; ſtaubig dusty

ſtaunen to be astonished (amazed), wonder

die Staupe, -, -n, distemper

ſtecken to stick, put; to be (staying); die Steckdoſe, -, -n, base-plug, contact-box, outlet, socket; der Stecker, -s, -, sticker, plug; die Stecknadel, -, -n, pin

ſtehen, ſtand, geſtanden; im Stehen ſterben to die standing (with one's boots on); ſtehenden Fußes (adverbial *gen.*; = ſogleich) upon the spot; ſtehen-bleiben to stop, stand still

ſteif stiff, formal

ſteil steep

der Steinbaukaſten, -s, ꭟ, box of stone building-blocks; die Steinſäule, -, -n, stone pillar

ſtellungslos unemployed, without a job

ſtemmen to stem, brake, prop; die Hände in die Hüften —, to place one's arms akimbo; der Stemmbogen, -s, ꭟ, stem turn, banked curve (to stop oneself in skiing)

die Steppdecke, -, -n, quilted cover, counterpane

der Sternhimmel, -s, -, starry sky

das Steuer, -s, -, rudder, helm; steering-wheel

der Stich, -es, -e, stab, stroke; einen — (= Sonnenſtich) haben to have suffered a sunstroke, to be feeble-minded

ſtiefeln to foot it; der Stiefel, –3, –, boot, shoe; der Stiefel=Joch, –3, name of a mountain with two peaks, "saddle"

ſtieren to stare; vor ſich hin —, — vacantly into space

ſtieß, *see* ſtoßen

ſtiften to found; (= ſchenken) give; die Stiftsdame, –, –n, canoness; die Stiftung, –, –en, gift, donation; foundation

ſtillgelegt closed down

ſtilrein (in) pure (good, correct) style

ſtimmen agree, check, fit, tally, be right (in order), apply

die Stimmung, –, –en, mood

die Stirn; ſich vor die — ſchlagen to strike one's forehead

ſtoben (ſtoven, ſtowen) to stew

der Stock, –e3, –e *or* ⁴e, story; im erſten —, in the second story; stick (as used in skiing); ſtockſteif stiff as a ram-rod; das Stockwerk, –e3, –e, story; im zweiten — in the third story

Stockholm capital of Sweden

der Stoff, –e3, –e, stuff, goods, cloth

ſtöhnen to groan

ſtolpern to stumble, trip

ſtop stop, period (in a telegram)

ſtopfen to stuff

ſtören to disturb, bother, upset; die Störung, –, –en, disturbance

ſtörriſch stubborn, obstinate

ſtracks directly

die Strafe, –, –n, punishment; (zur as)

ſtrahlen to beam, shine

ſtrampeln to kick, struggle, thresh about

der Strang, –e3, ⁴e, string, rope, cable; wenn alle Stränge reißen if worst comes to worst; if all moorings break

die Straße; die Straßenbahn, –, –en, street-car; der Straßenkeh=rer, –3, –, street-sweeper; die Straßenlater'ne, –, –n, street lamp

der Strate'ge, –n, –n, strategist

ſich ſträuben to resist, object

der Strauß, –e3, ⁴e, bouquet

ſtreben to strive, struggle

die Strecke, –, –n, stretch, distance; auf freier —, on a free stretch (open space)

ſtreicheln to stroke, caress

ſtreichen (i, i) to stroke; das Streich=holz, –e3, ⁴er, match; die Streich=holzſchachtel, –, –n, match-box

der Streifen, –3, –, stripe; ſtreifig in stripes, striped

ſtreiken to (go on) strike

der Streit, –e3, –e, quarrel, disagreement

ſtreng; die Strenge, –, sternness; aufs ſtrengſte in strictest fashion

der Strickhandſchuh, –e3, –e, knit glove

der Strolch, –e3, –e, tramp, vagabond

der Strumpf, –e3, ⁴e, stocking, sock

die Stube, –, –n, room, chamber;

ba§ **Stubenmädchen**, –§, –, chamber-maid

ba§ **Stück**; zwei —, two (head); er hält große Stücke auf mich he thinks a lot of me

ba§ **Studium**, –§, –ien, study; ber **Studienrat**, –§, ᵘe, title, given to high-school teachers (*do not translate*)

bie **Stufe**, –, –n, step, stair(s)

bie **Stulle**, –, –n, slice of bread and butter, sandwich

stülpen to place (turn) upside down, invert

stumm silent

stürzen (fein) to fall, rush; ber **Sturz**, –§, ᵘe, fall; ber **Sturzbach**, –§, ᵘe, (wild, leaping) mountain stream

stutzen to start, be taken aback

fich **stützen** to prop (support) oneself, lean upon

auf bie **Suche** gehen to go in search of

bie **Sülze**, –, –n, pickled (potted) meat

bie **Summe**, –, –n, sum

bie **Sünde**, –, –n, sin

bie **Suppe**, –, –n, soup

ber **Sweater**, –§, –, (*Engl. pron.*) sweater

Swinemünde German town, on Baltic coast

sympathisch sympathetic, likeable, congenial; einem — fein to feel drawn to, find congenial

T

ber **Tabak**, –§, –e, tobacco

bie **Tabel'le**, –, –n, table

ba§ **Tablett'**, –§, –e, tray

bie **Tablet'te**, –, –n, (*pharm.*) tablet

tabellos faultless

ba§ **Taftkleid**, –e§, –er, dress of taffeta silk

tagsüber during the day

bie **Taktik**, –, –en, tactics

ba§ **Tal**, –e§, ᵘer, dale, valley; zu —e, valleyward, downhill; bie **Tal'station'**, –, –en, valley station

ba§ **Talent'**, –§, –e, talent; **talentiert'** talented

tanzen to dance; ber **Tanz**, –e§, ᵘe, dance; bie **Tanzkunst**, –, ᵘ, art of dancing; ber **Tanzlehrer**, –§, –, dancing master; bie **Tanzmusik**, –, dancing music; ba§ **Tanzpaar**, –e§, –e, dancing couple; ba§ **Tanzspiel**, –e§, –e, dancing game; bie **Tanzweise**, –, –n, dance tune

tapfer brave

bie **Tasche**, –, –n, pocket; purse, handbag; ba§ **Taschenmesser**, –§, –, pocket-knife; ba§ **Taschentuch**, –e§, ᵘer, handkerchief; bie **Taschenuhr**, –, –en, watch

bie **Tasse**, –, –n, cup

tastend groping

bie **Tat**, –, –en, act, deed; in ber —, in fact; bie **Tätigkeit**, –, –en, activity

tätowie'ren to tattoo

bie **Tatsache**, –, –n, fact; **tat'säch'lich** actually, for a fact

taub deaf

tauen (haben *and* fein) to thaw, melt; ba§ **Tauwetter**, –§, thawing weather

taugen to be worth; nichts —, to be good for nothing

taumeln to reel

tauschen to exchange

sich **täuschen** to be deceived

das **Taxi**, -⸱, -⸱,(also *m.* and *f.*; from die Taxameterdroschke) taxi

technisch technical

der **Teddybär**, -en, -en, teddy-bear

der **Teich**, -es, -e, pool

der **Teil**; **teilnahmsvoll** sympathetically; **teil-nehmen** to take part, sympathize; **teilweise** partially

telephonieren to telephone; das **Telephon'**, -⸱, -e, telephone; **telepho'nisch** by telephone; das **Telephon'gespräch'**, -es, -e, telephone conversation; das **Telegramm'**, -es, -e, telegram; das **Telegramm'formular'**, -⸱, -e, telegram form

der **Teller**, -⸱, -, plate

Tempelhof a section of Berlin, south

temperament'voll temperamental

die **Temperatur'**, -, -en, temperature; bekamen —, were getting excited (heated up)

das **Tempo**, -⸱, -⸱, tempo

das **Tennisgelände**, -⸱, -, tennis courts (grounds); der **Tennisplatz**, -es, ⸗e, tennis court

der **Teppich**, -⸱, -e, carpet, rug

die **Terras'se**, -, -n, terrace

die **Terri'ne**, -, -n, soup-plate

die **Terz**, -, -en, tierce, third

der **Teufel**, -⸱, -, devil; sind Sie des —⸱, are you possessed of the devil? in drei —⸱ Namen in the name of the devil (of the three devils). *See note*

das **Thea'ter**, -⸱, -, theatre; spectacle, pretending, monkey-business; das übliche —, the usual pretence, the same thing as usual

das **Thema**, -⸱, -men *or* -ta, theme, subject, topic

der **Thronfolger**, -⸱, -, crown-prince

ticken to tick

die **Tiefe**, -, -n, depths; **tiefblau** deep blue; der **Tiefseetaucher**, -⸱, -, deep-sea diver; **tiefsinnig** thoughtfully, in a brown study; **tieftraurig** with deep sadness (dejection)

das **Tier**, -es, -e, animal; (humorous) bed-bug; **tierisch** beastly; der **Tierarzt**, -es, ⸗e, veterinary doctor; die **Tierfreundin**, -, -nen, lover of animals; die **Tierhandlung**, -, -en, animal store

der **Tintenstift**, -es, -e, ink pencil

tippen to tap

die **Tischkante**, -, -n, edge of the table (stand); die **Tischplatte**, --n, table-top

tja (*mannerism*) = ja

der **To'blerkonzern'**, -⸱, -e, Tobler concern

der **Tod**; der **Todesfall**, -es, ⸗e, event (case) of death; **todsicher** dead sure

die **Toilet'te**, -, -n, toilet; große —, full (evening) dress

die **Tom'bola**, -, -len, tombola, a kind of lottery game

das **Tor**, –es, –e, gate; das **Torgit=
ter**, iron-grilled gate
der **Torso**, –s, –s, torso
die **Torte**, –, –n, tart, pastry
das **Touri'stenlager**, –s, –, tourist
bed (camp, accommodations for
the night)
traben (haben *and* sein) to trot
die **Tracht**, –, –en, dress, garb, costume
der **Trampel**, –s, –, clumsy (awkward) person
die **Träne**, –, –n, tear
die **Transaktion'**, –, –en, transaction
transportie'ren to transport
der **Trapper**, –s, –, trapper
tratschen to gossip, tattle
traubenförmig grape-shaped
trauen to trust, believe; wed; sich
—, trust oneself, venture, dare,
make bold; **traut** intimate; der
Trauzeuge, –, –n, marriage witness
traurig sad
treffen (a, o) to strike, meet; occur,
happen, co-incide; das trifft sich
großartig that's a grand co-incidence
treiben (ie, ie) to drive, carry on,
do; sprout; das **Treiben**, –s, do-
ings, activity; das **Treibhaus**, –es,
ⁿer, green-house
trennen to separate
treppab' downstairs; **treppab'-eilen**
to hasten downstairs; **treppab'-
rennen** to run downstairs; **treppauf'-rennen** to run upstairs; das
Treppenhaus, –es, ⁿer, stair hall,
stair well; die **Treppennische**, –,

–n, niche on the stairway, stair
recess
treffenreich richly ornamented with
braid
treten (sein); aus den Ufern —, to
overflow the banks, get out of
bounds (hand)
treuherzig true-hearted, loyal
trinken (auf) to drink (a toast) to
der **Tritt**, –es, –e, step, kick
trocknen to dry
der **Trödler**, –s, –, second-hand
dealer, old clothes man
trommeln to drum
der **Tropfen**, –s, –, drop
trösten to comfort; der **Trost**, –es,
consolation; nicht bei Troste sein
not to be in one's right senses
trotz (*gen.*) in spite of; **trotzdem**
in spite of (that), for all that,
nevertheless; **trotzig** defiant
trübe troubled; **trübselig** sorrowful
die **Truhe**, –, –n, chest
die **Truppe**, –, –n, troop
das **Tuch**, –es, ⁿer, cloth
tüchtig capable; able
tupfen to dab
die **Tür**; der **Türflügel**, –s, –, door
wing; der **Türhüter**, –s, –, door-
tender; die **Türfüllung**, –, –en,
door-panel
die **Türkei'** Turkey
türmen to tower (pile) up; to run
away, decamp; der **Turm**, –es,
ⁿe, tower; **turmhoch** tower-high
der **Turner**, –s, –, gymnast
der **Tusch**, –es, –e, flourish, signal
for silence

u

übel evil, bad; sick; nicht — Luft haben to have half a mind to; — werden to feel sick

übel-nehmen to take ill (amiss)

üben to practice

über; ein Scheck —, a cheque for; — alles above all; — ... hinaus up above (beyond); überall everywhere

überbrin'gen to bring (over)

überfal'len to fall upon, attack

überflie'gen to glance through

ü'berflüssig superfluous

überfül'len to overfill, crowd

überge'ben to hand over, deliver

ü'bergeschnappt gone mad (cracked)

überhaupt' in general, altogether, at all

überhö'ren to fail to hear

überlau'fen (sein) to run over; mich überläuft eine Gänsehaut I get (become covered with) goose-flesh

überle'ben to survive

überle'gen to consider; die Über-le'gung, consideration

ü'bermorgen day after tomorrow

ü'bermütig gay, exuberant, frivolous, frolicsome

ü'bernächst (the one) after the next

übernach'ten to stay over night

überneh'men to take over, take charge of, receive

überprü'fen to check, review

überra'schen to surprise; die Über-rasch'ung, -, -en, surprise

überre'den to talk over, persuade

überrei'chen to hand (over) to

übersät' strewn over, studded

zum ü'berschnappen, -s, enough to make one mad (with joy, etc.)

der Überschuh, -es, -e, overshoe

überse'hen to fail to see

die ü'bersicht, -, -en, oversight, supervision

die Überstür'zung, -, -en, overhaste

übertrei'ben to exaggerate

überwa'chen to watch over, supervise

überwei'sen (ie, ie) to assign, make over, transfer, send

überzeu'gen to convince; die Über-zeu'gung, conviction

üblich usual, customary

übrig other, left over, rest of; die —e Zeit the rest of the time; im —en, as for the rest; übrigens besides, moreover, anyhow, by the way, furthermore, as you must know

übrig-behalten to retain

übrig-bleiben (sein) to remain (be left) over

die Übungswiese, -, -n, practice field (meadow)

das Ufer, -s, -, shore, bank; aus den —n treten to overflow the banks, get out of bounds (hand)

ulkig funny, droll

um ... herum around; ums andere after the other

umar'men to embrace

um-binden to tie around, put on (a tie)

um-blicken to look about

um-bringen to kill, murder

um-drehen to turn over (around)

um-fallen (jein) to fall over

umfan'gen embrace

umge'ben to surround; **die Um=ge'bung**, –, –en, surroundings, environment, vicinity

um-gehen (jein) to go about with, deal with, handle; **um'gehend** by return mail; at the earliest possible moment, earliest convenience; promptly

umgür'ten to gird (buckle) on, encompass

umher'-kriech (o, o) (jein) to creep about

um-kehren (jein) to turn round; **die Umkehr**, –, –en, turning about, going back, retreat

um-kippen (jein) to turn (tip) over, lose one's balance

um-kleiden to change clothes

um-knicken to snap off, get broken off

um'liegend surrounding

um'-quartie'ren to move (assign) to other quarters

um-reißen to knock (jerk) over

um-jchauen to look round, have a look

der Umjchlag, –es, ⁻e, envelope; compress

umjchlin'gen (a, u) to fold (wind) round, embrace, enfold

um-jehen to look about

der Um'jißende, –n, –n, one sitting round (about)

um jo bejjer all the better

der Umjtand, –es, ⁻e, circumstance

jich um-wenden (wandte or wen=dete, gewandt or gewendet) to turn round

um-ziehen (jein) to move (to a new room, etc.); change; **jich** —, to change one's clothes; **das Um=ziehen**, –s, changing of clothes, rooms, etc.

unähnlich unlike

un'artikuliert' inarticulate

un'auffäl'lig inconspicuous

un'aufhör'lich ceaselessly

un'bedingt' unconditionally, positively

un'begreif'licherwei'je in an incomprehensible way

un'behag'lich uncomfortable

un'beirrt' unwavering

der Un'bekann'te, –n, –n, unknown one, stranger; **unbekannterweije** without our having met; as from one unknown friend to another

un'berührt' untouched

un'entbehr'lich indispensable

un'entjchloj'jen irresolutely

un'entwegt' unswerving, steadfast

un'entwirr'bar inextricable

un'erbitt'lich inexorable, unyielding

un'ermüd'lich tireless, untiring

un'erwar'tet unexpected

un'fähig incapable, unable

un'geach'tet (gen.) without heed of

un'geahnt' unsuspected, unsurmised

un'gedul'dig impatient

un'gefähr approximately, roughly, about

un'gefähr'lich without danger, perfectly safe

un'gefragt' unasked

un'gehal'ten displeased, indignant

un'geheizt' unheated

un'gehö'rig improper, unsuitable

un'gele'gen inopportune

un'geschickt' unskilled, awkward

un'gescho'ren lassen to let alone (unmolested)

un'gewöhn'lich unusual

unglaub'lich unbelievable, incredible

das Un'glück, –s, –e, misfortune, (piece of) ill luck; **der Unglücks=fall,** –es, ⁻e, accident

ungut; nichts für —, no harm meant; no offence, I hope!

das Unheil, –s, –e, evil, mischief

unheimlich uncanny

unhöflich impolite

unmißverständ'lich unambiguous, unmistakable

unmög'lich impossible

unnötig unnecessary

unrecht wrong, injustice; — haben, to be wrong

unschuldig innocent; **unschuldsvoll** innocently

unsicher uncertain, doubtful

unsichtbar invisible

der Unsinn, –s, –e, nonsense

unten below

unterbre'chen to interrupt

unter-bringen to bring under, shelter, put

unterdes'sen meanwhile

untereinander between each other

unter-gehen (sein) to go down (under), set, come to an end

untergra'ben (u, a) to undermine

sich unterhal'ten to talk with, converse; have a good time; support oneself; **der Un'terhalt,** –es, –e, support, living

die Unterhosen underdrawers

die Unterkunft, –, ⁻e, accommodation, shelter, lodging

unterlie'gen (a, e) (sein) to be subject to, succumb to

die Unterlippe, –, –n, lower lip

der Untermieter, –s, –, sub-tenant; **zur Untermiete** for sub-renting. as sub-tenant

unterneh'men to undertake, do; **das Unterneh'men,** –s, –, undertaking, enterprise, business, firm

der Unterricht, –s, –e, instruction

unterschei'den (ie, ie) to distinguish; **der Unterschied,** –s, –e, difference, distinction

sich unterste'hen to dare, venture; — Sie sich! just you dare!

der Untertan, –en or –s, –en, subject

die Unterwäsche underwear

unterwegs' under (on the) way, on the trip

der Unterzeich'nete, –n, –n, undersigned

unterzie'hen (dat.) to submit (subject) to

untröst'lich inconsolable

un'verbind'lich unbinding

un'verbrüch'lich inviolable

die Un'verfro'renheit, –, –en, impudence, effrontery

un'verletzt' unharmed, safe

un'vermit'telt (without intermediate steps) suddenly

un'verschämt' brazen, insolent; die **Un'verschämtheit**, –, –en, insolence, brazen effrontery

un'versöhn'lich irreconcilable, unappeasable

un'versucht' untried, unattempted

unwahrscheinlich improbable

unwichtig unimportant

unwillig unwilling; annoyed, displeased, vexed

unwürdig unworthy

üppig luxuriant

uralt very old, ancient

B

der **Vagabund'**, –en, –en, vagabond, tramp

die **Variation'**, –, –en, variation

die **Vase**, –, –n, vase

väterlich fatherly, paternal

sich **verab'reden** to make an appointment (date); verabredet sein to have an appointment

sich **verab'schieden** to take one's leave

verächt'lich contemptuous

veral'bern to fool

der **Veran'dasaal**, –es, –säle, veranda room

veran'lassen to see to it, cause, bring about

veran'stalten to prepare, organize, get up

verbes'sern to correct

sich **verbeu'gen** to bow; die **Verbeugung**, –, –en, bow

verbie'ten (o, o) to forbid

verbind'lich binding, obliging, courteous, kind

die **Verbin'dung**, –, –en, connection

verblei'ben (sein) to remain

verblüf'fen to take aback, surprise

der **Verbre'cher**, –s, –, criminal

verbrei'ten to spread

verbrin'gen to pass, spend

verbun'den connected

der **Verdacht'**, –es, –e, suspicion

verdammt' cursed, damned

das **Verdeck'**, –s, –e, top, roof (of a bus)

verder'ben (a, o) to ruin, spoil

verdie'nen to earn, deserve

verdrän'gen to crowd out, force from one's post

verdros'sen unwilling, disgusted, vexed

die **Vereh'rerin**, –, –nen, (lady) worshipper; die **Vereh'rung**, –, –en, worship, respects

verei'nigen to unite, combine; der **Verein'**, –s, –e, unity, union, club

verfal'len (sein) to lapse, collapse

verfas'sen to compose

verfrüht' too early, premature

verfü'gen (über) to dispose (of)

sich **vergaf'fen** (in) to become smitten (with)

vergeb'lich in vain

verge'hen (sein) to pass; **vergan'gen** passed by, gone

vergeß'lich forgetful (vor from)

vergif'tet poisoned; venomous

vergilbt' (turned) yellow (with age)

vergleichen (i, i) to compare; der **Vergleich'**, -s, -e, comparison, simile

vergnügt pleased, contented, pleasantly; das **Vergnügen**, -s, -, pleasure, enjoyment

vergrauten to drive out

sich **vergreifen** (i, i) to make a mistake

das **Verhältnis**, -ses, -se, relationship, association, affair

das **Verheerendste**, most desolating (devastating) thing

sich **verheiraten** to marry

verhindern to hinder, prevent

verkappt' disguised

verkaufen to sell; die **Verkäuferin**, -, -nen, sales-girl, girl clerk; der **Verkaufsartikel**, -s, -, article of merchandise

der **Verkehrsverein'**, -s, -e, association to promote tourist travel

verkehrt' wrong, upside down

verkleiden to disguise, dress up as

verknoten to knot

verkohlen to hoax; see **Kohl**

verladen (u, a) to load

verlangen to require, ask for, demand

verlassen to leave; (*perf. p.*) verlassen solitary, deserted; sich — auf to depend (rely, count) upon

verlaufen (sein) to run off, pass off, turn out, end

verleben to spend

verlegen embarrassed; die **Verlegenheit**, -, -en, embarrassment

verleihen (ie, ie) to confer upon, bestow

sich **verlieben** to fall in love

sich **verloben** to become engaged; die **Verlobung**, -, -en, engagement

vermeiden (ie, ie) to avoid

vermischen to mix, mingle

vermissen to miss

das **Vermögen**, -s, -, fortune

vermutlich supposedly, I suppose (conjecture); die **Vermutung**, -, -en, supposition, conjecture, guess

vernehmen to hear

sich **verneigen** to bow

verneinen to deny

vernichtend devastating, annihilating

vernickelt nickel-plated

veröffentlichen to publish

verpassen (colloquial, = zuteilen) deal out, apportion; to let slip, to miss

verpflegen to care for, supply with food, board

verpflichten to oblige

verqualmt' smoke-filled, dense with smoke

verräuchert smoked up, dingy with smoke

verreisen (sein) to go away, set off, travel

verrenten to strain, sprain

verrichten to carry out, do

verrückt' crazy

der **Verruf'**, -es, -e, ill repute

versalzen to put too much salt in, spoil one's pleasure in

verſchieb′bar adjustable

verſchie′ben different, various, divers

verſchla′fen sleepy, sleep-intoxicated

verſchla′gen to interfere with, affect

verſchlei′ert veiled, shrouded, wrapped (in tears, mystery, etc.)

verſchlep′pen to drag (carry) away

verſchloſ′ſen locked

verſchlucʹen to swallow

verſchmer′zen to get over

verſchneitʹ snow-covered

verſchö′nen to beautify, decorate, adorn

verſchwandʹ see **verſchwinden**

verſchwei′gen (ie, ie) to keep silent, suppress

verſchwin′den (a, u) (ſein) to disappear

verſe′hen (a, e) to provide with; to expect; make a mistake; ehe er ſich deſſen verſah before he was aware of it; **verſe′hentlich** by accident, through mistake, inadvertently

die **Verſen′kung**, –, –en, hole, pit, trap-door

verſetʹzen to pawn

verſi′chern to assure

verſie′gen to dry up

verſin′ken (ſein) to sink (out of sight), disappear

verſöhn′lich in a conciliatory tone

ſich **verſpä′ten** to be late; verſpätet belated

verſper′ren to block

verſpre′chen to promise; ſich — von to promise oneself from, expect (to profit from); hoch und heilig —, to promise by everything dear (sacred); die **Verſpre′chung**, –, –en, promise

(**verſtehen**); der **Verſtandʹ**, –es, reason, understanding, sense; **verſtänd′nislos** uncomprehendingly; **verſtänd′nisvoll** understandingly; die **Verſtän′digung**, –, en, understanding

verſtär′ken to strengthen; starch

ſich **verſtau′chen** to sprain

verſtei′nert petrified

verſtel′len to block; ſich —, pretend, feign, act one's part

verſtimmtʹ disgruntled, out of sorts

verſtörtʹ disturbed, upset, bewildered, distracted

verſtum′men to become silent

verſu′chen to try; der **Verſuch**, –s, –e, attempt; **verſuchsweiſe**, by way of trial

verſun′ken sunk, lost

vertei′digen to defend

vertei′len to distribute, give out

vertie′fen to sink lower, make deep, bury

das **Vertrau′en**, –s, confidence, trust; die **Vertrau′ensſe′ligkeit**, –, –en, blind confidence, implicit faith

verträumtʹ absorbed in dreams, dreamily

vertre′ten to represent, fill, take the place of; to step in the way, bar

der **Verun′glückte**, –n, –n, one who has come to grief; victim verur′ſachen to cause, give

verviel′fältigen to multiply, duplicate

die Verwahr′loſung, –en, devastation

verwan′deln to change, transform

verwandt′ related; used

verwech′ſeln to confuse

verweht′ covered by snow-drifts

verwei′gern to refuse

verwen′den to use; verwandt used; related

verwirk′lichen to make real, carry out

verwirrt′ confused

verwit′tert weather-worn (beaten)

verwöh′nen to spoil

verwun′dert lost in wonder, astonished

verzeh′ren to consume, devour

verzer′ren to pull out of shape; verzerrt (with) distorted (face)

verzie′hen, verzog, verzogen to move, distort; er verzog keine Miene he didn't move a muscle of his face

verzie′ren to decorate, adorn

verzwei′feln to doubt, despair; es iſt zum Verzweifeln it is enough to drive one to despair; verzwei= felt desperate, in despair

vibrie′ren to vibrate

das Vieh, –es, cattle

vielerlei many different kinds

vierblättrig four-leaved

das Viertelpfund, –es, –e, quarter of a pound; die Viertelſtunde, –, –en, quarter of an hour

die Villa, –, –len, villa

der Vogelbauer, –s, –, bird-cage; die Vogelſcheuche, –, –n, scarecrow

das Volk; das Volkslied, –es, –er, folk song; der Volkstanz, –es, ⁿe, folk dance

vollkom′men completely, perfectly, entirely

vollſtändig completely; die Voll= ſtändigkeit, –, –en, completeness

von ... ab from ... on

vor ſich her in front (of one); — ſich hin to oneself

vor-ahnen to have an (advance) premonition

voran′ ahead of; voran′-ſchreiten (i, i) to stride, march, ahead (in the lead)

voraus′-beſtellen to order in advance

voraus′-gehen (ſein) to go ahead

voraus′geſetzt presupposed, provided, assuming

voraus′-ſchreiten (i, i) (ſein) to walk ahead, lead the way

voraus′-ſetzen to take for granted, presuppose

die Vorbedingung, –, –en, condition

der Vorbei′marſch, –es, ⁿe, march past, review march

vorbei′-müſſen to have to pass

vorbei′-rollen to roll past

vorbei′-ſchauen to look (peer) past

vorbei′-ſchieben (o, o) to push past

vorbei′-ſchleichen (i, i) (ſein) to slip past

vor-bereiten (auf) to prepare (for)

fich **vor-beugen** to lean forward

vorbildlich ideally, faultlessly

der **Vordergrund**, –es, ⁻e, foreground

vor-dringen (a, u) (sein) to press forward

der **Vorfahr**, –en, –en, forbear, ancestor

vor-fahren (sein) to drive up (in front)

vor-fallen (sein) to occur

die **Vorfreude**, –, –n, pleasure of anticipation

vor-führen to present, stage

vorgesehen provided (set aside) for

vor-haben to have in mind (in hand), to plan

vorhan'den sein to be present (at hand), exist

der **Vorhang**, –es, ⁻e, curtain

das **Vorhemd**, –es, –en, dickey, (detachable, false) shirt front

vorher first, before

vorhin before, a while ago, just now

vorjährig of the preceding year

vor-kommen (bei) (sein) to occur (with), happen; seem

vorläufig for the present (time being), provisionally

vor-lesen to read aloud

vor-liegen (a, e) to lie before one, exist, be there; **vorliegend** present

vor-machen; jemand etwas —, to deceive a person, take in, put over on, throw dust in one's eyes

vor-merken to note down, register

der **Vorname**, –ns, –n, first (given) name

vorne front; von — anfangen to begin all over again; **vorneweg** in advance, first

vornehm distinguished, aristocratic, well-bred, genteel, polite, stately

fich **vor-nehmen** to resolve

die **Vorrede**, –, –n, preliminary talk, introduction

vorsätzlich deliberate

der **Vorschein**, –es, –e, appearance, view

vor-schlagen to propose, suggest; der **Vorschlag**– s, ⁻e, suggestion, proposal

der **Vorschuß**, –sses, ⁻sse, cash advance

fich **vor-sehen** to watch out, take care, be on one's guard; die **Vorsehung**, –, –en, providence; die **Vorsicht**, –, caution; be careful! look out! **vorsichtig** cautiously

vorsintflutlich antediluvian

vor-stellen to present, introduce; represent; imagine, fancy, picture; die **Vorstellung**, –, –en, presentation, show, performance

der **Vortag**, –s, –e, preceding day

der **Vorteil**, –s, –e, advantage

der **Vortrag**, –es, ⁻e, lecture; einen — halten to deliver a lecture

vor-treten (sein) to step forward; der **Vortritt**, –es, –e, precedence: den — lassen to permit to go ahead, grant precedence to

vorü'ber-gehen (sein) to pass by

(over); **vorü'bergehend** temporarily, for the time being

vorü'ber-gleiten (i, i) (ſein) to glide by

vorü'ber-kommen (ſein) to come (pass) by

vorü'ber-ziehen (ſein) to pass (float) by

vorwärts-helfen to help forward

vorwärts-ſtiefeln (ſein) to foot it (stride) ahead

der **Vorwurf**, -s, ⁻e, reproach; ich mache mir Vorwürfe I rebuke myself, my heart reproaches me; **vorwurfsvoll** reproachful

vor-ziehen (*dat.*) to prefer; **vorzüg'lich** excellent

W

waagerecht horizontal

wachen to watch; remain awake; **wach** awake

wachſen to (rub with) wax

wachſen (u, a) (ſein) to grow

wackeln to rock, shake

der **Waffenſchein**, -s, -e, licence for carrying arms

wagen to venture, dare; das gewagte Bild daring figure of speech; **waghalſig** reckless, venturesome

der **Wagen**, -s, -, carriage, car, motor car

der **Waggon**, -s, -s (*French pron.*) railway coach

wählen to choose, select; **wähleriſch** particular

wahnſinnig *or* **wahnwitzig** mad, crazy

wahr; die **Wahrheit**, -, -en, truth; **wahrhaf'tig** really, truly; **wahrheitsgemäß** in keeping with the truth; **wahr-nehmen** perceive; profit by; die Gelegenheit —, to seize the opportunity; die **Wahrſagerin**, -, -nen, fortune-teller; **wahrſchein'lich** probably, evidently, apparently

währen to last; **währenddem'** meanwhile, in the meantime

die **Wald'kapel'le**, -, -n, forest chapel

die **Wanne**, -, -n, bath-tub

das **Warenhaus**, -es, ⁻er, warehouse

warnen to warn (vor against)

Warſchau Warsaw

der **Warteſaal**, -es, -ſäle, waiting-room

waſchen (u, a) to wash; das **Waſchbecken**, -s, -, wash-basin; die **Wäſche**, -, -n, washing, underwear, linen; die **Wäſcheleine**, -, -n, clothes-line; das **Waſchfaß**, -ſſes, ⁻ſſer, wash-tub; das **Waſchpulver**, -s, -, washing-powder; die **Waſchſchüſſel**, -, -n, wash-basin; das **Wäſcheſtück**, -es, -e, laundry piece, piece of underwear; der **Waſchtiſch**, -es, -e, wash-stand

der **Waſſerfall**, -es, ⁻e, water-fall; die **Waſſerwelle**, -, -n, water (finger) wave

der **Watſchentanz**, -es, ⁻e, (die

Watſche = die Ohrfeige, box on the ears) a folk-dance

der **Webefehler**, -s, -, blemish (defect) in the weave

wecken to waken

wechſeln to change, exchange; der **Wechſel**, -s, -, change

wedeln to wag, fan, move back and forth

die **Wegbiegung**, -, -en, turn in the path

weg-bleiben (ſein) to stay (remain) away; die Luft wird dir —, your breath will fail you

von **wegen** (colloquial for) wegen on account of, for the sake of

weg-fahren (ſein) to leave, depart

weg-holen to fetch away

weg-kommen (ſein) to get away, be taken away (stolen); ſchlecht —, to have a bad deal

weg-nehmen to take away

weg-ſchenken to give away

weg-ſchmelzen (o, o) (haben *and* ſein) to melt away

weg-ſtecken to put away

weg-werfen to throw away

ſich **wehren** to defend oneself

weh-tun to hurt

weiblich feminine

weich soft

weichen (i, i) (ſein, *sometimes* haben) to yield, give way

der **Weidenzaun**, -es, ⁼e, pasture fence

weidwund (weide = Eingeweide, bowels) wounded in the bowels; mortally wounded

ſich **weigern** to refuse

der **Weihnachtsmann**, -es, Santa Claus

weilen to stay, linger; die **Weile**, -, -n, while, time

weinerlich tearful

die **Weiſe**, -, -n, way, manner; auf dieſe —, in this way

weiſen (ie, ie) to point, direct, show

weiß-machen; einem etwas —, to delude a person into believing

die **Weißwurſt**, -, ⁼e, a pork sausage

weit; es weit bringen to climb high, accomplish a great deal; bis auf weiteres until further notice, for the present; weit und breit far and wide

weiter-empfehlen (a, o) to recommend to others

weiter-fahren (ſein) to travel on

weiter-gehen (ſein) to go on, continue

weiter-humpeln (ſein) to limp further

weiter-leben to live on

wei'ter-marſchie'ren (ſein) to march on (further)

wei'ter-randalie'ren to go on kicking up a shindy (rumpus)

weiter-rennen (ſein) to run on

weiter-ſammeln to go on collecting

die **Welt**; **weltberühmt** world-famous; der **Weltkrieg**, -es, -e, World War; die **Weltreiſe**, -, -n, trip round the world

ſich **wenden** (an) (wandte, gewandt *or* wendete, gewendet) to turn (to)

wenigſtens at least

wenn; aud —, even if; **— ſchon** and if, even if (so)

werbend engagingly, winningly, seeking to win favour; **der Werbe= erfolg,** -es, -e, advertising success, gain in customers; **der Wer= befachmann,** -es, -leute, advertising specialist; **die Werbewir= kung,** -, -en, effects of propaganda (advertising)

Werder a village, short distance west of Berlin

die Werke (*pl.*) works, factory

wertvoll worthy, valuable

das Weſen, -s, -, being, nature, character; **nichts Weſentliches** nothing essential (important)

weswegen why, on what account

wetten to bet (on it); **die Wette,** -, -n, wager, bet; **um die —,** in competition, try to outdo each other; **der Wettbewerb,** -es, -e, competition, rivalry

wichtig important

wickeln to wrap; **der Wickel,** -s, -, roll (of wrapping flannel, etc.); **die Wick'elgamaſch'e,** -, -n, spiral legging, puttee

wider-hallen to echo

widerlich unpleasant, repulsive, disagreeable, repugnant

widerſprech'en to contradict; **der Widerſpruch,** -es, ⁻e, contradiction, opposition

wi'derwärtig disgusting, repulsive

widmen (*dat.*) to devote

die Wiedereröffnung, -, -en, reopening

wieder-geben to give back

wiederho'len to repeat; **wiederholt'** repeatedly

das Wiederſehen, -s, -, seeing again, meeting; **auf —,** goodbye; **auf baldiges —,** till I see you again soon, "I'll be seeing you!"; **auf frohes —,** looking forward to a happy meeting again

wiegen to rock, sway

die Wienerin, -, -nen, Viennese

wies, see **weiſen**

die Wieſe, -, -n, meadow, field, lawn

wild; der Wildbach, -es, ⁻e, torrential (wild, leaping) brook; **der Wilddieb,** -es, -e, poacher; **wild= fremd** utterly strange

der Wille, -ns, -n, will, way

willkom'men welcome

die Wimper, -, -n, (eye)lash

winken to wink, nod, beckon, wave, signal

winterlich wintry; **die Win'terſai= ſon',** -, -s, (*French pron.*) winter season; **der Winterſport,** -s, -e, winter sport; **das Winterſport= hotel,** -s, -s, winter-sport hotel

wirken to work, have an effect, be effective, make an impression; **überzeugend —,** be convincing

wirklich really; **die Wirklichkeit,** -, -en, reality; **die Wirkung,** -, -en, effect; **die Wirkungsgrenze,** -, -n, effective range, efficiency limit

bie **Wirfware**, –, –n, woven goods; product

ber **Wirtſchaftsführer**, –s, –, business head; bie **Wirtſchaftskriſe**, –, –n, economic (business) crisis

wiſchen to wipe up; Staub —, to dust

wiſſen; nicht aus noch ein —, not to know which way to turn; ich wüßte nicht I should hardly know; meines Wiſſens to my knowledge, as far as I know

bie **Witwe**, –, –n, widow

ber **Witz**, –es, –e, wit, witticism, joke; —e machen to play a joke, to crack jokes, to be funny

wohl; — ober übel for weal or woe, better or worse; auf Ihr Wohl to your health

wohlbehalten well-preserved, safe and sound, in good condition

wohlgezielt well-aimed

wohlhabend well-to-do

wohl'temperiert' well heated

wohnhaft resident; bie **Wohnung**, –, –en, dwelling, house, apartment

ſich **wölben** to arch, vault

wolkenlos cloudless

ber **Wolkenſtein**, –s, (fictitious) mountain peak

wollen woollen; bie **Wollſocke**, –, –n, woollen sock

womög'lich possibly, if possible; perhaps

bie **Wonne**, –, –n, rapture

woran man iſt where one is (at)

bas **Wort**; kam nicht zu —e, didn't

succeed in speaking, couldn't get a word in edge-wise; **wortlos** speechless

bie **Wringmaſchine**, –, –n, wringer

wuchs, see wachſen

wuchtig weighty, mighty

würbig worthy, dignified; **würbigen** (*gen.*) to honour with, deign to give

bie **Wurſt**, –, ⁔, wurst, sausage; — wiber —, tit for tat

bie **Wurzel**, –, –n, root

ber **Wüſtling**, –s, –, rake, libertine, dissolute fellow

wütend raging, enraged, angry

3

zahlen to pay; **zahllos** countless; **zählen** (auf) to count (on)

bie **Zahnſchmerzen** (*pl.*) tooth-ache

zanken to quarrel

zappeln to kick, flap, flounder; — laſſen to keep in suspense

zärtlich tender

bie **Zehe**, –, –n, toe; bie **Zehenſpitze**, –, –n, tip-toe

ber **Zeigefinger**, –s, –, index finger

bie **Zeile**, –, –n, line

bie **Zeit**; vor ber —, prematurely, before my time; bie übrige —, the rest of the time; **zeitig** early; **zeitlebens** all one's life, for ever and a day

bie **Zellteilung**, –, –en, cell division

bas **Zentimeter**, –s, –, centimetre

ber **Zentner**, –s, –, hundred pound weight

die Zentral'heizung, -, -en, central heating

zerbrech'en to break

zerdrück'en to crush, press out

die Zeremonie', -, -en, ceremony

zerfal'len (fein) to fall apart; mit sich —, divided, out of harmony, with oneself

zerkratzt' scratched (up)

zerlöch'ert (worn) full of holes

zerren to jerk, pull

zerrif'fen torn

zerstört' destroyed, shattered

zerstreu'en to scatter

die Zervelat'wurst, -, ᵘe, cervelat sausage

das Zeug, -es, -e, stuff

der Zeuge, -n, -n, witness

der Zickzack, -es, -e, zig-zag

die Ziege, -, -n, goat

die Ziegelei', -, -n, brick works (factory); der Ziegelstein, -s, -e, brick

ziehen (haben and fein); ein Gesicht —, to make a face; die Stirn kraus —, to knit one's brow; ins Armenhaus —, to go to the poor-house; sich — (aus), to extract oneself (from); vom Leibe —, to pull off

das Ziel, -es, -e, goal

ziemlich rather, fairly; so —, pretty much, fairly so

das Zigar'renetui', -s, -s, cigar-case; die Zigar'renfabrik', -, -en, cigar factory

die Zigeu'nerin, -, -nen, gipsy woman

die Zimmerflucht, -, -en, flight (suite) of rooms; das Zimmer-mädchen, -s, -, chamber-maid; die Zimmernummer, -, -n, room number; der Zimmerschlüssel, -s, -, key to one's room

zimperlich dainty, prudish, finicky, over-nice

die Zimttüte, -, -n, cinnamon-bag

der Zinnkrug, -es, ᵘe, pewter-mug, tankard

der Zinno'ber, -s, -, cinnabar, red sulphide of mercury, vermilion

zirka (Lat., circum) about, approxi-mately

zischen to hiss

zittern to tremble, shake; zittrig trembling

die Zofe, -, -n, lady's maid

zögernd hesitating

zucken to jerk; shrug; zücken to draw (jerk, pull) out

zudem moreover

zuerst' first

der Zufall, -s, ᵘe, accident, co-incidence; zufällig by chance

zufrie'den content, satisfied; — las-sen to let alone; zufrie'denstellen to satisfy

der Zug, -es, ᵘe, train; draught; der D-Zug (Durchgangszug) through (express) train; in Zug bringen to get (it) to drawing; in den letz-ten Zügen liegen to lie at one's last gasp

zu-geben to grant, admit, concede; die Zugabe, -, -n, extra (grant), that which is given to boot, thrown into the bargain

zugefroren frozen over

zu-gehen (sein) to go, take place

zugelassen permitted, allowed

zugeweht covered over with drifted snow

zugleich' at the same time

zugrun'de to destruction; — richten to ruin

der **Zugschaffner**, –s, –, train conductor

zu-halten to hold shut

zu-hören to listen

zu-knallen to bang shut

zu-kneifen (i, i) to pinch shut, close, squint through a half-closed eye, peer through the eyelashes

die **Zukunft**, –, future; **zukünftig** future

zu-lächeln to smile to

zu-lassen to permit, allow

zuletzt' at last

zulie'be (dat.) out of fondness for, as a favour to

zumu'te in one's mood; — sein to feel

die **Zu'mutung**, –, –en, presumption, imputation

zunächst' next, (at) first, first of all

zu-nicken to nod to

zu-packen to grab hold

zupfen to tug, twitch

zurecht'-schieben (o, o) to push into place

der **Zurück'bleibende**, –n, –n, one remaining behind

zurück'-ero'bern to reconquer, retake

zurück'-lehnen to lean back

zurück'-schlagen to throw back

zu-sagen to please, appeal to; consent

das **Zusam'menbrechen**, –s, collapse

sich **zusam'men-nehmen** to pull (gather) oneself together

zusam'men-rücken to move together

zusam'men-schlagen to strike together, clap

zusam'men-sinken (in sich) to collapse, be prostrated

zusam'men-stoßen (ie, o) to encounter, run into, collide; der **Zusam'menstoß**, –es, ⁻e, collision

sich **zusam'men-ziehen** to gather (collect) oneself

zusam'men-zucken to start, wince

zu-schauen to look on, watch

der **Zuschneider**, –s, –, tailor's cutter

zu-schreiben to attribute to

zu-sehen to look on, watch, observe; **zusehends** visibly

zu-sichern to assure, guarantee

zustan'de-kommen (sein) to come to pass, be achieved

zu-sprechen to address oneself to

zu-steuern (auf) (sein) to steer (towards), aim for, direct one's steps to, head for

zu-stimmen to agree

zuvor' before, first

zuvor'kommend obliging, courteous

zuwe'ge-bringen to bring to pass

sich **zu-wenden** to turn to

zu-werfen to cast at (to)

die **Zwangsjacke**, –, –n, straightjacket; **zwangsläufig** compulsory, as a matter of necessity

zwar indeed, to be sure, to be specific

der **Zweck**, -es, -e, purpose; **zwecklos** useless; **zwecks** for the purpose of

zweifellos without doubt

das **Zweigstück**, -es, -e, piece of twig

zweitbest second-best; **zweitens** in the second place

zwicken to pinch

das **Zwiegespräch**, -s, -e, conversation, dialogue

zwingen (a, u) to force

zwinkern to twinkle, blink, wink

zwirbeln to twirl

der **Zwischenfall**, -s, ⁻e, incident, episode, casualty

das **Zylind'rische**, -n, -n, cylindrical shape